Materials for the study of the Etruscan Language

Materials for the study of the Etruscan Language

VOLUME I

PREPARED BY MURRAY FOWLER
AND RICHARD GEORGE WOLFE

The University of Wisconsin Press
Madison, Milwaukee, and London, 1967

Published by
The University of Wisconsin Press
Madison, Milwaukee, and London
U.S.A.: Box 1379, Madison, Wisconsin 53701
U.K.: 26–28 Hallam Street, London W.1

Second printing, 1967

Printed in the United States of America
Library of Congress Catalog Card Number 65-24183

Preface

In these two volumes we present the data of the Etruscan language arranged in various ways. Volume I contains our corpus and three indices, alphabet-ordered forward, alphabet-ordered reverse, and frequency-ordered for all items which occur more than once. Volume II contains another index with the key word centered on the page and the context to the right alphabetically ordered.

We have included all usable words from the *Corpus Inscriptionum Etruscarum,* from the Runes version of the mummy-wrapping, from the bronze liver of Piacenza, and from the Lemnos inscription; to these we have added the data from other inscriptions in Massimo Pallottino's *Testimonia Linguae Etruscae,* including the version of the Capua tile published therein; and six items from A. I. Kharsekin's *Voprosy Interpretacii Pamjatnikov Etrusskoj Pis'mennosti.* We have included in our corpus the reading of the two gold tablets from Pyrgi, together with the Punic text, in the reading published by Massimo Pallottino and others in *Archeologia Classica* XVI, 1964, but at the time of publication of these tablets the processing of our other data was too far advanced to permit us to include the words in our indices. We have likewise included in the corpus, but not in the indices, curtailed versions of the glosses published in *Testimonia Linguae Etruscae.*

The inscriptions are numbered as follows: 1–5606 inclusive and 8001–8464 inclusive are CIE numbers; 7002–7800 inclusive represent the numbers of *Testimonia Linguae Etruscae* with 7000 added to each, 7002 being the Capua tile; 7801–7858 inclusive represent the glosses as numbered in *Testimonia Linguae Etruscae* with 7000 added to each; 9001 is the Runes version of the mummy-wrapping; 9002 is the Lemnos inscription; 9003 is the bronze liver; 9011–9016 inclusive represent the numbers in the Kharsekin volume with 9010 added to each; 9021 is the Pallottino version of the Pyrgi tablets.

We are aware of the bad state of the CIE; we have not thought it part of our duty to better it. We have excluded as not useful very badly damaged inscriptions, lists of letters, and anything which seemed to us to be mere scratching or scrawling; and we have changed into a uniform code the various symbols used by different editors to indicate breaks, missing letters, smudges, and varying degrees of certainty in restoration. Since the selection and the new code have been made on our own responsibility, we refer to the resulting corpus as the CIEW[isconsinense].

Certain problems of encoding and decoding have imposed upon us a change in the usual sequence of the Etruscan alphabet; all our indices therefore appear in the following alphabetic order:

A C Θ E F H I K L M N O P Q R S T U V X Z Ś Φ Ψ

We have received suggestions and encouragement from many scholars, and some words of warning; for all these we are most grateful. In particular we wish to thank the editors of *Voprosy Jazykoznanija,* who published a preliminary report of our work in 1963; A. I. Kharsekin and Massimo Pallottino, who have supplied us with their recent publications; and, in our own country, Emmett Bennett and Jaan Puhvel.

This work has been supported by the Research Committee of the Graduate School of the University of Wisconsin and by the National Science Foundation. Others than ourselves who have played a role in the project are Madeline Ettenberg, Dianne Luecke, Susan Rohrberg, and Mary Ann Tustin. The data-processing was done at the Computing Center of the University of Wisconsin. The ordering of the data was done by a CDC 1604 computer, the final print-out by an IBM 870 Document Writing System. All programing was done by RGW.

M F
R G W

Madison, Wisconsin
March 11, 1965

Contents

Explanation of Symbols

General Code

Etruscan letters are transliterated into their Greco-Latin equivalents in the following order, with *X* representing the Greek chi.

A C Θ E F H I K L M N O P Q R S T U V X Z Ś Φ Ψ

Everything is printed from left to right.

Numbers recorded in Roman notation are converted to Arabic notation.

0 1 2 3 4 5 6 7 8 9

Etruscan interpuncts are transcribed directly.

· : ⁝ ⁞

· : ⁝ ⁞

Any mark which cannot be identified as a letter, or an interpunct, or a numeral is represented by the following symbol.

§

§

Latin is transcribed directly and enclosed in braces.

{A B C D E F G H I J K L M N O P Q R S T U V X Z}

Visible and countable but not identifiable letters are printed as closed diamonds. As many diamonds are printed as letters counted; when the count is uncertain the leftmost several are enclosed in angle brackets. For example,

◆◆◆◆

◆◆◆◆

marks four letters seen but not identified, and

⟨◆◆⟩◆◆

⟨◆◆⟩◆◆

marks a minimum of two to a maximum of four letters seen but not identified.

Greatly damaged areas in which no letters can be seen are represented by numbers of open diamonds, such that each diamond represents the width of one letter and the number of diamonds is proportional to the size of the area. When the size of the area is uncertain, the leftmost several diamonds are enclosed in angle brackets. For example,

◇◇◇◇

◇◇◇◇

marks an area the size of four letters; and

⟨◇◇⟩◇◇

⟨◇◇⟩◇◇

marks an area the size of two to four letters.

A broken inscription is represented at the point of break by the following symbol.

ϟ

ϟ

If it is uncertain whether the part broken off continued the inscription, the break symbol is enclosed in angle brackets.

⟨↯⟩ ⟨↯⟩

An indeterminate number of missing letters, such as whole lines, are represented by a number of swung dashes. As many swung dashes are printed as groups of letters are missing; when the number is uncertain, the leftmost several are enclosed in angle brackets. For example,

~ ~ ~ ~ ~ ~

marks three groups of letters as missing; and

⟨~⟩ ~ ~ ⟨~⟩ ~ ~

marks two or three groups as missing.

Legible but unclear and perhaps misread letters are enclosed in angle brackets.

⟨ ⟩ ⟨ ⟩

Illegible letters restored are enclosed in square brackets.

[ ] [ ]

Particular uncertainties within a restoration are enclosed in angle brackets within the square brackets.

[⟨ ⟩] [⟨ ⟩]

Additions to the Etruscan text, such as the filling out of a name from the initial letter only, are enclosed in double square brackets.

[[ ]] [[ ]]

The rare occurrence of a plain, unmarked space between letters is represented by a special symbol.

⌣ ⌣

Two or more such symbols represent two or more such spaces.

Strings of letters assumed to form complete words are bounded by spaces.

Strings of letters assumed to be fragments of words are not bounded by spaces. A string printed, without an intervening space, next to a break symbol, a diamond, or a swung dash is considered to be a fragment.

Particular Codes

CIEW

In the corpus everything is given in numerical order with the exception of the glosses, 7801–7858, which follow the Pyrgi inscription, 9021.

The Punic inscription from Pyrgi follows the Etruscan text and is enclosed in double braces.

{{ }} {{ }}

In the glosses the Etruscan word is printed on the left, the gloss on the right.

The numbers of the inscriptions are followed by line numbers; these line numbers always correspond to the lineation on the original physical object. Hyphenation is represented by a plus, +, at the end of a line and a plus, +, at the beginning; +

this always corresponds to a divided word on the original object.

Single lines of such length as to require printing on two or more lines in the CIEW are marked by a diagonal, /, at the end of each such CIEW line and by indention and a diagonal, /, at the beginning of the succeeding CIEW line (Example 1); a space adjacent to any diagonal indicates that a division has been made between words (Example 2); a lack of such space indicates that a division has been made within a word (Example 3).

Example 1 THE UNITED/
/ STATES

Example 2 THE UNITED /
/STATES
or
THE UNITED/
/ STATES

Example 3 THE UN/
/ITED STATES

Sections of an inscription, such as divisions of the mummy-wrapping, are preceded by a diagonal, /.

To derive a very conservative reading from the text as printed, double square brackets and the strings between them may be omitted; single square brackets may be dropped and the strings within them changed to strings of open diamonds; and angle brackets may be dropped and the strings within them changed to strings of closed diamonds.

SIMPLE INDICES

~

<L> <N> <P> <S>

The number given with each word in these simple indices indicates its frequency of occurrence, with all restorations accepted. Fragments are indicated by a swung dash, ~. Latin is marked by a prefixed <L>, numerals by a prefixed <N>, interpuncts by a prefixed <P>, and spaces by a prefixed <S>.

KEY WORD IN CONTEXT INDEX

The numbers in this index refer to the inscription and to the line in the inscription in which the key word, in the center of the page, occurs.

Lineation within an entry is indicated by diagonals; a diagonal with spaces indicates a line division between words (Example 4); a diagonal without spaces indicates a line division within a word (Example 5).

Example 4 UNITED / STATES

Example 5 UNI/TED STATES

Materials

for the study of the

Etruscan Language

Corpus Inscriptionum Etruscarum Wisconsinense

1	1	/LARΘI ANINIEŚ
2	1	{⫽⟨CI⟩A • L • F
2	2	THANNIA
2	3	A •} 70
3	1	TULAR ŚPURAL AINPURATUM VISL
3	2	◆EXTATR◆
4	1	⟨T⟩ULAR • ⟨ŚP⟩U⟨RAL⟩
4	2	AU • PAPSINAŚ ∘ L
4	3	A • CURSNIŚ • L
5	1	MI LAVSIEŚ
6	1	MI AVILEŚ APIANAŚ
7	1	MI VETIEŚ⟨I VEL⟩ASNAŚ
8	1	TULAR • ŚP • A • VIS • VX
8	2	AU • CUR • CLT
9	1	L : TAPSINA : A • PUMPNALISA
10	1	VEL • VELAŚNEI • VISCENEI • A
11	1	MI LARUŚ : ARIANAŚ : ANAŚNIEŚ KLAN
12	1	A • VELŚ⫽
13	1	MI LARIS SANESNAŚ
14	1	MI • MA
14	2	L • TARCSTE
15	1	MI : CANA : LARΘIAL [:]
15	2	NUMΘRAL : ⟨L⟩AUCIŚ [:]
15	3	PUIL :
16	1	MI ⟨C⟩ANA ARNΘA⟨L⟩ PRA⟨Θ⟩M◇◇◇◇◇◇LAICISLA
17	1	VIPIA VE⟨T⟩IS
18	1	{A • CAECINA • CE◆◆[U]LA
18	2	ANNOR •} 70
19	1	A ∘ CEICNA ∘ CASPU ∘ L ∘ CURIAL ∘ RIL ∘ ⟨2⟩0
20	1	{⫽ ∘ CAECINA ∘ Q ∘ F ∘ CASPO ∘ VIX ∘ ANNO ∘} ⟨2/
20	1	/⟩0⫽
21	1	⫽ [•] CEICNA • A • TLAPUNI • AVILŚ • ◆◆
22	1	{L • CAECINA • L • F • TLABONI • VIX • ANN⟨O⟩S /
22	1	/•} 30
23	1	⟨A⟩U • CEICNA • LX • SELCIA • CP • R • ◆◆
24	1	{A • CAECINA • SELCIA • ANNOS •} 12
25	1	[LS • C]EICNA • S • HERACIAL • A[VILŚ • ~]
26	1	LX • CEICNA • S • HERACIAL • RIL • 38
27	1	[[~ CEICNA]] A⟨V⟩ ∘ SELCIA ∘ RIL ∘ 60
28	1	[[~ CEICNA]] LS ∘ CASPU ∘ RIL⟨⫽⟩
29	1	⟨L⟩A ∘ ARMNI ∘ LS ∘ PUISCNAL ∘ RIL ∘ 5⟨4⟩
30	1	A ∘ CISIE ∘ ARMNAL [∘] CARCA⫽
31	1	[RAV]NΘU ∘ SUPNAI ∘ LS ∘ RIL ∘ 53
32	1	∘ LX ∘ CEICNA ∘ LS ∘ SELC⟨IA⟩
33	1	◆CEICN⟨A⟩ ∘ ⟨CASP⟩U ∘ A ∘ PACINAL ∘ RIL ∘ 50◆
34	1	L ∘ ⟨CEIC⟩[N]⟨A⟩◇◇◇◇◇◇◇◇
35	1	[L ∘] FELMUI ∘ ARΘAL ∘ RIL⫽
36	1	V : CEICNA : ⟨T⟩L⟨AP⟩[U]NI : AU
37	1	LS ∘ CEICNA ∘ LS ∘ TLAP⟨UN⟩I ∘ R◇◇◇◇
38	1	[L]S • CEICNA • A • FETIU • RIL • 40
39	1	⟨A⟩ • CEICNA • V • FETIU • PR⟨EN⟩ΘRAL • R • 50
40	1	A [•] CEICNA • V • PRE[N]⟨Θ⟩RA⟨L⟩ • FETIU • RIL/
40	1	/ • ⟨4⟩0
41	1	⟨LS⟩ • CEICNA • V • PR[E]NΘRA[L]
42	1	⫽CEICNA • LS • FELMUIAL
43	1	⟨V⟩◇◇◇◇◇◇◇TANZUI◇◇◇◇◇C⟨N⟩I
43	2	VEL[UŚ M]⟨E⟩T⟨E⟩LIAL§◇◇◇◇T⟨V⟩I⟨A⟩L
44	1	ΘANA • CAVINEI • TUZL
45	1	L • A⟨C⟩LA⟨NI⟩ • LARΘIAL • CAILINAL
46	1	ΘANA • FU⟨L⟩NAI • S • RIL • ⟨3⟩0
48	1	⟨L :⟩ TITEŚI : CALEŚI
48	2	CINA : CŚ : MESTLEŚ
48	3	HUΘ : NAPAR LESCAN
48	4	LETEM : ΘUI
48	5	ARAŚA : ΘEN⟨T⟩MA
48	6	SE : LAEI : TRECŚ
48	7	◆ΘENŚT : MEUAΘA
49	1	• TA • SUTI •
49	2	MUCETIŚ •
49	3	CNEUNAŚ •
49	4	LAUTUNIŚ
50	1	MI LEASIEŚ E⫽
50	2	⫽Ś S⟨P⟩⫽
51	1	⟨M⟩I MA LARISA HEVINAŚ
52	1	V • SUPNI • ASTNEI
52	2	V • SUPNI • LARΘI • PUINEI 10

52	3	V • SUPNI • VELANIAL
52	4	V • SUPNI • CEICNAL
52	5	L • VELUSNA • FELMUIAL
52	6	V • VELUSNA • V CALATI
52	7	V • PUINA • ARMNIAL
52	8	L • LARΘRU • FULNEI
52	9	PULTACE • CEICNA • ICAPUINEI
52	10	L • LARΘRU • ΘEPZA
52	11	CURE • MALAVE PULTACE
52	12	L◆◆◆IST◆V◆<Θ>A
52	13	<V>LCA<E> FULUNA
52	14	<L>˘˘ULTACE
52	15	/ACEP FULUNA • MAZUTIU
52	16	L • LARΘU <L>A • ARMNE
52	17	ALRUZ • FULUNA
52	18	L • LARΘU
52	19	A • VELAN<I> • PUINE
52	20	A • VELUSNA
52	21	FASTA • <L> LARΘU
52	22	LAΘI • • ΦLAVI URMTE
52	23	L • ARMNE
52	24	MASVE • CEICN<E>I
52	25	ΦAVES ETRA ΦVI
52	26	ΘUŚCE • FVIMV • L<A>RΘU • PAC<E>
52	27	/ΘUŚAΘUR
52	28	SE • LASVA
52	29	ΘLU ΘUPIT
52	30	AISECETATI
52	31	/HERACE
52	32	P
52	33	E
53	1	FL • SUPRI MANINCE
53	2	VIPINAL TRA ULXNISLA
53	3	CL<T> • TATANUŚ
54	1	{AGATINIA • L • F
54	2	ANN •} 4
55	1	{AGA+
55	2	+TINI+
55	3	+A PRI+
55	4	+MA}
56	1	RAVNTU • ARMNI • RIL • 75
57	1	◆L◆Θ <A>SIE A
57	2	<R>IL 46 LEI<N>[E]
58	1	{L • ATUNI}
59	1	L • CAI • L • SVEITUIAL • R • 26
60	1	MI MA
60	2	L • CA<Ś+
60	3	+N>I •
61	1	/ CASPU • V • LAUCIAL • C[LA]<N>
62	1	{C • CASPO • MANI • F • ANNORU •} 22 •
63	1	V • CNEVNEI • LS • TITIAL
64	1	{L • CAECINA • NIC+
64	2	+EPOR • HIC}
65	1	/ CEVLNA • SETREŚ • LAVCINAL • R<I>L • 70
66	1	LS • CNEVE • RIL • ◆◆
66	2	LEINE
67	1	AV • CNEVNA • AV • MASU • RIL • 73
68	1	AU • CNEUNA • S • CRACNAL • RI • 43
69	1	A • CNEUNA • CRAC • RIL • 28
70	1	SETRE CNEUNA
70	2	A • TITIAL RIL
70	3	14
71	1	LARΘI • CRACNEI • LARISAL RIL • 75
72	1	/ [V]<E>LUSNA • L • FULUNAL • <R>[IL • ~]
73	1	RAV • VELANI • AR • RIL • 42 • LEINE
74	1	<LAR>ΘI • VELIΘNEI • L • PRENΘRAL
75	1	[HAS]TIA • VELTNEI • <P>UCSINA<L> • R<IL> • ◆◆◆
76	1	MI : CANA : LARΘIAŚ : ZANL : VELXINEI : ŚE/
76	2	/CE
77	1	{L • VETTIUS • L • L • PHILONI+
77	2	+CUS •
77	3	ANNORUM •} 45 •
78	1	[LAR]<Θ>I [•] ΘRESNAI • ∞ RIL [• AVIL •] 26
79	1	LARΘI : IUNICI : SEIŚ
80	1	LS • LARISNI • LS∞/
81	1	AV • LECU • RIL • 80
82	1	V • LUVISU • V
83	1	◇ [• L]UVISU • V
84	1	ΘN • LUVISUI • L <R>APALIAL
85	1	LARΘI • MARCI • RIL • 72
86	1	[SEΘ]RA • PACINEI • VENUIAL • R • 55
87	1	{PAPIRIA • C • F •
87	2	ANNORUM •} 77
88	1	A • PECNI
88	2	/RIL • 53 • LEINE
89	1	{◆ • PERPERNI[O •] ◆ [•] L • EROTI}
90	1	{TANIA • PESCNIA • [ANNO]RUM • ∞§}
91	1	L : PRECU : LARISA<L>
92	1	AU • <P>RCU • L • RIL • 25
93	1	L<AR>[Θ]<I> : <PRE>NΘREI : L : PUMPNA[L]
94	1	S • PUPAINI • AU • [CL]
95	1	◇ • ŚAUCNI • A • MASVANIAL • RI◆◆◆
96	1	</>ANIA • MAVR ARNAL • RIL/
97	1	A : ŚAUCNI : A : RANAZUIAL
98	1	/ • ŚAUCNI • A • RANAZUI<AL> • RIL • 31
99	1	MI • MA

99 2 LARIS
99 3 śUPLU
100 1 ΘANIA RANNEI
100 2 PRESNTESSA
101 1 MI : MA : VELUś :
101 2 RUTLNIś :
101 3 AVLESLA :
102 1 S : SV<EIT>U : L
102 2 AVIL : RIL : 65
103 1 [LA]<R>TI • TAMINAI • RIL • <21>
104 1 A • TITE • A • CALE • CLANTI • APUNAś • RIL • 2/
104 1 /7
105 1 MI A<VILE>ś TITE<ś> : ◇◇◇<U>XSIE : MULENI<K>E
106 1 ΘANA • TITI • AU
107 1 RAUNΘU • TITI • A • MACUNI[AL]
108 1 A • TREPI • RIL • 65
109 1 RAVNTZA • URINATI • AR • RIL • 2
110 1 ARNΘ • URINATE • LS
111 1 MI ARNΘIAL USI<NI>Eś
112 1 A • F<LAV>E • A • CEICNAL
113 1 LS • FLAVE • LS • CURIAL • RIL • 48
114 1 ≠ [• FL]AVE • LS • FELMUIAL • R • ◆◆
115 1 ≠ [• F]LAVE • LS • FE<LM>UIAL • R • 21
116 1 {FLAVIA • C • F • A •} 3
117 1 SEΘRA : FULUNEI
118 1 MI • MA [•] SUΘ<I> [•] L • FULUś • <L>S
119 1 [Θ]<A>NA MI<NIA AVLEś CAI>N<AL>
120 1 AU • <A>◇◇NU◇◇◇◇◇◇◇◇◇RIL • 21
121 1 AV • C◇◇INU◆E [•] VELA[NIA]<L> • AVL<E>[ś]
122 1 L • <C>◇◇ [• LA]RISA[L • RI]L • ◇◇§§
123 1 ΘANXVILUś : CA≠
124 1 AU • HERACE • L • FELMUIAL
125 1 ≠TE • L • APUNA<L>
126 1 ◇◇ • ECS<E> • V • ALPUIALISA •
127 1 [A]V • FELMU [• RIL •] 31
128 1 LA[RI]S : F<E>[LM]<U> [:] ◇◇◇◇◇◇◇◇◇◇◇◇◇◇SALI<S>A
129 1 <L> • LAUTNI • V • CAV<I>A<L>
130 1 FA◆◆◆◆VNEI • L • VELANIAL◆◆◆◆◆
131 1 ≠IU • S • PRUI<NI> • FULUNAL
132 1 ◇◇◇◇◇◇◇◇◇◇§§E • S • <F>L<AV>IA<L>
133 1 ≠ • <L>S • VIPINAL
134 1 {A◇◇◇◇AEI◆ • T [•] F}
135 1 ◆◆◆◆◆◆◆◆I◆◆RΘI • S◆◆◆◆◆◆{VIXI[T ANNO]S •} 11
136 1 ◆ • V[EL]<A>NE • C<E>[I]<C>NAL • <R> [•] 40
137 1 [L]<A>RΘ • VE<L>◇◇◇◇◇◇◇◇L RIL • 10
138 1 AV [•] T◇◇◇§§ • CAI[A]L [•] <R>[IL] ◇◇◇
139 1 A • CA§§
140 1 10
141 1 18≠
142 1 MI [•] CAPI
142 2 L • VERSNI • <L>
142 3 /MI • <CAPI> [•]
142 4 L [•] VE<RS>NI • SE◇◇
142 5 L • VERSNI • LUP<UC>E
144 1 ΘAFAALKI
144 2 LAΘUNIKAI
144 3 /ΘANIA IIULAΘI LIN
145 1 [LA]RΘ L<U>PU[CE]
145 2 RIL • 2<9>
145 3 [AV]IL§
147 1 ≠NTIś • PAP
147 2 ≠AXELIś • A
147 3 ≠ATETZC •
147 4 ≠<PAPIE>
147 5 /≠<T> S V
148 1 ◇◇◇§ §
148 2 ◇◇◇IMA • T
149 1 {Q • AULINNA • SEX • F
149 2 SAB}
150 1 A • CAINAI • <F>ULUI[A]L • RIL<≠>
151 1 ΘANA
151 2 CAINEI • RIL
151 3 LEINE • 50
152 1 {C • CAECINA
152 2 C • L • BARO
152 3 V • A •} 38
153 1 ◇◇◇◇◇CASPU 30
154 1 {[[~ • CAECINA • ~ • F] TL]ABONI • VIX • ANNOS /
154 1 /•} 20
155 1 V • CEICNA • FETIU • V • RIL • 35
156 1 LΘ • CEICNEI • PR • A • F◆◆◆<A>L • R • 25
157 1 L • CEICNEI◇◇◇◇◇RIL • 25
158 1 ΘANA • VELUI • S • EΘRIś • AVILś • 63
159 1 LARTI • LAUTNEI • RIL • 34
160 1 ΘANA • PVINEI • LAVCINASA • ATATNAL •
161 1 [Θ]ANA : PRENΘREI : CARCN<A>◆
162 1 LARΘ : TREPUś : LARΘAL
163 1 ΘANA : URINATI : PRESNTES
164 1 L • FLAVE • S • VELUSNA<L>
165 1 Θ<A> • IV§V • MA
167 1 {I<A>INI
167 2 §§§TIUS • VIXIT • ANNOS •} 60
168 1 AVILE ANINI AVILEś RAPALIAL LUPU
168 2 AVIL RIL 52
169 1 {ANNAE}
173 1 LARΘ : NUSMUNA

173	2	LAUXA
174	1	[<A>]ARΘI • PUTRNEI
174	2	ΘUI
175	1	LARΘ NUSUMUNA
175	2	PUTUR+
175	3	+NALISA
177	1	MI ARUNΘIA MALAMENAŚ
178	1	ARNT • VETE • ARNΘALISA
178	2	CAIAŚ
179	1	ARNT VETE ARNΘA+
179	2	+LISA • CAIAŚ
180	1	LART : VETE : ARNΘ+
180	2	+AL : CAIALISA
181	1	LARΘ • VETE • ARN+
181	2	+ΘALISA • ΘUI • LAR+
181	3	+Θ • VETE • LINE
182	1	LARΘ : VETE : ARNΘA+
182	2	+L
182	3	VIPINALC
183	1	LARIS • VETE • ARNΘ+
183	2	+<A>L
184	1	LARIS : VETE
184	2	ARNΘAL
185	1	AULE • VETE • VELSA
186	1	LARΘ VETE : LARΘALISA : CAINALISA
187	1	LARΘ • VETE • LARΘALISA
187	2	CAIALISA
188	1	LART •
188	2	VETE LA+
188	3	+L
189	1	LARIS VETE LARΘALISA
190	1	ARNT : VETE : TETIAL
191	1	VEL VETE LARISALISA LA+
191	2	+RΘ VETE LINE
192	1	LARIS • <V>[ETE • L]A<R>ISALI+
192	2	+SA LARNAL
193	1	LARIS • VETE • ΘUI
194	1	VEL : VETE : LUSCE
195	1	MI MURS ARNΘAL VETEŚ
195	2	NUFREŚ LARIS VETE MULUNE
195	3	LAΘIA PETRUNI MULUNE
196	1	LARΘI • ANELIA
196	2	VETESA
197	1	ΘANA UTAUNEI
197	2	LARISAL VETEŚ
197	3	PUIA
198	1	LARΘIA ŚRUTZNEI
198	2	NATISAL : PUIA
198	3	Θ<AU>RA • CL<A>N • LINE
199	1	/ <Ś>RTZNEI : ΘUI
200	1	LART • ECNATNA • APINAL
201	1	VEL⋄⋄⋄
202	1	AULE : CEISU : VI<PI>NAL
202	2	FULU
203	1	AU • CESU • PESNA
204	1	LARΘI • PETRUN<A>I • CAINA
205	1	ARNΘ : ANE+
205	2	+INI : LAR<Θ>AL+
205	3	+ISA :
206	1	LART • ANEINI
206	2	LARΘALISA
206	3	RAUFE
207	1	L : ANEINI : <L>
207	2	VENAT+
207	3	+NAL
208	1	ARNT ANEINI
208	2	PRUMAΘNAL
209	1	LA • ANAINI
209	2	PRUMAΘNAL
210	1	L : ANEINI : PRUMAΘNA+
210	2	+L
211	1	ARNΘ • PRUMAΘNI • ARNΘAL
212	1	[VE]LIAŚ : UTIM+
212	2	+NAL : ASPESA
213	1	TITLE : PUPAE
214	1	VE CACEINA VESIALISSA
215	1	R[[AMΘA]] AMΘANI V[[ELUŚ]]
216	1	LARΘL : CVENLEŚ : TA SUΘI
216	2	MAN<A>LC<U>⋄⋄⋄⋄⋄+
216	3	+LCE
217	1	ARΘ CVENLE AULNAL
218	1	AU CVELNE AULNAL
219	1	ΘANA : CVELNE
219	2	AU : AULNAL
220	1	AULE CVELNE AXNAL
221	1	LARΘI : VELNEI : ALNIAL
222	1	A • CV<E>NLE
222	2	<A>LN<I>A<L>
223	1	Θ : CAUPNE : LA : PUIA
224	1	L • CVENLE • CAUPN+
224	2	+AL
225	1	LA : CVENLE : CA
226	1	ΘANA : VELXATINI : CVENLEŚ
227	1	A • CVELNE • L • VELXATINAL
228	1	A • CVELNE • VELXATINAL
229	1	LA • CVENLE

229 2 VELXATINAL

230 1 ΘANA : MEΘLNE : CVENL+

230 2 +ESA

231 1 AU • CVENLE

231 2 MEΘLNAL

232 1 ⟨L⟩A CVENLE

232 2 MΘ⟨L⟩NAL

233 1 LARΘI : CVELNE

233 2 MEΘLNA

234 1 ΘA⟨NA⟩ • MIL⟨N⟩EI

235 1 ⟨L⟩ CVENA⟨L⟩E : MIL

235 2 PAPA

236 1 LARΘ : CVENLE

236 2 PAPA

237 1 AU CVEN⟨LE M⟩

238 1 AULE CVELNE ⟨S⟩UEICIAL

239 1 A : CVELNE : SVEICIA

240 1 AU : CVENLE : L : FUTNAL

241 1 LA CVENLE FUTNA

242 1 LARΘ CVENLE FUTNAL

243 1 LA C⟨V⟩EN⟨L⟩[E]

244 1 VELIA ANAIN[EI]

244 2 VEL

245 1 ΘA : LAUCINE

245 2 ANAINAL

246 1 VELIA : TETINEI

247 1 MI VELŚ TITEŚ

247 2 MLNANEŚ

248 1 VEL TITE UTAUNEI

249 1 LARΘ TITE

249 2 AVUSNEI

250 1 LARIS : SESCTNA

250 2 LUMŚCIAL

251 1 LS : SESCTNA : ANΘUAL LARISAL •

252 1 LS : SESCATNA

252 2 ANΘUAL ⟨P⟩ESNASA

252 3 A • SESCATNA

252 4 ANΘL PESNASA

253 1 L ARΘUNEI

254 1 ARNΘ : SESCTNA • V+

254 2 +ELISNAL

254 3 LARΘI : VEZΘRNEI

254 4 ΘENUSA : PESNASA

255 1 ARNΘ : SESUCTUN+

255 2 +A

255 3 RAUFESA

256 1 [RA]U⟨NΘ⟩U : CALISNEI • ⟨L⟩

256 2 [S]ECA⟨T⟩NAS

257 1 ΘANIA : SESCTNEI

257 2 ATEINALISA

258 1 / [SES]⟨EAT⟩NE[I] /

259 1 VELIA : CAINEI :

259 2 PETRNIŚ

261 1 ⟨AV⟩ • UNI • CANEΘA ∘ ŚENE

262 1 LAUXME SUT◇◇◇◇NL

262 2 CENCNAL

263 1 MI FUŚUNUŚ VEL ME⟨T⟩U

264 1 I◇◇◇◇◇◇ΘAU⟨K⟩UΘAΘSA

265 1 A : LECNE : A :

265 2 AMΘNIAL

266 1 V : LECNE

266 2 AMΘNIAL

267 1 ΘANA • LECNE ∘ AMΘNIAL ∘ RENINE •

268 1 LARΘI • VUISINEI ∘ LECNESA

269 1 A [•] LECNE

269 2 VUISINAL

270 1 A LECNE • VUI+

270 2 +SINAL

270 3 ARΘAL

271 1 /⟨L⟩ECNE

271 2 / [V]⟨U⟩ISINA+

271 3 +L

272 1 {[C • L]⟨I⟩CINI • ⟨C⟩ • [F • NIGRI]}

272 2 V • LECNE • V •

272 3 HAPIRNAL

273 1 V : LECNE

273 2 MARCNAL

274 1 VEL : LECNE : VISCE : MARCNAL

275 1 ΘANXUVIL : SESCTNEI

275 2 LECNESA

276 1 V • LECNE • V

276 2 SESCTNAL

277 1 LΘ : TITEI : LE+

277 2 +CNESA

277 3 CAINAL :

278 1 ΘANXVIL : FREMNE

278 2 TEVATNAL

278 3 LECNESA •

279 1 A • ŚEMNA • A

280 1 /ŚEMNA AU HAPRE

281 1 A • ŚEMNA • LΘ

282 1 AU • ŚEMNA • AU

282 2 HAPRE • UTAUNAL

283 1 L • ŚEMNA • AU • HAPRE

283 2 UTAUNAL

284 1 AULE APUCU VETUAL

285	1	FA⟨S⟩T⟨I⟩ V◇◇◇UI ◇◇◇◇◇◇UŚ
286	1	LARΘI : CAINEI
286	2	ΘURICIAL
287	1	LARΘI • CAINEI • ARNTNI ∘ ANEŚ
288	1	AR • CAPINE LR
289	1	V • ⟨V⟩ET⟨E⟩ • CAINAL
290	1	LARΘI • LARNEI • VIPINAL
291	1	Θ • LECNEI • LΘ • AP
292	1	V • MASU • AU
293	1	LS : PETRNI :
293	2	ANTINAL
294	1	AULE : PUMPU : ALSIN⟨AL⟩
295	1	AULZA • PUN⟨P⟩U • VETUAL
296	1	LARΘI : PUMPUI : XERITNAL :
297	1	L • UTAUNI
297	2	CAINAL
298	1	LA : URINATE
298	2	VELIAŚ
301	1	LARCE LECN⟨E⟩ TURCE FLEREŚ UΘUR LANU EIΘI
302	1	MI : FLEREŚ : A◆◆⟨N⟩IΘIIAL
303	1	VNAT
304	1	MENA ME CANA C LIVINI A ⟨T⟩RECTE VELUŚ LARΘU+
304	2	+RNIŚ LEPRNAL MLACAŚ MANI
305	1	[A]U[LE] ANAINI
306	1	LART : ANCARNI : VETIAL
307	1	AULE • AULNI • PR[UŚA]
307	2	ΘNAL
308	1	S • CAEŚ •
308	2	SEINAL
309	1	LARΘI : MACIA : SUEITUSI
310	1	VE • TETI • VINA
311	1	LARΘI : ME⟨L⟩C⟨I⟩ : ⟨A⟩[NEŚ]
311	2	/LARΘI : MELC⟨I⟩ : ANE[Ś]
312	1	MI HUPNINA LARΘ
312	2	ACRNIŚ : LARΘIAL : FELŚ+
312	3	+NAL
313	1	ARNΘ : TITLNI :
313	2	ARNΘAL
314	1	LART : TITLNI :
314	2	SCURFIU
315	1	A • TITULNI •
315	2	AFUR •
316	1	◇◇◇◇I : LEΘI : VENZL+
316	2	+E+
316	3	+Ś :
316	4	◇⟨Θ⟩ VELNΘEŚ : LATNI
317	1	LS • SECU • L • ALF+
317	2	+NAL
318	1	ΘANA • LECNEI
318	2	ALFNAL
318	3	V • SECU • LS
319	1	LARΘI : VIPIN[EI]
319	2	LS : SECUŚ
319	3	PUIA
320	1	ΘANA : SECU[I]
320	2	L : VIPINAL : ŚEC
321	1	LARIS : SECU : LARISA
321	2	SEPANA : CAN
322	1	ΘANA : SECUI : TUTE+
322	2	+Ś : SEPLNAL : ŚEC
323	1	VELIA : SE+
323	2	+CUI : LARISA
324	1	LARZA : SECU
324	2	LARISAL
325	1	LARΘ : SECU : TIT⟨IA⟩L
325	2	ISA
326	1	ΘANA
326	2	TITI SEC+
326	3	+UŚ
327	1	VEL • SECU • URINAT[IAL]
328	1	L • SECU • L • URI+
328	2	+NATIAL
329	1	ΘANA
329	2	SECUI
329	3	URINATI+
329	4	+AL
330	1	L • URINATE • L
331	1	LARΘ SECU/
332	1	LART • SECU
333	1	A • SECU • FLZNAL
334	1	V SECU
335	1	V • SECU • V
336	1	ARNT[I]A • SEC[UI]
337	1	ARNZA • SECU • SEP+
337	2	+ULNAL
338	1	L • SECU • LS
339	1	◇◇◇◇ [SEUR]U
339	2	LARΘI • ΘU+
339	3	+RICI • SEURU+
339	4	+SA
340	1	LARΘ PLANCE
341	1	ΘANXVIL : PUPUŚ : /
342	1	ΘANA • REISNEI
343	1	VELIA • TUTI
344	1	/RNAL
344	2	LA

345	1	VEL • AR[U]+
345	2	+N<TL>E • VES<U>
345	3	CUSA
346	1	LARΘI
346	2	ARNTLE<ś>
347	1	VELIA
347	2	ALUFNE
347	3	ARUNTLE VESU~~~
348	1	ARNΘ : ARNTLE
348	2	VESCU : ALFNAL : CLA
349	1	ARNΘ • ARNTLE
349	2	VESCU • ARNΘAL
350	1	ATAINEI
351	1	ATAINEI
352	1	ECNATNEI
353	1	AU : FULNI
354	1	LART
354	2	FULNI
355	1	LARΘ FULNI
356	1	/ [FUL]<N>I AULE[ś]
357	1	LA
358	1	/ [FUL]NE<I> LAΘAL
359	1	L LAUTERI VIPIA
360	1	ARNΘ LAUTERI
361	1	LART : SECU
362	1	LART : SE+
362	2	+CU : ARN
363	1	ARNΘ : SECU : LAR+
363	2	+ΘALISA
364	1	VEL : SECU
364	2	LARΘAL
364	3	/ΘANIA : ALFNEI
365	1	ΘANIA • ALFNEI
366	1	LARΘI
366	2	AΘUNI
367	1	/ • SECUAN<IEś> [•] PUIAC
368	1	CAZNEI
369	1	ARNΘ AUTA : CAZNAL
370	1	EI KIHAX IXU/
370	2	AVLE KAVINI śEX
371	1	TINś
371	2	LUT
372	1	LA : CUSU : <L>~~~~+
372	2	+~~A : ~~~~LA[U]TNI
373	1	KAMSA
374	1	ARUNΘ PESNA<ś>
375	1	/ PUIAC
376	1	FASTI : KAINEI : TULESA : KN/
377	1	TINśCVIL
378	1	{C • CASSIUS C • F •
378	2	SATURNINUS}
378	3	/V • CANZI • C • CLAN
379	1	~+
379	2	+<ST>I : PUIAC
379	3	~~~<Θ> • LA • ETERI
380	1	MI KLANINśL
381	1	ARNΘ • STEPRNA
382	1	AR • STEPRNE
383	1	MI LARΘIA KURVENAś
384	1	LARΘ : STEP+
384	2	+RNI •
384	3	AUΘNAL
385	1	A • STEPRNI
385	2	LEΘIAL
386	1	ARNT : HENE
386	2	CAU<T>IAS
387	1	/<A>RISHALASAśNAśMA
388	1	ΘUKER AKILTUś ΘUVE<ś>
389	1	FASΘI VELXANEI
390	1	AVLE STEPRNI
391	1	/<U>VAś
392	1	ARNΘ : VELXATINI
392	2	VESTRNALISA
393	1	ARNΘ VELXATINI
393	2	VESTRNAISA
394	1	ARNΘ VELX<A>[TINI]
394	2	VEST<R>N[ALISA]
395	1	ARNΘ VELXATINI
395	2	VESTRNALSA
396	1	V • ΘURICE • LAURST+
396	2	+NAL
397	1	V • ΘURICE • PETR+
397	2	+NAL
398	1	L • SPURINEI • TETI+
398	2	+NAL
399	1	LΘ • ARNTNI
399	2	VELUś • SEIANTI
400	1	ΘANUXVILUś
401	1	V CAEś ASATE
402	1	V • CAEś • ASATE • ATAINAL
403	1	LARΘ • CAEś • ATAINAL
404	1	MI VENELUś KARIUNAś
405	1	[F]RAUXNI
405	2	VEΘURUś
406	1	MI ARUNΘIA KUSIUNAś
407	1	LARΘ : VIPIN<E>

408	1	VEL HEIMNI TUTIA KLAN ΘANXVIL KILNEI VELAŚNA+
408	2	+L ŚEX
409	1	LART HE[IM]+
409	2	+NI KILN<A>[L]
409	3	KLAN
410	1	LART • HEIMNI • VISKE
410	2	TUTNAL
411	1	VEL HEMNI
411	2	VISKESA
412	1	VENZA : HEIMNIŚ : ARKA+
412	2	+NAL : KLAN
413	1	LARCE • CAINI • HA<F>URE
414	1	LA • TITEŚ • CRESPE
414	2	LARΘI • CAPNEI
414	3	SUCNEI
415	1	L • TITEŚ • CRESPE • CAPNAL◇◇◇◇◇◇
416	1	L<A>RIS • TITEŚ • VISCE
417	1	MI • VE<L>[UŚ •] <HU>LNIŚ •
418	1	LART • TITEŚ • HAP+
418	2	+RESA
419	1	VELI<A> • <HAP>URI
419	2	<ARN>ΘAL
420	1	LART • PETRNI • CARC[NAL]
421	1	L • FRENTINATE
421	2	V • ARNTNAL
422	1	L : FRENTI+
422	2	+NATE : STEP+
422	3	+RNAL
423	1	MI NUMUSI<E>Ś
423	2	ŚEMUŚAΘNIŚ
424	1	L • PRASIN[A]
424	2	NERINA
425	1	L • AVEINI • HAPRE • TLAPNAL
426	1	L • AVEINI : L : VELΘURNAL
427	1	ARNΘ : PETR<N>I : <LARTAL>
428	1	VELXE FULNI VELXES
428	2	CIARΘIALISA
428	3	{Q • FOLNIUS • A • F • POM
428	4	FUSCUS}
429	1	A : STEPRNI
429	2	TALCE
429	3	CAINAL
430	1	L • STEPRNI • A • VIPINAL • TALCE
431	1	ΘANX<V>IL • TETINEI
432	1	LARΘI TITLNEI
432	2	CIARΘISA
433	1	LRT • TULE • CAVINEI
433	2	TUŚ
434	1	MARIS HALNA UNI
435	1	⫽ZIXU
435	2	⫽<M>ESIN+
435	3	+AL
436	1	CURE FULU
437	1	V • CVINTI • ARNT+
437	2	+IAŚ • CULŚANŚI
437	3	ALPAN • TURCE
438	1	V • CVINTI • ARN+
438	2	+TIAŚ • ŚELAN+
438	3	+ŚL TEZ • ALPAN
438	4	TURCE
439	1	TULAR
439	2	RAŚNAL
440	1	TINŚCVIL
441	1	V • CUSU • CR • L • APA
441	2	PETRUAL • CLAN
442	1	LARIS : PERKNA PETKEAL
443	1	ΘAPNA : MUŚNI⫽
443	2	INŚCVIL : AΘMIC⫽
443	3	ŚALΘN
444	1	VEL PUMPU+
444	2	+Ś TURU AΘI+
444	3	+ALISA
444	4	ENICUŚI
445	1	A • VELS • CUS • ΘUPLΘAŚ • ALPAN • TURCE
446	1	VELIAŚ • FANACNAL • ΘUFLΘAŚ
446	2	ALPAN • MENAXE • CLEN • CEXA • TUΘINEŚ • TLENAX/
446	2	/EIŚ
447	1	LARΘIA : ATEINEI :
447	2	FLEREŚ : MUANTRN+
447	3	+ŚL :
447	4	TURCE :
448	1	LARIS : ANEINI
448	2	VELSINAL
449	1	LARΘI ANEI : A<Θ> : PETRUŚI
450	1	HASTIA : HERINI : CNEVIAL
451	1	AUL<E> C<A>LI<E> ANAINAL
452	1	AULE LATIΘE AULEŚ
453	1	VEL MUM+
453	2	+SINI
454	1	VENEZA TITE
455	1	LΘ : TITE : LΘ :
455	2	ALFNAL : SAXU
456	1	LARΘI : TITI : TELTIUNIA
457	1	AVEI SEIUS
458	1	VL • U<RI>N[ATE] ⫽
460	1	A • VUISI • ARNΘAL

461	1	HEVA : VIPIΘUR
461	2	CUCRINAΘUR : CAINAL
462	1	ΘANA : TETNEI : FA : PREŚNTESA
463	1	LA ZIXU ANINIAL
464	1	ARCENZIOŚ
465	1	Ś : CALUŚTLA
466	1	ΘANA ΘUSINEI
467	1	LART KAIŚ
467	2	ΘUI
468	1	LART • Θ⟨IT⟩NI
468	2	VIPINAL
469	1	LARΘ :
469	2	AULEŚ
469	3	LATN
470	1	AV • PUMPUNI
471	1	TINŚCVIL
471	2	/MI : UNIA+
471	3	+L •
471	4	CURTUN
472	1	TINŚCVIL
473	1	CULΘANŚ •
473	2	V : PREΘNSA/
475	1	ZERAPIU : LAUTNI : FRAUCNAL
476	1	ΘANIA • HERINI • TETINASA
477	1	LΘ : TETINA : LATINIAL
478	1	LTΘ : TETINA : MARCNAL
479	1	VETEŚ
480	1	V
481	1	A
482	1	AT • VIPI • TITIAL
483	1	/LAUTN/+
483	2	+/TUTNA/
484	1	LARΘIA SEPIA LUPUVAL
485	1	LARΘ : LAUCINI
486	1	LARΘIA : ŚERTURIA :
487	1	TITI • ŚERTURI
488	1	LARΘIA • VELXITI • LEΘEŚ
489	1	ΘANA : TITI : LARTΘIA
489	2	CESTNASA
490	1	VIPINE CESTNA+
490	2	+SA
491	1	LARΘ ANCAR⟨NI⟩ AMRE
492	1	ΘA : VIPINE
492	2	TAΦUSA
493	1	ΘANA VUISINEI
493	2	MUΘURAS
494	1	VELIA : VELXITI : PURNIS+
494	2	+A
495	1	ARNΘ • PETRU
495	2	HERINIŚ
496	1	LARΘI ACARIA
496	2	LARΘAL
497	1	AΘ • PERZILE
497	2	ANKARIAŚ
498	1	VELIA • SC+
498	2	+ENATIA
499	1	AU • CAE
499	2	RU
500	1	VEL SUP+
500	2	+IE
501	1	PUPLU◇◇TA◇◇◇
502	1	LARΘS
503	1	LARΘI : MURINEI : FALTUSLA
504	1	TANIA
504	2	HERMΦIA
504	3	PAR • CAZE+
504	4	+SAL
505	1	{SEX • PAPIRIUS
505	2	A • L • SEXTIO}
506	1	{MARCIA • A • F •
506	2	ANNIAE • NAT}
507	1	VEL : VUISINI : ARNΘAL
508	1	VEL : VUISINI : ARNΘAL
509	1	AR : SERTVRU
509	2	VELCAIAS
510	1	A⟨Θ⟩ • ŚERTURU • VELXAIAŚ •
511	1	AU • ⟨S⟩CANSNA • XURNAL
512	1	AULE : SANSNA : AR : XURNI⟨AŚ⟩ :
513	1	VEL • TITEŚ
513	2	AIECUR⟨E⟩
514	1	VEL : TITE : AIECURE :
515	1	ΘANA : TITI
515	2	RUTANIA
516	1	ΘANA • TITI • RUTANIA
517	1	LAR • TINΘURI • SEΘR+
517	2	+AŚ
518	1	LAR [: TINΘURI :] SEΘRA[Ś]
519	1	VEL : SAPICE : AULES :
520	1	⟨AR⟩NΘ : ⟨ΘEP⟩RI⟨NA⟩ : ⟨PETRUAL⟩
521	1	Θ⟨ANSI⟩ : PETRUS : LAVTNI :
522	1	AR • HUPR+
522	2	+IU • AΘ •
523	1	AR : TLAPU
524	1	TNE AUL
525	1	ΘANA • CE+
525	2	+ΘURNEI

526	1	LARΘI CUIU+
526	2	+NIA
527	1	VEL ANE ⟨A⟩VLIAś
528	1	{ENNIA • § • L • PRIMA
528	2	H • S • E}
529	1	{C • LAELIUS • L • F
529	2	CRE⟨TI⟩CUS}
530	1	LΘ : PANTNA : CAINAL
531	1	VELIZA : PANTNEI : P+
531	2	+ETRUAL
532	1	LΘ : PANTNA : VE : LATIAL
533	1	LARΘI : LATRNEI
534	1	VL • LEΘARI
535	1	VEL HETARI
536	1	HASTI • HEΘARIA
537	1	HASTI • HEΘARIA
538	1	HASTI ⟨L⟩EΘARI+
538	2	+A ⟨V⟩ESCUSA
539	1	LARΘIA
539	2	VESACNEI
539	3	HETARIAS
540	1	AR : VESAC⟨N⟩+
540	2	+I
540	3	SECUNAL
541	1	VESCUNI+
541	2	+A
542	1	ΘANA : CAINE+
542	2	+I
542	3	ESETUNIAS
543	1	AU : VELCIE : CAINAL
544	1	VL • VIPI
544	2	VERU
545	1	TITI • VERUSA
546	1	ARNΘ • VIPI
546	2	VE⟨R⟩U⟨ś⟩
547	1	LΘ : VIPI : AΘ
548	1	⟨H⟩ASTIA : LETARI+
548	2	+A
548	3	UELXRAL
549	1	AU VELXRA AU
550	1	VL : VELXA+
550	2	+RA : LE⟨Θ⟩IA+
550	3	+L
551	1	[VE]L : ATINANATEś
552	1	AΘ : ⟨AX⟩UNI : LAΘL :
553	1	ARΘ : AXUNI : L
554	1	AZ • XUMTU • LΘ
555	1	SEΘRA
555	2	XUMTUś
556	1	APAPAULΘALΘ
557	1	ARNΘ LAUTNI
557	2	ARNΘAL◇◇◇N
557	3	LARΘA • ś • VELSI
558	1	[V]E LEΘARI TETIN[AL]
559	1	ΘANIA • HETARIA
560	1	AU • VEL+
560	2	+CIE • CAI
561	1	{LARTI RAUFIA}
561	2	TETIES ARNTHEAL
563	1	{VELIA
563	2	RAUFIA}
564	1	LARIS • PETINATE • MUTIA+
564	2	+ś
565	1	ΘANA : MUTIA : LARCNAL
566	1	PETINATE • ◇◇◇◇◇◇◇INA◇
567	1	LARIS • śERTURU • LARISAL
568	1	LARΘI
568	2	LARSTI
568	3	ANESA
569	1	VEL • ANE
569	2	VEZRA
569	3	LARSTIAL
570	1	LΘ : CUPUNA : XURUNAL
571	1	LARΘ : CUPNA : ⟨XU⟩RNAL :
572	1	ΘANA
572	2	HEΘARIA
572	3	śERTURNA+
572	4	+L
573	1	AΘ • ANCARI • A[L]+
573	2	+IA+
573	3	+ś ΘA
574	1	AR
575	1	VEL PEIΘE ARNΘA
576	1	AULEś
577	1	≠ARNΘAL
578	1	ΘANA
578	2	P⟨E⟩[T]INATI
579	1	STATINEI
579	2	/STATINEI ALISA
580	1	AΘ : AULUNI : AU
581	1	AΘ : AF⟨R⟩CE
581	2	LS
582	1	A⟨R⟩[N]⟨Θ⟩ : A[N]CARI : ACLINE
583	1	VEL : UVIE : VELU[ś]
584	1	AΘ : AMNIN⟨I⟩
585	1	AΘ : AMNI

585	2	SAPICNAL
586	1	ΘANIA
586	2	A<CAR>IA
587	1	A<V> : VELEΘURI
588	1	ΘANA : NAFANE+
588	2	+I
588	3	ΘULUNI◇◇
589	1	ΘANIA : SAINEI
589	2	AFRFEŚ
590	1	CAINE[I] TRA<ZL>[UŚ]
591	1	LAR : SEMNI : LARΘ
592	1	ΘANICU : AΘ : CAE<Ś>
592	2	LUTNIΘA
593	1	ΘA : ACARIA
593	2	ΘA : <AN>EINE<I>
594	1	LARΘ : PARNA
594	2	LARΘALISA
595	1	ΘANA • ANCARIA
595	2	VELUA
596	1	<V>EL CA<F>ATE
598	1	AULEŚ • SE<C>
599	1	LARΘ<LU>CI
599	2	LARΘAL
600	1	PEIΘI : VELUŚ : CAEŚ
601	1	AR[NΘ : AN]E [:] VIPI<NAL> : ARNΘA<L>IS<A>
602	1	AULE : CAE : PLAUTIAL
603	1	VIPIN<E>[I :] A[RN]<Θ>[AL] ◇◇◇◇ [PA]RNAŚ [:] PU/
603	1	/IA
604	1	CUSINE
605	1	CUSINE
606	1	LARΘ : VEL<X>ITE : VI<PI>NAL
607	1	VEL • CAE
607	2	CAPNAL
608	1	VEL
608	2	<P>ETI<N>A[TE]
608	3	A◇◇◇◇
609	1	ΘANA
609	2	VIPINEI
610	1	FASTIA : LEΘARIA
611	1	ARZA : UVIE : ARΘA
612	1	VE◇◇◇◇IETI : AU
613	1	AULE • AN[EI]<N>I
614	1	VEL • CAFATE
614	2	LARΘALISA
615	1	VEL PETINATE
616	1	LARΘI : VELESIAL
617	1	VEL : ANE
618	1	LARΘ VIPI◇◇◇◇◇
619	1	VEL : VIPI : <P>A<L>IA
620	1	LARIS : AU<L>◇◇◇
621	1	HASTI : ◇◇◇◇◇
622	1	ARN • HUSTI<Θ>E
624	1	<V>ELXERA
625	1	AULE • CAE
627	1	LARΘIA : MARCENEI
627	2	ŚALISA
628	1	ARSME
628	2	PURNIŚ
628	3	LAUTNI
629	1	ΘANIA • ATAINEI • VELIAŚ
630	1	VEL PAPAΘNA
631	1	FULNEI • PAPAΘ+
631	2	+NAŚ
632	1	ARNΘ PAPAΘNA
633	1	LARΘI • VIPINEI
633	2	LEIXUNIA
633	3	LEΘIAL
633	4	ŚEC
634	1	LARΘI : VIPINEI : LEIXUNIA
635	1	VL : LEIXU : L<E>ΘIAL
636	1	LARΘIA VIPI+
636	2	+NEI CAPZNAL
637	1	LARΘIA : V<IPI>NEI : CA<PZ>NA<LIS>A
638	1	VL : TITE : CAΘA
638	2	VL : VIPINAL
639	1	VL : UXUMZNA
639	2	PE<Θ>NAL
640	1	VL UCUSNA CA<P>N<A>[L]
641	1	[LA]RΘI : CECUNIA
642	1	P
643	1	VEL : VELSI : VELUŚ
644	1	◇◇◇VELNI◇◇◇◇◇◇NA◇
645	1	LΘ : HERINI : LΘ : TLESNALISA
646	1	ARNΘ : VIPI [:] <A>ULEŚ :
647	1	ΘANIA : TITI : VESCUNIA : ˇˇˇNUFRZŚALˇˇŚEC
648	1	LΘ : CAINEI : TI : PLAUTRISA
649	1	LAR • CAI+
649	2	+NEI • PLA+
649	3	+U
650	1	{C • PETILLIUS
650	2	PAVO}
651	1	A • S<T>EP<R>E • ACLINAL
652	1	LAΘI : PUPUI : NUNIAL
653	1	A : PETRUNI : APRTNAL
654	1	<V>E : PETRU : AVLIAS :
655	1	LARΘ : TITE : LARΘAL

655 2 MINATIAL
656 1 ΘANA TISCUSNEI
657 1 ARNΘ : MURINA • ANCARNAL
658 1 ARNΘ • MURINA • L • SPURINAL
659 1 A • MURI<NA> • ARΘAL
659 2 VIPINAL • CRAUPZNAL
660 1 ⫽MURINA • LARΘAL • PAPAZNAL
661 1 ΘANA • PAPA<Z>NEI • TETINAL
662 1 VELIA : CAINEI : MURINASA
663 1 ◇◇◇ΘI SEN◇I◇◇◇◇◇U◇◇◇
664 1 ⫽<IΘI>REFLECNA
666 1 ΘANA • PREISNTE
666 2 VI<P>INA
667 1 ARNΘ : P◇◇◇STE : VIPINA
668 1 ARNΘ • PRESNTE
668 2 VIPINAL
669 1 LA<R>T : PESNTE : ARNΘA
669 2 /LART : PRSN<T>E
670 1 VEL : PRESNTE : LA : VENATAL :
671 1 ΘANA A◆R<T>E • VES◆◆◆<N>AL
672 1 VENZA ZEMNI
672 2 TITIALISA
673 1 {A • PAPIRIUS}
674 1 {A • PAPIRIUS • A • F
674 2 SATELLIA • NATUS}
675 1 {A • PAPIRIUS • A • F
675 2 FENESTELLA}
676 1 {SATELLIA • C • F
676 2 VELIZZA}
677 1 {L • PAPIRIUS • A • F • ARN}
678 1 {A • PAPIRIUS • L • F
678 2 ALFIA • NATUS
678 3 AN •} 43
679 1 {A • PAPIRIUS
679 2 ◇◇◇◇◇NONIS
679 3 ◇◇◇◇◇IUS • ALFIA • NATUS
679 4 ◇◇◇◇◇AN •} 43
680 1 {SEX • PAPIRI • SEX • F • MARCI • NATI}
681 1 {SEXI • PAPIRIO • AURUNCI}
682 1 {C • PUBLILIUS • P • F • ARN
682 2 VIBINNIA • NATUS}
683 1 AULE • ANΦARE
684 1 <AU>LE • AMΦARE • AULESA
685 1 ARNT : AN+
685 2 +ΦARE : LAR+
685 3 +ΘAL •
686 1 VIPIA • AXINANA
686 2 ANΦAREŚ
687 1 AΘ • ARTNI • SCURFU • AΘ • PATIS
688 1 ΘANA : HERINI : SCURFUSA
689 1 AΘ : ARTNI : HERINIAL
690 1 LARΘ : AXNI
690 2 LARΘAL
691 1 ΘANIA : AXNEI : LATINISA
692 1 EIMLNEI : UNATASA
693 1 LARIS : TISCUSNI : HERINIAL :
694 1 AΘ : ARTNI : CAINAL
695 1 {L • SENTIUS • L • F
695 2 JUSTUS • MOΘIA
695 3 NAT}
696 1 FASTIA
696 2 CAINEI : R+
696 3 +ESCIUNIA
697 1 ARNZA : PETRNI : TETINAL : A
698 1 VEL : VELSI : ATINATIAL
699 1 ΘANA • LATINI • PULFNASA
700 1 ΘANA • [L]<A>TINI • PULFNASA
701 1 L
701 2 LATNI • UMRANASA
702 1 LATINI • VECNATNEI • UMRANASA :
703 1 AU • LATINI • AU • CAINAL •
704 1 AV : LATINI : VELSIAL
705 1 AU • LATINI
705 2 VILLINAL
706 1 AVLE : LATINI : AV : VIPINAL :
707 1 AU : LATINI ARNΘAL
707 2 /CESU
708 1 SETHRE • CEZARTLE • LR • L
709 1 SETHRE • CEZARLE • LR • L
710 1 SEX • ARRI • CEZTES
711 1 {L • GAVIUS • SPEDO
711 2 SEPTUMIA • NAT}
712 1 {Q SPEDO • L • F}
713 1 {VEL • SPEDO • CAESIAE}
714 1 AR • SPEQO
714 2 THOCERUAL
714 3 CLAN
715 1 {VEL • SPEDO
715 2 THOCERONIA
715 3 NATUS}
716 1 {PHILOMENA
716 2 SA[T]RIA}
717 1 {C AIMIUS}
718 1 {THANIA • <S>IUN<I>AE • F}
719 1 {ALFIA • C • F
719 2 SECUNΘA}

720	1	{ALFIA
720	2	HOSPITA}
721	1	{AMETHΨSTUS
721	2	T • ALFI • HI<L>ARI
721	3	[S]ER<V>[US]}
722	1	{ANICIA • C • F • MAIOR}
723	1	{ANICIAE
723	2	C • F}
724	1	{TAHNIA • ANAINIA •
724	2	COMLNIAI • FIA •}
725	1	SEΘRA • ANAINEI◇◇◇
726	1	{C • ANNIUS • C • F •
726	2	ARN}
727	1	{SEX A◇◇◇<U>S
727	2	◇◇◇◇◇<E>}
728	1	{ANNIA • M • F •
728	2	MAXSIMI
728	3	A◇◇◇◇UXSOR}
729	1	{ANNIA
729	2	C F CETISNASA}
730	1	ΘANA : SENTIN+
730	2	+EI : APICESA
731	1	VL AP⫽
731	2	ARIC⫽
732	1	LΘ : ARNTNI : CALESA : PATISLANIA
733	1	ΘANA • ARTNEI • LΘ
733	2	ŚALINAL •
734	1	{ARRIA • TANNIA}
735	1	{L • VENETE • VEL • F
735	2	ARRIA • N}
736	1	{ETSNAE
736	2	ARRIA}
737	1	LA CAE • VENATNAL
738	1	LART : VENATE : RUFLINAL
739	1	L • CAE • CAULIAŚ
739	2	{LART CA<E> CAULIAS}
740	1	{C • C<A>VIUS • L • F
740	2	<F>ILIUS}
741	1	{GAVIA • C • F
741	2	PAULLA}
742	1	CAINEI •
742	2	PECIANIA
742	3	PETRUS
743	1	VEIZI : CUMERESA : VARNAL : ŚEC :
744	1	CAE • VATI • VARNAL
745	1	⫽VARNALI<S>
745	2	◆◆◆N◇◇◇<L>ILA
746	1	ΘAN • UELNEI • UARNIS
747	1	HATI • SETU •
747	2	ΘASI • VELNA • PUNA
748	1	LARΘI : ΘANSINEI
749	1	AULE § ULΘE VELNA
750	1	AULE VE ULΘE
751	1	LART
751	2	VELE
752	1	ΘA • PULFNEI
752	2	VE<L>I[ES]A
753	1	{C • V[ETTIUS L • F]
753	2	ARN • VARIUS • RUFUS}
754	1	{SEXTI • VETTI • C • F}
755	1	LRIŚ : VETU⫽
756	1	LARIS VETU AR<AN>ΘALISA
757	1	LARΘI : VETUŚ : CLAUCEŚ
757	2	PUIA
758	1	ARNΘ • VIPIŚ • ŚERTURIŚ
758	2	PUIAC • MUTAINEI
759	1	{C • VIBIUS • C • F •
759	2	L • F • RUFUS}
760	1	VUISINEI
760	2	CARCUS[A]
761	1	ΘANA • VUISINEI • CARCU
762	1	LARΘI • VUISINE
763	1	VUISINIEIŚTA
764	1	RAMΘA
764	2	HASTIŚ
765	1	HASTIA
766	1	LARΘ HERINA
766	2	VELUŚ
767	1	VEL HERIN+
767	2	+A
767	3	LARΘAL
768	1	LARCE : LARNI : CALE
768	2	LARΘI : ŚURMEΘ<N>[E]<I>
769	1	LART : LANI
770	1	LART • LARNI •
771	1	A : LATINI : AΘ : AFUNAL
772	1	LAR <L>A<T>INI
772	2	CE<S>U
773	1	VL : LATINI : UCAR : VELEΘNAL
774	1	LARΘI
774	2	<L>A<T>IN[I]
774	3	<V>E<L>ΘNAL
775	1	{A • MARCIU[S]
775	2	P • F
775	3	SEIA • C • F
775	4	SECUNΘ[A]}

776 1 {A • MARCIU[S • ~ • F]
776 2 BAL⟨LS⟩⁄}
777 1 ΘANIA : MARCIA :
777 2 PERSTIESA
778 1 LΘ : MARCNI : LΘ : TITIAL : CLAN
779 1 AΘ : MARCNI : CULPIU : SEIAN⟨T⟩∿∿∿∿ [A]⟨RN⟩ΘALI/
779 1 /S⟨A⟩
780 1 LARΘ • NUMSI
780 2 RAUFIAś
781 1 LEΘI • LAUTNTA
781 2 NUMSINA
782 1 ΘANA • NACARN⟨EI⟩
782 2 RAUFIAL
783 1 [LA]⟨R⟩ΘI
783 2 ANCARNEI
783 3 MURINAś
784 1 A • RAUFE • A • ⟨V⟩E⟨L⟩SINAL
785 1 CICUNIA VELSISA
786 1 {C • PETRONIUS • C • F
786 2 HARISPEX
786 3 CRISPINIA • NA⟨T⟩US}
787 1 {L • PETRONIUS
787 2 SEPPIA • NAT
787 3 REBILUS}
788 1 {Q • PETRONI
788 2 PHILOMUSUS}
789 1 {§AVA SEMTUNIA
789 2 PTRONIA ANORO}
789 3 58 {VA}
790 1 {L • PROENI
790 2 C • F ARN}
791 1 {C • PROENI
791 2 TITIAE • NAT}
792 1 LΘ : PURNI : CAINAL
793 1 LARΘI • PURNEI
793 2 MARCNAL
794 1 VL • SE⟨P⟩IESA • VL • CUISLANIAS •
795 1 ⁄ [SENTI]NATE : CUIśLA : AΘ
796 1 ΘANA : REMZNEI : NUSTENIA : TITIA
797 1 AULE : SEIANTE : śINU
797 2 LARΘAL : TISCUSN+
797 3 +AL : CLAN
798 1 TITI : SVENIA : TISCUSNAL : ś∿∿∿∿śINUSA
799 1 [VE]L : HEIRINI [[:]] ⟨T⟩ISCUSNISA
800 1 {SENTIA • A • F • THANNIA}
801 1 {SENTIA
801 2 A • F •}
802 1 {L • GELLIUS
802 2 C • F • LONGUS
802 3 SEN⟨TI⟩A • N}
803 1 AΘ • TETINA • ARNTNI
803 2 TETINALISA
804 1 VL : TETINA : CULTANAL
805 1 VL TETUNA CUUTANAL
806 1 L • C • TETI
806 2 NAL
807 1 VL : TETINA : VL : PRESNTIAL :
808 1 LARΘI • LAUTNIΘA
808 2 PREśNTS
808 3 /LARΘI • LAUTNI⟨TA⟩
808 4 {PRAESENTES}
809 1 VEL : TETINA : TITIAL :
809 2 LAUTN : ETERI
810 1 L : TETINA : V : TUśNU+
810 2 +TNAL
811 1 LS • TETINA
811 2 ANEINAL
812 1 LS • TETINA • LS • SPURI+
812 2 +NAL
813 1 LARΘIA : TETINEI :
814 1 VAΘ : TITIA : LATIN∿∿∿
815 1 TITI : SCIRESA : TREPUNIAś śEX
816 1 ARNZA : TREPU : TLESN+
816 2 +AL
817 1 {L • TREBONIUS •
817 2 L • P • L • LAELAPS}
818 1 {C • RES • TOCRO • TRPAS}
819 1 {DANA TIDI
819 2 URINATIAL}
820 1 {C • TITIUS • L • F •
820 2 MAMILIA •
820 3 NATUS •}
821 1 {TITIA • C • L •
821 2 FAUSA[N]}
822 1 {SEX • TITI •
822 2 STEPHANI}
823 1 {C TITIUS HILARU}
824 1 TITIA • VESCUNIA
824 2 CAVSLINIS
825 1 VEL : TITE
825 2 MELUTA
825 3 ARNΘAL
826 1 VL : MELUTA : CARNAL :
827 1 ⁄UTASA
828 1 AΘ • CARNA • AΘ • RESTUMNA
829 1 {A • TITIUS • A • F • SCAE • CALIS}

830 1 ΘANA • TLESNEI • <P>APANIA • TETINASA

831 1 ΘANA • TLESNEI

832 1 {AR • PABASSA

832 2 ARNTHAL • FRAUNAL}

833 1 AΘ : PA

834 1 {ANICONA

834 2 [S]<E>NTIA

834 3 PAPERIS}

835 1 AR : TLESNA : PATACS : SCIRIAŚ :

836 1 ΘANIA : PEΘUNEI SCIRIA : LATI+

836 2 +NIAL : TAΦUNIA<Ś>

837 1 ΘANA : PEΘNEI : LATINIAL

838 1 ⫽ : RAPLNI : PEΘNAL

839 1 VL : UMRANA : VELSIAL

840 1 VL • UMRANA • ARNΘAL PULFNAL

841 1 {AMATIA • M • L

841 2 SALVIA}

842 1 LΘ • ANE

842 2 ~CEISE

842 3 <A>UL

843 1 {AUFIDIANUS}

844 1 VE • AFUNA • <T>U<TN>A<L>

845 1 LARΘI : A⫽

846 1 {VELIA CAC⫽

846 2 AR˘CALA<N>⫽}

847 1 LΘ : CANZNA : V<E>LΘURUSA

848 1 {VELISA CARTLIA}

849 1 <L>Θ : CA<U>PNE : LA : PU+

849 2 +IA

850 1 ΘANIA : CEMUNIA : VELUA

851 1 LARΘI : CVELNE

851 2 HERNA

852 1 AΘ CRAPILU SEIANTIAL

853 1 ~~~R • CR~~~~+

853 2 +~~~ANA

854 1 {L • CONSIUS • L • F • RUFUS}

855 1 VL : EINI : LΘ

856 1 {VALISA • VEDIA •}

857 1 {A VENSI • CALLI}

858 1 {VEL • VISANIE • VE+

858 2 +LOS}

859 1 ΘANA

859 2 HALTUNEI

859 3 NUNIAL

860 1 ΘANA

860 2 H<AL>TUNEI

860 3 NUNIAL

861 1 AΘEI : ARIA : VERAŚ

862 1 LARΘIA

862 2 ΘUCERI

862 3 CAPATINE

863 1 ~~~~URICIA

864 1 A • LELI

865 1 AΘ L

866 1 MA • MINIE

866 2 LARΘIAS

867 1 {Q • NERIUS •

867 2 C • F}

868 1 {L • PASSIENI

868 2 L • L • APOLLONI

868 3 PASSIENAE • L • L

868 4 PHILEMATIO<N>[IS]}

869 1 {L • SABINIUS • L • F}

870 1 <Φ>ILUTI<S>~~~~~~

870 2 LAUTNATA

870 3 SERTURUS

871 1 ΦILUTIS : SERTURUS : LAUTNITA

872 1 SETRIA • VELCITIAL

872 2 LAUTNITA

873 1 {TA}

873 2 /{THANIA

873 3 SUΘERNI<A> • AR • F

873 4 SAΘNAL}

874 1 {TANIA • SUDERNIA • SADNAL}

875 1 {~~~TILLA

875 2 SEXTIA}

876 1 LARΘI • TITLNEI

877 1 ⫽[VEL : TR]<E>PI : EUPURIAS

878 1 FACA : TUTNEI

881 1 FS • <T>I<T>⫽

882 1 ⫽S PUIIA

882 2 ⫽N⫽

883 1 LARΘ~~

884 1 A<R>

885 1 LAR

885 2 THA

885 3 C

886 1 EIN • SER • <V>L • REMZNA • CL<A>NC

886 2 AU • LATINI • CES<U>

886 3 /TULAR : HILAR : <N>ES<L>

886 4 /CLARUXIEŚ

887 1 ΘANA~~<N>NI

888 1 LA • FREIE • VE

889 1 ΘANA : TUTNEI : MINATEŚ

890 1 ARΘ • CANZNA

890 2 VARNALISLA

890 3 {C • CAESIUS • C • F • VARIA •
890 4 NAT}
891 1 ⋄⋄NA TUTNA • A⋄⋄⋄⋄⋄
892 1 A • HERINE
892 2 CAINAL
893 1 VEL HERI+
893 2 +NA LARΘA+
893 3 +LISA
894 1 LARΘ CAE RUSN⋄⋄
895 1 ΘANA : PULFNEI : PATACSALISA REMZNAL : śEX
896 1 {C • CRESPINI
896 2 A • SIASANIA}
897 1 AΘ • CR+
897 2 +E⟨S⟩PE
897 3 A⟨S⟩IAS
898 1 CRESPE AśIA TREPIAś
899 1 {AULIO • LARCI}
900 1 LARZA : PRESNTE : PLUTIA⟨L⟩
901 1 LARZA : TISCUSNI
901 2 LARISAL : VENTIA+
901 3 +ś
902 1 LR : CANΘUSA : CETISNAL
903 1 LARΘI • PATUI
904 1 VEL : TLESNA : PATVAL : VELUSA : PUL[FNAL : CLA/
904 1 /N]
905 1 ⟨V⟩EL : TLESNA : LARΘ⟨A⟩LI⟨S⟩A
906 1 TUTNEI : RECUSA :
907 1 ARNΘ : MINATE :
908 1 ΘANXVI • AFE •
909 1 LARΘIA • LEUI⋄⋄⋄⋄
910 1 EIǂ
911 1 ⟨V⟩EL : AU⟨L⟩NI : ⟨L⟩ARSTIAL
912 1 AΘ : U+
912 2 +XUMZN+
912 3 +A : VISCE
913 1 LARΘ : PUPARA : ANAINAL
914 1 ΘA : PLAICANE : ΘASISA
915 1 PEIΘI : CUTANASA
916 1 ΘANA • PESNEI : SCEUASA :
917 1 LΘ • SCVA
917 2 PVCNA⟨L⟩
918 1 SURE • HUSTLE
918 2 HASTIS
919 1 ΘANA ΘANSINEI
919 2 SCETUSA
920 1 MARCNI • LARΘ • ARUśNI
920 2 PUIA • PETR⟨U⟩I •
921 1 PETRUI ΘANA
922 1 LARΘ • MARCNI • PUIA
922 2 VELIA • CAINEI
923 1 VE MARCNI
923 2 CAINAL
924 1 LARIS : AULNI
924 2 VETRAL
925 1 {LAR • CNAEVE}
926 1 {A § CNAEUS
926 2 A § F §}
927 1 {LARTHIA CNEVIA
927 2 A • F}
928 1 {A • CNAEUS • A • F • F •
928 2 PACINNAL}
929 1 {PACINNEI • CELIAS}
930 1 AR C⟨A⟩I A
930 2 PACINAL
931 1 AULE
931 2 CNAEVE
931 3 CAINAL
932 1 A • CNAEVE
932 2 CAINAL
933 1 CAINIǂ
934 1 CAINIA
935 1 {VEL • PERGOMSNA
935 2 CNEVIAS}
936 1 {VEL • PERGOMSNA • VEL • F}
937 1 {VARIA
937 2 ARMASTI}
938 1 ǂC⟨AI⟩NAL
939 1 CAINEI • HI⟨S UCNAL⟩
940 1 ΘA •
940 2 AR⟨M⟩AS
941 1 VEL • FASTNTRU • AΘ
942 1 AΘ • TUTNA • HASTNTRU • SUTNAL
943 1 HASTI SUΘANEI TUTNAś
944 1 ΘANA : SUΘNEI :
944 2 PRESNTESA
945 1 VL : HASTNTRU : MARCNAL :
946 1 ǂ : FASTNTRU : MARCNAL
947 1 ⟨Θ⟩ANA • MARCNEI CICUNIAS • SEC FASTNTRUSA
948 1 LΘ • CICU • LΘ • VILINAL
949 1 ΘAN : MARCNEI : CICUSA :
950 1 [VEL]IA • SEIANTI
950 2 [HANU]NIA • MARCN[AL]
951 1 VELIA • SEIANTI • AΘ
951 2 HANUNIA • MARCNL
952 1 {A • RUSTIUS • A • F • MURRE+
952 2 +NIA • GN • GALLUS}

953 1 {ARRIA • C • F • ARI+
953 2 +SNAI · TITIL+
953 3 +NIAE • NATA}
954 1 FASTI : ALFN+
954 2 +EI
955 1 <NE>PVR • PAPASLA
955 2 LAVTI
956 1 {THANNA • NAEIPURS}
957 1 {L • PAPIRIUS • CN • L • PAMPHILUS}
958 1 {C • PAPIRIUS • L • F
958 2 MAXILLO}
959 1 {THANNIA • TREBO
959 2 SEX • F}
960 1 {MUNICIA MAM◇◇◇◇}
961 1 AΘ • MARCNI •
961 2 HERME •
961 3 PLAUTIRA+
961 4 +S •
961 5 CLAN
962 1 AΘ : MARCNI : HERME : PLA+
962 2 +VTRIAS
963 1 ΘANA
963 2 NURZIUNIA
964 1 AΘ • UCUMZNA •
965 1 AR : TITE : UMRANAL
966 1 AΘ : TITE : AΘ : VELSIAL
967 1 LARΘ : TITE : ARNΘAL : VELSIAL
968 1 LAΘI • CALIA
969 1 ΘANIA • TANSINEI
970 1 LARΘ : CAUśLINI : AULEś : VETNALIS+
970 2 +A :
971 1 ΘANA : TURZUNIA : CAUśLINISA
972 1 ΘANA • VETUI • VELUś • CAUśLINISSA
973 1 /PRESN<T>E
974 1 VE<L> : TUTNA : LARΘIALISA
975 1 ARNΘ : HELE : VELUś : ˇREMZNAL
976 1 / • VELSIA • TREPUNIAś • śEC •
977 1 LΘ • CAE • LΘ • EPLE •
977 2 HASTISA
978 1 NAE CICU
978 2 PEΘNAL
978 3 NETSVIś
979 1 ARNΘ VEΘś◆◆◆◆◆Rś
980 1 {C • AURELIUS • C • F
980 2 HISPANUS}
981 1 {C • AURELIUS C F
981 2 HISPANUS}
982 1 {C • OFILLI • C • F
982 2 BUCULI}
983 1 {C • OFILLIUS C F
983 2 BUCULUS}
984 1 {C • SENTIUS
984 2 ANTIMACUS}
985 1 {VELIZA •
985 2 SENTIA • C • F •}
986 1 {P • GAVIUS
986 2 BARNAEUS
986 3 MINOR}
986 4 /{MINO}
987 1 {GAVIA LARTHI
987 2 BARNAES}
988 1 {THANIA • GALIA
988 2 ARUNTIS • F}
988 3 /{A • CAULE}
989 1 {VEL • AULE • A F •}
990 1 {<Q> • SEMPRONI
990 2 <Q> • F • H • S • E • V • A •} 15
991 1 LARΘI TI LA
992 1 AΘ : CAIE : VELΘURIAś :
993 1 LΘ : CAIE : LΘ : PUPLINAL
994 1 ΘANIA : CAINEI :
995 1 [A •] CAE • ALP+
995 2 +NANA
996 1 ΘANIA : CAINEI
996 2 PETINATEś
997 1 ΘANIA : CAINEI : PETINA
998 1 ΘA • TITI
998 2 §◇◇◇E
999 1 ΘANIA
1000 1 FASTI LENTI
1000 2 SA
1001 1 ◇◇◇◇◇LARCI
1002 1 VEL : ANE : AULEś :
1003 1 L : ANI
1003 2 ◆INΘUNA<L>
1004 1 ΘANIA : P◇◇◇◇I :
1005 1 VL • MUΘUNA • VL
1006 1 VL • CALE • PUPLINAL
1007 1 ΘANA : CALLIA
1007 2 VELXESA
1008 1 ΘANA : CALLIA
1008 2 <V>ELXESA
1009 1 ΘANA • CAL+
1009 2 +IA • VELXESA
1010 1 A◇◇◇ΘSINAVELXALNAL
1011 1 ΘAN<I>A SEIATI : TREPUNIA : AΘ : śEX

1012	1	ΘANIA • TITI • SVEAŚ • SEIANTIAL • ~~~CUMERUNIA/
1012	1	/Ś • ŚE[C]
1013	1	{L • ARRI
1013	2	ARRUNONIS}
1014	1	{P • MARCI •
1014	2	BUCCHIONIS}
1015	1	{C • LATINIUS • C • F
1015	2	LAΘILE •}
1016	1	{BLAESIA • L • F}
1017	1	{LARTHIA • HERENNIA • HOLLONIS}
1018	1	AΘ • PURNI • TITIAS
1019	1	{APPULEIA • SEX • L
1019	2	CITHERIS}
1020	1	LARΘI : SAΘ+
1020	2	+NEI : ΘANSISA
1021	1	LARΘIA : SAΘNEI : ΘANSISA :
1022	1	<V>L : SAΘN<A>
1023	1	VEL SAΘNA
1024	1	VEL • SAΘNA AA◇◇◇◇AL
1025	1	VELXRASA
1026	1	ΘANA • VELXREI • UTIESA
1027	1	ΘANA : VELXREI : UTIE<S>A :
1028	1	◇◇◇◇◇ • ΘANSI • TITIA
1029	1	≠AUXU◇◇◇◇◇S◇◇A
1030	1	LARΘ : LARSTE :
1030	2	PACRE
1031	1	LARΘ LARST◇◇◇◇◇
1032	1	LARZA • <L>ARSTE • <L>ARΘALISA
1033	1	VL • TETINA • VE≠
1034	1	LΘ : T<ET>INA : VL : CUL
1035	1	LΘ : TETINA : SEIANTIAL
1036	1	AΘ • CUMER<E> • AΘ VEACIAL
1037	1	LΘ : CUMERE : AΘ : VEACIAL
1038	1	AΘ • CUMERE • LΘ
1038	2	LATINIAL
1039	1	ARNΘ : CUMERE : ARNΘAL
1039	2	TETINAL
1040	1	LAR : CUMERE : ARΘL :
1040	2	TETINAL
1041	1	AΘ • CUME[R]E◇◇◇
1042	1	AΘ : UMRANA : AΘ : VARNA
1043	1	VL : UMRANA : TLE
1044	1	LARTI • UMRANEI • SE+
1044	2	+NCUSA
1045	1	ΘANIA : ŚEIANTI : LΘ : <CU>MERUNIA
1046	1	EN
1046	2	[ΘA]NA : SATI : CUMERUNIA
1046	3	[MAR]CNISA : TLESNAL : S<E>[C]
1047	1	<AΘ> MARCN+
1047	2	+I CLANTI VL •
1047	3	PATACSNA<L>
1048	1	CUINTE • ŚINU • ARNTNAL
1048	2	{Q • SENTIUS • L • F • ARRIA • NATUS}
1049	1	[~MA]<R>CNI • CLANTI • AΘ
1049	2	[CU]MERUNIA<Ś>
1050	1	{MARCIA • A • F
1050	2	STENIA • NATA}
1051	1	HERINA
1052	1	A<V H>E<RI>NA
1052	2	A<N>[CA]RIAL
1052	3	LARINAL
1053	1	LARΘI ACA<RI> HE[[RINAŚ]]
1054	1	ARNΘ : PETRU : PECIANIA
1055	1	[~PET]RU API<C>[NAL]
1056	1	{LARTIA
1056	2	[HERI]NIA LA+
1056	3	+[RTIS] <FIL>}
1057	1	AU <P>URE SECSTIN+
1057	2	+AL
1058	1	VEL • SENTI • CAINAL
1059	1	VILINIA • SENTIS
1060	1	SENTI • VILINA+
1060	2	+L :
1060	3	{SENTIA • SEX • F}
1061	1	LARΘI : PULFNEI : PERISNEI : PAPASLA
1062	1	{Q • TREBONIUS
1062	2	Q • F • FILIUS}
1063	1	{Q • TREBONIUS • C • F • CAECINIA
1063	2	NATUS}
1064	1	AR • PERNA • PUMPUŚ
1065	1	VENZA SATNA TLESNAL
1066	1	NUMSINAL
1067	1	HASTI : PETRUŚ :
1067	2	/HASTI : PETRU<Ś>
1068	1	{LARDIA MERNEI}
1068	2	VETINAL
1069	1	<A> • CAE • LΘ
1070	1	C • RURCI • AΘ • LARCNAL
1071	1	≠VELNΘURU≠
1072	1	SENTI HANUNIA
1072	2	CLANTISA
1073	1	SENTI HANUNIA CLANTI+
1073	2	+SA
1074	1	{SERVILIA
1074	2	A • F • TREBONI}
1075	1	ΘA REMZN+

1075	2	+EI CEZRT+
1075	3	+LIAL
1076	1	ΘA : REMZNEI : CEZRTLIA<L>
1077	1	{THANIA • CAEZIRTLI • PONTIAS}
1078	1	{PONTIA L L
1078	2	SALVIA}
1079	1	{L • PONTIUS • T • F
1079	2	RUFUS}
1080	1	AΘ : RE : SEPI
1080	2	VE<L>TSNAL
1081	1	APLUNI
1081	2	CUMERES
1081	3	LAU
1082	1	APLUNI • CUM+
1082	2	+EREŚ :
1082	3	LAUTNI :
1083	1	LΘ : HANUSA SEIANTE : LΘ • REMZNAL
1084	1	AR • SEPIESA
1084	2	VESCUNI+
1084	3	+AS
1085	1	ARNT • MARCNI • FREMRN+
1085	2	+AL
1085	3	ARNT • MARCNI • ZIXNAL
1086	1	ARNT • MARCNI • FREMRNAL
1087	1	ARNT • MARCNI • ZIXNAL
1088	1	ΘANA FREMRNEI
1089	1	ΘANA
1089	2	ZIXNEI
1089	3	MARC+
1089	4	+NISA
1090	1	ΘANA : ZIXNEI : MARCNISA :
1091	1	MARCNEI
1091	2	HUTIESA
1092	1	LARΘI : MARCNEI : HUTIESA
1093	1	CEICNEI PTRSA
1094	1	CEICNEI • PETRSA
1095	1	VUSINEI
1096	1	VELIA : Ś[AΘREI : Θ]UI : VELXURAL : TETALŚ
1096	2	/ǂU :
1097	1	LARǂ
1097	2	ARNΘ<A>[L]
1097	3	<Ś>AΘ[RAL]
1098	1	LA
1098	2	/S : CIA
1098	3	USA
1098	4	/XM : <A>
1098	5	FA§
1098	6	I : R<A>
1098	7	/I<Θ>I
1099	1	LANFI • I • P◇◇◇
1100	1	ARNΘ • LAΦE
1101	1	◇◇LAΦE
1101	2	CAINAL
1102	1	L • LAMΦE • CAINA
1103	1	L§LAΦE : MURIAŚ
1104	1	Θ§MURIA§VIPINAL
1105	1	L • LAMΦE
1105	2	TITIAL
1105	3	/L • LAMΦE
1105	4	TITIAL
1106	1	LARΘI • TITEI
1106	2	LANΦESA
1107	1	A • LANΦE • ATAINAL
1108	1	ΘANA • ATAINEI • VEΘURAL
1109	1	ARNT PETRAL
1110	1	ΘANA • PETRI
1110	2	ŚALINAL
1111	1	LA • LAM
1111	2	ŚALIN
1112	1	ΘANA : ŚALI+
1112	2	+NEI • LAΦ+
1112	3	+ESA
1113	1	L : LAMΦE : HURATN
1114	1	HL VENZA
1114	2	HURAZN<L>
1115	1	A • LANΦE
1115	2	VELŚ • P
1116	1	◇◇◇◇◇E • ΘERCNA
1117	1	LARΘI • LAR<N>
1118	1	ANE • CAE • VETUS • ACNAICE
1119	1	ANEŚ • CAEŚ • PUIL • HUI •
1119	2	IUI • EI • ITRUTA
1120	1	CAINEI
1121	1	ARNΘ • CAEŚ • ANEŚ • CA[INAL]
1121	2	CLAN • PUIAC
1122	1	V • TETI • CAINAL
1123	1	ΘANXVIL • VELΘURUI •
1124	1	AULEŚ § AULNIŚ § ARNΘI<A>LISA
1124	2	ATINAL § PRUŚAΘN § E
1125	1	TITA : LAUCAN<E>
1126	1	ARNΘ • VE◇◇◇◇◇
1127	1	VEL • ◇◇◇◇V◇◇◇
1128	1	ΘANA : TREPANIA
1129	1	{MI • SELENIA}
1130	1	SEΘRE CLAN+
1130	2	+IU

1131 1 SEΘRE : CLANIU
1132 1 ARNΘ • CLAUNIU ∘ VETINA[L]
1133 1 ◇◇CLANIU
1133 2 [VE]⟨T⟩INASA VE
1134 1 ◇◇◇◇◇ U⟨P⟩U LAΘA
1134 2 /VE PUPU LAΘA
1135 1 VL PUMPU LA
1136 1 MI SUΘI LARΘIA LARKIEN[⟨IA⟩] ◇◇◇◇§§§◇◇◇◇UKE VEL/
1136 1 /◇◇◇◇◇◇ARIKUKISA TANA SITUNIA MUTE VER◇◇◇
1136 2 /◇◇◇I◇◇◇U◇◇◇§EI◇◇◇AMPA USINUKE
1136 3 MI VETE TINAKE ANIA N ⟨ś⟩
1136 4 ◇◇◇◇IUNI◇◇◇◇IPA AM◇AKE
1136 5 ◇◇◇EM◇KEN◇
1137 1 {C • TATI ∘ T ∘ F ∘}
1138 1 {AR • PEDER⟨N⟩I
1138 2 LARTHIAEI ∘ METLIAEI ∘ F •}
1139 1 {A • NANSTIUS
1139 2 HASTIAE}
1140 1 {C • NANSTI
1140 2 FILI}
1141 1 {LART NAN
1141 2 LARTIS ∘ F}
1142 1 {A ∘ NA}
1143 1 {C • NA}
1144 1 {LARTIA ∘ MAR+
1144 2 +INA ∘ NANTNA+
1144 3 +LISA}
1145 1 {LART MARE
1145 2 AR ∘ F • PATR ∘}
1146 1 {ARNUNIS LAUTNI}
1147 1 {VAELIZA LAUTINAEI}
1148 1 {VETRONIA ∘ C • THANSIUS}
1150 1 {LARTIA ∘ MARIN • LA • FIL}
1151 1 {LARTHIA ∘ MARINA
1151 2 CAINAE FILIA}
1152 1 {TANA PA⟨PIA⟩}
1153 1 {MURRENIA
1153 2 VELIZA}
1154 1 MI ARATIA IAU⟨I⟩AMENEI
1155 1 {AR • PAUCA
1155 2 AR ∘ F
1155 3 ANUA⟨L⟩
1155 4 GNA}
1156 1 LAΘI VIPI⟨N⟩
1157 1 CES⟨U⟩
1158 1 AU : PULFNA : PERIS : PUMPUAL
1159 1 ΘANA : ARINEI : PERISALISA :
1160 1 LΘ : PERIS : MATAUSNAL :
1161 1 AU : PULFNA : PERIS : AU : SEIANTIAL :
1162 1 ΘANA : ARNTNEI : PERISALISA
1163 1 LA : PULFNA : LA : SEI⟨AN⟩TIAL
1164 1 ΘANIA : SEIANTI : PERISAL
1165 1 AU : PULFNA : LA : SEIANTIAL :
1166 1 {VARIA ∘ Q • L
1166 2 SEXTIA}
1167 1 ΘA • CAINEI
1167 2 ◇◇◇ATUNI
1167 3 ◇◇◇RISA
1168 1 HASTIA
1168 2 CAINI◇◇IN+
1168 3 +AL
1169 1 [HA]STIA
1169 2 ANIUSA
1170 1 śUCA ∘ LAUTNIΘA ∘ NU
1171 1 LΘ • ANCARI
1171 2 ⟨AR⟩
1172 1 LΘ : PUNTNA
1172 2 VELUś
1173 1 ⟨H⟩ASTIA L[A]R[C]NEI ⟨V⟩L T⟨R⟩E[P]UNIASA
1174 1 LARΘ : PEΘNA : SEΘRESA
1175 1 LARΘ PEΘNA : ALAPUSA : VELSIAL
1176 1 LΘ : PEΘNA : AΘ : TITIAL : SCIR[E]
1177 1 ΘANA : PEΘNEI
1177 2 SCIRIA : TUTNASA
1177 3 HELIAL : ◇◇◇◇◇
1178 1 ΘANA : PEΘNEI : SCIRIA TUTNASA
1179 1 LARΘ : FRAUCNI : ATAINALISA
1180 1 LARIS : FRAUCNI : VELUSA : LATINIALISA
1181 1 ΘANA : REMATANE :
1182 1 LΘ : FRAUCNI : TUTNL :
1183 1 AΘ : FRAUNI : HAPRE : TUTNAL :
1184 1 TUTNAI
1185 1 AΘ : TUTNI : VELΘURUś : VELΘRITIALISA
1186 1 AR : ⟨F⟩RAUCNI : ARNΘAL : VELUAL
1187 1 LARΘI : FRAUCNEI : CUMERESA :
1188 1 AΘ : FRAUCNI : RAUHE
1189 1 ΘANIA : LARCI :
1189 2 FRAUCNISA
1189 3 CA
1190 1 LARIS : SENTINATE : LARCNA :
1191 1 ΘANIA : LARCNEI : SEIESA
1192 1 ARNΘ' REMZNA ARNΘAL : ◇◇◇◇◇◇CUNTNUV≠
1193 1 AR : SEPIESA : UCUMZNAL :
1194 1 AR : REMZNA : NUśE : ZUXNA
1195 1 AΘ : REMZNA : ZUXNAL
1196 1 HASTI : HERINI : VENTIA : REMZANASA

1197 1 LARΘIA : VARINEI : REMZNAS+
1197 2 +A
1198 1 LARΘI PEΘNE TETINASA
1199 1 NI◇◇◇VLPI◇◇
1199 2 LAUΘNIA
1200 1 SI/
1200 2 SC/
1201 1 ◇◇◇◇LAUTEŚ
1202 1 AU SEIANTE AR
1203 1 ΘANIA : HERINI
1203 2 SE⟨N⟩TESA
1204 1 LEΘE LAVTNI
1204 2 HERINEŚ
1205 1 ΘANA
1205 2 PURNEI
1205 3 ACILUSA
1206 1 HASTIA
1206 2 VELSI • CIL+
1206 3 +PASA
1207 1 AU • MARCNI • HELIAL
1208 1 ΘANA : PURNEI : ACILUSA :
1209 1 FA[STI] ŚERΘURNE
1210 1 LARΘ MU◇◇◇◇LANIU : VELU
1211 1 SEIAN⟨Z⟩I • VILIANIA
1211 2 TARXIA • LARCN+
1211 3 +ALISA
1212 1 FASI : VELUI : LARCNASA :
1212 2 TUTNAL : ŚEC :
1213 1 LARCNEI
1213 2 VELUAL PAPA
1214 1 LARCNEI VELUAL
1214 2 PAPASLISA
1215 1 LA[R]ΘIA : SEIANTI : Ś◇◇◇◇◇◇◇◇I : SVE◇◇◇◇◇
1215 2 /◇◇◇TI◇◇◇◇◇◇◇◇◇◇A : LAR◇◇◇LISA : ◇◇◇NIASA
1216 1 LS : LARCNA CINC[UAL]
1217 1 LARIS : LARCNA [:] CENCUAL :
1218 1 ΘANIA : VELUI : HELIA+
1218 2 +L
1218 3 SEC
1219 1 VEL VELUŚ ARNΘALISA
1220 1 ΘANIA : SENTINATI : CUIZLANIA
1221 1 RAU • VETANEI
1222 1 ARNΘ : VELUŚ : VELUSA
1223 1 LARΘ : VELU : ARNΘAL : TETINAL : CL+
1223 2 +AN
1224 1 LΘ : VELU : LΘ
1224 2 TUTNAL
1225 1 LΘ : VELU : LΘ : TUTNAL :
1226 1 ΘA : TU : URINATIAL
1227 1 LΘ : VELU : LΘ : TLESNAL : CICUNIAŚ
1227 2 CLAN : PURΘNE
1228 1 LAR : URINATE : HELIAL
1229 1 ΘA : HELI : [V]L : URINATESA
1230 1 ARNΘ : URINATE : ΘERINAL :
1231 1 LΘ : URINATE : AΘ : VELΘRINAL :
1232 1 LARZA
1232 2 URINATE
1232 3 ΘEPRINAL
1233 1 ΘANA : ΘEPRINEI : URINATESA REUSIAL
1234 1 TANA • URINATI • REUSI :
1235 1 LΘ : URINATE
1235 2 ŚINUNAŚ : UR+
1235 3 +INATEŚ :
1236 1 ΘANIA : URINATI : TETASA
1237 1 LΘ : URINATE : MELUTNAL :
1238 1 LARΘI : TITI
1238 2 MELUTNEI :
1238 3 URINATESA
1239 1 VELNΘI : URINATESA :
1240 1 CESTNA
1241 1 AΘ : CESTNA
1241 2 MUTIAŚ
1242 1 ΘA : MUTIA :
1243 1 HASTIA • ACLNEI • CEST⟨N⟩[A+
1243 2 +S]A
1244 1 ΘANIA : HUSUI : CES⟨TN⟩[A]SA :
1245 1 AR : SETUME : VL : CAINAL : CLAN
1246 1 LARΘI : LATINI : METUSNEI : ⟨T⟩LESA
1247 1 AΘ • VISCE • VIPINAL :
1248 1 ΘANA : ⟨PI⟩◇◇◇A
1249 1 LAR◇◇◇◇ARCNEI◇◇S◇◇L
1250 1 VELΘNE AULEŚ◇◇◇◇ARCN⟨A⟩
1251 1 HASTIA : I+
1251 2 +ARCSNEI
1252 1 LΘ • CAPSN+
1252 2 +A
1253 1 ΘANA : REMZNEI : ZUX+
1253 2 +NAL :
1254 1 ARNΘ ULTIMNE LΘ
1255 1 VL § SENT§INATE § HERNESA
1256 1 ARNΘ • HERNESA
1257 1 LΘ : PULFNA : CANΘUSA : TUTNAL :
1258 1 ΘA • TUTNEI • CAINAL
1259 1 ΘANIA : TUTNEI : PURNAL
1260 1 ARNΘ : HELE : LARΘALISA
1261 1 ΘANIA CAPNEI HELESA

1262	1	VEL : HELE : CAPNAL
1263	1	⟨LA⟩RΘ : HELE : CAP⟨N⟩A[L]
1264	1	VEL HELE ARNΘALISA
1265	1	LAΘI : HELI : CICUŚ
1266	1	ΘANIA : HELI : TETINASA
1267	1	LARZA : TETINA : AΘ HELIALISA
1268	1	ΘANIA : REMZNEI : HELESA :
1269	1	ΘANIA : FREMRNEI : HELESA
1270	1	ΘELE : CAPNAL
1271	1	LΘ : CULTANA : LΘ : LARCIAL
1272	1	LΘ : CULTANA : PRESTIAL
1274	1	LARΘ
1274	2	TEUCI
1275	1	VE : FULU
1275	2	UCRŚ : LAUTNI
1276	1	CAPIU
1276	2	RANAZU+
1276	3	+Ś AUTLEŚ
1276	4	LAUTNI
1277	1	VEL : SEIATE : HELIAL : LARΘAL
1278	1	LARΘ : SEN : TINATE : VELUŚ : HELIAL TLESNA⟨L⟩ /
1278	1	/: CLAN
1279	1	ΘANA : SENTINATI
1280	1	AΘ : TUMILTNI : VELUŚ
1281	1	CAE • LARCE
1281	2	LAURSTIAL
1282	1	LUCI • LARCE
1282	2	LAURSTIAL
1283	1	AULE • LARCE • N◇◇◇◇◇
1284	1	AΘ • SEPTLE • VL • VIPINAL
1285	1	ΘA • VIPINEI • AΘ • VELXESA
1286	1	ΘANA • PRUCIUNIA • AR
1287	1	AV • PUMPU • VRAVNAL
1288	1	LEUCLE ΦISIS LAVTNI
1288	2	{L • PHISIUS • L • LAUCL}
1289	1	{A • FABI IUCNUS}
1290	1	AU FAPI LARΘIAL
1290	2	{A • FABI • IUCNUS}
1291	1	{L • ACILI • L • F • EROMACAE
1291	2	NATUS}
1292	1	{SEX • GRANIUS • SEX • F
1292	2	HISPANUS}
1293	1	{Q • GRANIUS • M • F
1293	2	PROCULUS
1293	3	CALPURNIA
1293	4	NATUS}
1294	1	{CALPURNIA • L • F
1294	2	PAULA}
1295	1	{C • SENTIUS • C • F
1295	2	GRANIA • CNAT
1295	3	HANNOSSA}
1296	1	AΘ • HANUSA • PLAUTIAL
1297	1	{C • TITIUS • C • F
1297	2	LARCIA • NATUS
1297	3	SRABLIO}
1298	1	{Q • TITIUS • C • F • SRABLIO
1298	2	COELIA • NATUS}
1299	1	FASTI
1299	2	HERMNEI
1299	3	TIUSA
1299	4	VETUSAL
1300	1	[FAS]TI H[ERMNEI T]IUSA VETUSAL
1301	1	[F]AS[T]I
1301	2	HERMNEI
1302	1	TIUZA
1303	1	TIUZA : TIUS : VETUSAL : CLAN : ΘANAS :
1304	1	TIUZA~~~~TIUS : VETUSAL
1304	2	CLAN~~~~ΘANAS
1304	3	TLESNAL
1304	4	AVI : L : S 13
1305	1	LARΘ : TETINA : ARNΘALISA : EPRΘNI
1306	1	LARΘI MARCNEI
1307	1	VUPINEI : REMZNASA :
1308	1	{C • SENTIUS
1308	2	SELEUCUS}
1309	1	{ERIS • SENTI • L}
1310	1	LΘ : TITE : VELSI : AΘ
1310	2	SEPRE
1311	1	LΘ : TITE : VELSI : AΘ :
1311	2	SEPRE
1312	1	TITI : VELSIA : PUMPUA
1313	1	LARΘI : PUMPUI : ARNΘALIS[A]
1313	2	LARΘIAS : PUMPUAL
1314	1	LARΘI : PUMP : ARNΘA : PUMPVA
1315	1	{/ [POM]PO⟨N⟩IUS • TUTI⟨L⟩IA • NAT⟨U⟩[S
1315	2	VIS •] AN • ⟨C⟩/}
1316	1	LARΘIA : CAINEI
1316	2	CAUŚLINISA
1317	1	ΘANA • VUISINEI •
1317	2	CAUŚLINISA •
1318	1	AΘ : CUPSNA : AΘ : TUTNAL L
1319	1	VEL CAE : LARISAL : HAPLNA
1320	1	LARΘI • LAURSTI
1321	1	[AΘ] : CUPSNA : AFUNAL :
1322	1	[AΘ] : CUPSNA : CAINAL :
1323	1	LARΘI : CAINEI :

1324 1 AΘ : CUPSNA : AΘ : CNEVIAL
1325 1 LARΘI : CNEVI : CUPSNASA :
1326 1 ΘA : CUPSLNEI : FASTNTRUS⟨A⟩
1327 1 [ΘA]NA • TLESNEI
1327 2 [CIC]UNIA • ŚINUS+
1327 3 +A
1328 1 ΘANIA : TLESNEI : CICUNIA : ARNΘALISA ŚINUSA
1329 1 ΘANIA ∘ ANIA
1329 2 HERINIAL
1330 1 LTH ∘ ANNIE ∘ HERINALASA
1331 1 {A • ANIE • NAMONIAS}
1332 1 ΘANIA : ANIA : HERINIAL
1333 1 ΘANIA : ANIA : ⟨H⟩ERINIAL
1334 1 VL ∘ ANE • VETUAL
1335 1 LA ANE VL
1336 1 LΘ : VIPI : LEIXU : AΘ
1337 1 LARΘI : TITI HEL⟨E⟩SA
1338 1 {L • PERNA ∘ ⟨V⟩[EL]
1338 2 F ∘
1338 3 L ∘ PERNA • VEL • [F]}
1339 1 AΘ • A⟨N⟩IU ∘ AΘ
1339 2 VELΘURIAS
1340 1 AΘ • ZI+
1340 2 +LINI ∘ X+
1340 3 +URNAL
1341 1 LΘ : CALIE :
1341 2 HARPITIA+
1341 3 +L
1342 1 LARΘ : PURNI : ARNΘAL
1343 1 AΘ : PURNI : LARΘAL
1344 1 LARΘ : PURNI : ALFA :
1345 1 ARNΘ : PURNI : CURCESA
1346 1 LARΘ : PURNI : LARΘ⟨AL⟩ [:] RAUFESA
1347 1 ARNΘ : PURNI : FA⟨LT⟩U : LARΘ◇L
1348 1 ΘANA : PIUTI : PURUNI : SA
1349 1 LARΘ : PURNI : ΦISPL : UM
1350 1 LARZA : PURNI : FELIAL
1351 1 ARNTI : PURNI◇◇◇◇
1352 1 CACNEI PURNISA
1353 1 LΘ : HERINI : UMRANAL
1354 1 ⟨L⟩ARΘ : HERINI : LΘ
1354 2 RAΘUMSNAL : CLAN
1355 1 AR : TUTNA : CLANIU : RAΘMSNAL
1356 1 ΘANIA : TUTNEI : CLA+
1356 2 +NIUNIA : RAΘUMS+
1356 3 +NAL
1357 1 ΘA : TLESNEI : HERINISA : PULUF+
1357 2 +NAL
1358 1 ◆Θ : HERINI : LΘ : TLESNALISA
1359 1 LΘ : HERINI : TLESNAL :
1360 1 ◇◇◇⟨H⟩ERINI : AΘ : VIPINAL
1361 1 LARΘI : CAINEI
1361 2 ARISAL
1362 1 ⟨LA⟩RΘIA : CAINEI : ARISAL
1363 1 LARΘI : CAPŚ⟨NE⟩I : CAINAL
1364 1 HA : PEIΘI : CUPSNASA
1365 1 ΘA : CUPSLNEI :
1365 2 PEIΘIAL :
1366 1 SALU⟨S⟩TI : CAEŚ : ANIEŚ :
1367 1 AULE : CA+
1367 2 +⟨I⟩E : VL
1368 1 HA
1369 1 [PE]⟨T⟩RUI
1370 1 SENTI
1370 2 /CR
1371 1 AU : PETRUNI : ΘUI : V • CUNAL
1374 1 AΘ : LEIXU : AF :
1375 1 LARΘ : VELCA : CENCUSA
1376 1 ARNΘ : VELSI : CENCU : VESIALISA
1377 1 AR : ΘURMNA : AΘ :
1378 1 AR : ΘURMANA : LATIΘIAL
1379 1 LΘ : ΘURMNA : LATIΘIAL
1380 1 ΘURMNI : ŚTENISA
1381 1 ARNT : CAE : ΘURMNAL
1382 1 ΘA : TITIA : PESNASA
1383 1 ΘANA : PE⟨S⟩NEI : TITIAL :
1384 1 VL : MARCNI : CRAPILU : SEIANTIAL
1385 1 ◇◇◇ [M]ATAUSN◇◇
1386 1 ◇◇◇ [M]ATAUSNEI : PULF⟨NA⟩SA
1387 1 ◇◇◇◇◇ [P]ULFNA : SAN◇◇◇◇
1388 1 LARΘI : PEΘNEI : MATAUSNISA
1389 1 ◇◇◇◇◇LARΘAL◇◇◇
1390 1 ARNΘ MATAUSNI LARΘAL
1391 1 LARΘ : MATAUSNI : ARNΘAL
1392 1 LΘ : PULFNA : LΘ
1393 1 AΘ : PULFNA : LARCNAL
1394 1 ARNΘAL : PULFNAŚ : NUŚTESLA
1395 1 LΘ : NUSTESA REMZNAL
1396 1 ΘANIA : REMZANEI : PULFNASA : LΘ
1397 1 AΘ : PULFNA : NU : SEIANTIAL
1398 1 SEΘRE : PULFNA
1398 2 ⟨SE⟩AT⟨IA⟩L ⟨CL⟩
1399 1 SΘ : PULFNA TREPUNIA
1400 1 LΘ : CAE : NUI
1401 1 VELIA : NUIŚ :
1402 1 ΘANA : CAINEI : VELIAŚ :

1403	1	LΘ : CAE : PUNPANA : LR : L<A>R<CI>AL
1404	1	ΘANA : VETIA
1404	2	PUMPNASA
1405	1	ΘANA : PUNP+
1405	2	+NAŚ : LAUTNIΘA
1406	1	CAINEI : LATINISA
1407	1	ΘANA : AMRITI : ALNSUŚ
1408	1	{HELVIA • L • F}
1409	1	{TITIA • VESCNIA}
1410	1	{TITIA :
1410	2	VESCONIA}
1411	1	{C • TITIUS • L • F • PU<P>ILLUS
1411	2	ARRIA • NATUS}
1412	1	{C • TITIUS • L • F
1412	2	PUPILLUS
1412	3	ARRIA • NATUS}
1413	1	LARΘ : LAUTNI : TITIAS : PUPLAS
1414	1	VL • ZIXU • VL • MUTUAL
1415	1	VL • ZIXU • VL •
1415	2	MUT
1416	1	{Q • SCRIBONIUS • C • F}
1416	2	VL • ZICU
1417	1	{A : SCRIBON
1417	2	C : F •}
1418	1	{Q • SCRIBONIUS • GE}
1418	2	VL • ZICU
1419	1	AULE : VETANA
1420	1	ΘANIA : VETANEI : TUTNASA
1421	1	VELIA SE+
1421	2	+NTI AΘ UN+
1421	3	+ATNAL RAΘUM+
1421	4	+SNASA CUM<E>RU+
1421	5	+NIA
1422	1	VELIA : SEIA<N>TI : AΘ : UNATN
1422	2	CUMERU<N>IA RAΘUM+
1422	3	+NASA
1423	1	ARNΘ : SENTINATE : CUMERESA :
1424	1	<LARΘ> CUMERESA
1425	1	LARΘ CUMERE ARNΘAL
1426	1	AR : CUMERE : FRAVN+
1426	2	+AL
1427	1	AΘ : CUMERE : LΘ : PRESNTIAL
1428	1	AR : CUMERE : AR : PULFNAL
1429	1	VELIA TUTNEI CUMERUSA
1430	1	AΘ : CUMERE : FRAUNA
1430	2	CLAN ZIL
1431	1	FASTI • TLESNEI • CUMERESA
1431	2	/PEΘNAL • ŚEC
1432	1	• S • PEΘNAL • SEC
1433	1	{C • SENTI • ALCHU
1433	2	CLEPATRAS}
1434	1	CLEPATRA
1434	2	TEΘAS • L • T
1435	1	{CLEPATRA • TE<D>}
1436	1	{C • SECUNDA • TITIA • T • F •
1436	2	VESCONIA}
1437	1	{C • VENSIUS • C • F • CAIUS}
1437	2	/VEL : VENZILE : ALFNALISLE
1438	1	{C • VENSIUS • C • F
1438	2	CAESIA • NATUS}
1439	1	{L • SERTORIUS • L • F}
1440	1	{VOLCHACI+
1440	2	+A • L • F}
1441	1	{PETILLIUS
1441	2	PAVO}
1442	1	ARNΘ : CUPS<NA> : ARNΘAL
1443	1	ΘANA : LARCI CUP
1444	1	LARΘ : MARCNA
1445	1	LARIS : LATINI
1445	2	PRCESA
1446	1	VEL : UMRANA : ARNΘALISA
1447	1	VENZA : UMRANA : ARNΘALISA :
1448	1	ARNΘ : UMRANAŚ : VELUSA
1449	1	ARNΘ : UMRANA : V~~~~~
1450	1	FASTI : SENTINATI : UMRANASA
1451	1	FASTIA : UMRANEI : CUMERUNIASA
1452	1	PEΘNEI : UMRANAS<A>
1453	1	ARNΘ : HEIZU : UΘUN
1454	1	SEIANTI • HANUNIA • TLESNASA
1455	1	{PURNEI
1455	2	ANICISA}
1456	1	PINEI : HERCLENIA :
1457	1	[ΘA]NA APIA VELU[Ś]
1458	1	LARZILE : CURSPEN+
1458	2	+A :
1459	1	ΘA • SETUMNEI • PUMPUNISA
1460	1	LΘ : TLESNA : LΘ : CLANTI : TREP+
1460	2	+UIŚ
1461	1	AR : TLESNA : CENCU : TITIAL
1462	1	ΘANIA : VELSI : TLESNASA : CALUNAL
1463	1	ΘANSI : VIPIŚ : LAUTNI
1466	1	ΘANA : PETRUI : PALIESA :
1468	1	{C • ARRIUS • C • F
1468	2	Q •}
1468	3	AΘ • ARNTNI • UMRANAL
1469	1	{C • ARRI • ARN • ARRIA • NAT}

1469	2	ARN • ARNTNI • ARRI
1469	3	ARNTNAL
1470	1	{C • GAVIUS
1470	2	Q • F • H • P •}
1471	1	{L • GAVIUS • SEX • F •
1471	2	VOLCACIA • NAT}
1472	1	{HASTIA
1472	2	SCANΘILIA}
1473	1	LA CREPNI
1473	2	/LAUT
1474	1	LA CEPENI
1475	1	AΘ • CREP+
1475	2	+NI • CAPRI+
1475	3	+NA
1476	1	AΘ : CNEPNI : CAPRINAL :
1477	1	L • CREPNI • A •
1478	1	AR : CNEPNI : RESCIUNIA :
1479	1	<VEL S>EC+
1479	2	+UNE CEN+
1479	3	+EPNAL
1480	1	AΘ : HAL<Ś>+
1480	2	+NE : ANAIN+
1480	3	+AL
1481	1	AΘ : HALSN<E> : <H>ERINIAL
1482	1	AΘ • <HALŚN>E • TITIAL
1483	1	AU • HALŚNE
1484	1	ΘANA • VETI •
1484	2	HALŚNESA
1485	1	ΘANA : VEΘI : <H>ALŚNES+
1485	2	+A
1486	1	HERCLIT<E> TITES
1486	2	•<ANS>L
1487	1	{C • HERCLIT • HA}
1487	2	CAE •
1487	3	FERCLITE
1488	1	{C • HERCLITE • HA}
1488	2	/{C • HERCLITE • HA}
1489	1	AΘ • REICNA • HUS+
1489	2	+UNIAŚ
1490	1	LAR<TI> : <V>I<P>INEI : VELΘ+
1490	2	+URIAŚ
1491	1	ΘANA • CAINEI • ŚALISA
1492	1	ΘANIA • <CA>I<NEI> • [V]L • <TITIAL>
1493	1	CAINEI : [ΘAN]<S>I<S>A
1494	1	AΘ • VECU • VL
1495	1	AΘ : VECU
1495	2	AUNTNAL
1496	1	AΘ • <V>ECU • AUNTANAL
1497	1	AΘ • VECU • AΘ • ALF
1498	1	AΘ • V<EC>U • AΘ • ALFNA<L>
1499	1	LARΘI • VECUI
1499	2	ALF
1500	1	LARΘIA : VECUI : ALFNAL
1501	1	LARΘI
1501	2	ALFNI • VEC+
1501	3	+U+
1501	4	+S
1502	1	<A>Θ : VECU : VIPL<I>A<S>
1503	1	ΘA • VIPLIA • VECUSA
1504	1	ΘANIA : VIPLIA : [MET]ELIAL
1505	1	<ΘA>N<A> • P<E>IΘI [•] VL •
1506	1	[LA]<RΘ>I<A> X<ER>I<T>N<E>I <PEΘNAŚ>
1507	1	VEL : PERCUMSNA : ARNΘAL
1508	1	LARΘI : AL : LAUTNIΘA : PERCUMSNAS
1509	1	LARIS : PUMPU <H>UCU
1510	1	L<A> : PUMPU
1511	1	ΘANIA : CALUNEI : PUMPUVAL
1512	1	LARΘI : CAINEI : PUMPUSA
1513	1	VL : SENTINATE : ARNΘALISA
1514	1	VELIZA : SENTI : VESTRCIAL
1515	1	ΘANA • SENTI • VL • REMZNAL
1516	1	ΘANA : REMZNEI : VILIASA :
1517	1	ΘANIA : SEIANTI : VILIANIA : MARCNAL
1518	1	VL • VILIA • VL • MAR • PUR+
1518	2	+Θ
1519	1	LARΘI : MARCNEI : TUT : VILIASA
1520	1	ΘA : SEIANTI : VILIANIA : TITIAL : SEC :
1521	1	ΘAN • LATINI • VL • SIA<T> VILIASA
1522	1	CICUNIA : TITESA :
1523	1	CICUNIA T/
1524	1	AU : ACILU : LATINIA
1525	1	VISCE • ACILU
1526	1	LΘ • SEΘRE • TITIA
1527	1	{L • SERTORI • L • F • LONC}
1528	1	ΘANIA : TUTNEI : PULFNAL : TETINASA
1529	1	LICANTRE : TETINAŚ : LAUTNI :
1530	1	Θ<ANA> • ANEI • AR
1531	1	ΘANA : CAFATI : LATI∞∞
1532	1	VELIZA
1532	2	CELMNEI
1533	1	<VELIZA> CELMN<E>I • AΘ • ŚEC
1534	1	LΘ • <C>URE • [V]L
1535	1	LARΘ : EZNA : LARΘALISA
1536	1	VEL
1536	2	VELXE
1536	3	ZUXNAL

1537	1	ΘANA • <LARIST>NE<I> • <R>A[VFE]<Ś>
1538	1	{C • ODIE • C • F
1538	2	LARTIA
1538	3	GNATUS}
1539	1	ARN[Θ]∿∿∿∿IC∿∿∿UN∿∿∿ [PU]M<P>U<Ś>
1540	1	VELI/
1541	1	∿∿∿∿CAI<N>I<Ś>
1542	1	LU<C>I/
1542	2	U<C>/
1543	1	/<A> : A/
1544	1	/S : VUI<Ś>/
1545	1	/<N>IA
1546	1	<M>INATIU<R>K∿∿∿<ZA>URI
1546	2	E<L>URNIERIKE<Z>
1546	3	MATAN
1547	1	LARΘIA : PULFNEI : SPASPUSA
1548	1	ΘANA : TETINEI : HUZLUNIA :
1548	2	TLESNAL : ŚEX
1549	1	{C • VITRA}
1550	1	{L • VITRA}
1551	1	{P • VITRAS}
1552	1	<P> • P<A>
1552	2	N • <A> • INAP
1552	3	PELMAPUΘ
1552	4	NTURKESEL
1553	1	VEL : TETA : CELIAŚ
1554	1	VEL • TETA • VELUŚ
1555	1	AΘ : TETA : VELUŚ :
1555	2	ANIN<AL> :
1556	1	VEL : TETA : ARNΘAL
1557	1	{L • SENTIUS • L • E
1557	2	SABINIUS • BLAESUS}
1558	1	/Ś A<PI>CE<Ś>
1558	2	A SEN<T>IAL
1559	1	HASTIA RUMI • VIPU∿∿∿
1560	1	ΘA : VARNEI : TETASA
1561	1	FASTI : TETI : VARNAL :
1562	1	ΘANIA : TETI : VARNAL
1563	1	LARΘIA • ANT<AI>NEI [•] PAPAS/
1564	1	ΘA • AN<T>AINEI • CREI
1565	1	/EICIA • ARΘAL
1566	1	VL • VERATRU
1566	2	UΦALIA<S>
1567	1	LΘ • VE[R]ATRU
1567	2	UΦA<L>IASI
1568	1	HASTI+
1568	2	+A
1568	3	URFI •
1568	4	UΦALESA
1569	1	LS • VERA+
1569	2	+TR<U>
1569	3	FREIAS
1570	1	<ΦI>LA : VERATRSA
1570	2	LAVTNITA : PURNAL
1571	1	<A>ULE • {VERATRO}
1571	2	<A>ULES
1572	1	{HASTIA • VERATRONIA}
1573	1	{THAN<U>[S]<A>
1573	2	TO<CE>[R]<O>NIA
1573	3	[MA]<T>ER • THANIA • SELIA
1573	4	NATA}
1574	1	VL : VETU : CEICNA<L>
1575	1	LAΘI : VETUI
1576	1	VL VELSU
1576	2	VETNAL
1577	1	{LA • SCANSA •
1577	2	VET}
1578	1	{A • SCANDILIO
1578	2	A • F • CAESIA
1578	3	NATUM}
1579	1	{TANUSA
1579	2	MUNATIA
1579	3	LUCCILIA
1579	4	NATA}
1580	1	{VEL • HAERINA • VEL
1580	2	ANCARIALISA}
1581	1	{SEX • HERIN+
1581	2	+NA
1581	3	VEL • F}
1582	1	{Q • HAERINNA • <Q> • F
1582	2	SENTIA • <NA>TUS}
1583	1	{A • HA<ERI>NNA • Q • F
1583	2	SENTIAE [•] <G>ALLAE
1583	3	NATUS}
1584	1	{L • HAERINA
1584	2	TIFILIA • NATUS}
1585	1	{C • HERINA •
1585	2	L • F • THIPHI<L>IAE •
1585	3	GN<A>}
1586	1	{L • HERE<N>[A •] CAPITO
1586	2	MAT[RE]
1586	3	TANUSA
1586	4	AXINA}
1587	1	{HERNNIA SEQUDA}
1588	1	ΘANA MURI<N>EI
1589	1	HAT<R>UNIA : L : VIPIŚ

1589 2 MURINASA
1590 1 {TANIA • VIPINIA}
1591 1 {HA • NUMSINEI}
1592 1 HS ANEI •
1592 2 NUMS
1593 1 {C • PISENTIUS
1593 2 MANIAE • NATU}
1594 1 {C • <P>[IS]ENTI C • F
1594 2 VA[RI]<A>
1594 3 NATU[S]}
1595 1 {L • PISENTI • C • F
1595 2 ALBANI}
1596 1 {L • SARTAGE}
1597 1 {L • SAR<TAG> • L • F}
1598 1 {VEL • SARTA+
1598 2 +GUS • <V>EL • F}
1599 1 AU TETNI
1599 2 AΘ
1600 1 {A • TETINA}
1600 2 LAUCINAL
1601 1 ΘANA • LAUCINE+
1601 2 +I • LEΘESA
1602 1 {L CAMNIUS
1602 2 TITIAE • NA<T>US}
1603 1 AULE : PUIZNA
1603 2 VELCIAL ŚTA+
1603 3 +ś
1604 1 {A§§§§ CENCO}
1605 1 {VARIA • A • F}
1606 1 {VEIDI • TOSNOS}
1607 1 ◇◇NI◇◇◇◇◇
1607 2 PUPA◇◇AI :
1608 1 AU : ALFNI : AU : TITIAL
1609 1 ARNTNISA
1610 1 VELIA : VARNEI : ATAINAL :
1611 1 VEL : NEMSU : FALTU :
1612 1 L[A] • PRE[S]NTE • EIANTIAR
1613 1 LΘ • TUTN[A] • SLAFRAS • CLAN
1614 1 {L • TITI • T • F
1614 2 ETRUSCI}
1615 1 AΘ UMRUNA
1616 1 RIT<N>EI UMRA+
1616 2 +NASA
1617 1 VE <UM>[RANA
1617 2 A]RN[ΘAL
1617 3 {VE • U]<M>RANA
1617 4 [ARNTH]AL}
1618 1 <VEL> PUMPU
1619 1 ΘA PUIZNEI
1620 1 ΘA <P>UVI<Z>NEI
1621 1 VEL MASNI
1622 1 ΘA • SUSINE
1623 1 <LA> CAPRU
1623 2 A
1624 1 <V>E V<E>Θ<RNA>
1625 1 {SEMO
1625 2 MINUCI}
1626 1 {L HIRRIUS • L • F
1626 2 VOESIA
1626 3 NATUS}
1627 1 {FANNIAE
1627 2 L • F
1627 3 BALBILLAE
1627 4 Θ O}
1628 1 {A • PLOTIUS • L • F • ARN
1628 2 L • PLOTIUS • A • F • ARN • REGU[LA]
1628 3 L • PLOTIUS • L • F • REGULA}
1629 1 Θ • PETRUI
1629 2 LΘ • VIPIś
1630 1 LΘ : HERINI◇◇◇◇◇◇
1631 1 {Q • TREBONI • PLAG •}
1632 1 [L]Θ • VELIΘANA PETRUAL
1633 1 ΘANA • PETRUI
1633 2 VELIΘANA+
1633 3 +SA
1634 1 VELIA ΘI◇◇EI
1634 2 VELIΘANAL
1635 1 ΘANA ATAINEI
1636 1 ΘA◇◇◇◇NEA◇◇◇
1637 1 AΘ : LARCE
1637 2 ΘUPRE : TET+
1637 3 +NIś : LAUTNI
1638 1 LARΘ : PURNI : CURCE
1639 1 LR • PUCE
1640 1 AΘ : PURNI : VENTESA :
1641 1 LUCI • CICU • AΘ
1641 2 SVENIAś
1642 1 AΘ • CICU • SVENIAS
1643 1 L[U]CI • CICUS◆◆◆UN
1643 2 IA<L>
1644 1 AΘ • CICU • AΘ • CRAPILUN
1645 1 {C • GELLIUS
1645 2 CRASSUS
1645 3 ANNIA • NATU}
1646 1 {C • GELLIUS • C • F
1646 2 ARN • CRASSUS

1646 3 MURTIA • NATUS}
1647 1 {C • ACILIUS • L • F
1647 2 TREB • NAT
1647 3 ARCHIT}
1648 1 {<L> • A<C>ILIUS
1648 2 <C>LA<Θ>IA
1648 3 <NA>TUS}
1649 1 VL • ACL<N>[I]
1649 2 NUNIAś
1649 3 CLUTE
1650 1 ◇◇◇◇<LI> • <A>CLINIS • LAU<TNI>
1650 2 /VL : REMZNA : VL : SEVIASA
1651 1 AU • ACLIN<E> [•] LEΘARIAś
1652 1 FASTI : ACLN<E>I [:]
1653 1 {LAR • AVINI • ARTAL}
1654 1 [L]ARIS : VETU :
1654 2 AΘNU : LARISAL
1654 3 AULIAś : CLAN
1655 1 LS : VETU : AUL<IAś>
1655 2 /LARIS : VETU : AΘNU : AULIAS :
1656 1 ≠<A>VLE : AΘL : AΘN<U>
1657 1 VL : V<ET>U : MARCIAś : AΘNU
1658 1 VEL : VIPI : VELU
1658 2 AΘNU
1659 1 LΘ • TITE • AΘN+
1659 2 +U
1660 1 ARN • AΘNU
1661 1 AΘ • ALPIU • TITI+
1661 2 +AL
1662 1 AΘ • ALPIU • TITIAL •
1663 1 AΘ : ALPIU : TITIAL
1664 1 ΘA • ALPNANI
1665 1 LARΘ • ALUNI • LARΘLIS
1666 1 Θ • ALUN<E>I [•] <VEL>USA
1667 1 AΘ : ALFINI : AΘ : LAUSUMAL :
1668 1 AR • ALFNI
1668 2 VELCIALUAL
1668 3 FULU
1669 1 LS : ALFNI : VIPINAL
1670 1 VL : A<L>FNI LS : STACIAS
1671 1 V<L>◇ AL<F>NI • NUVI
1671 2 CAINAL
1671 3 {<C> • ALFIUS • A • F
1671 4 CAINNIA • NATUS}
1672 1 {L • ALFI • A • F}
1673 1 {ALFIA • C • F
1673 2 GALLA}
1674 1 {ALFIAE
1674 2 Q • L •
1674 3 PRIMAE}
1675 1 SLEPARIś : ALFNIS : L :
1675 2 AXLESA
1676 1 L • A<M>ΘNE TETINASA
1677 1 <AM>NEI : ARNΘAL : LA<U>[TNIΘA]
1678 1 LARΘ : ANAINI : VISCESA : VETANAL
1679 1 ΘA<N>A : ANAINEI
1680 1 ΘANA : ANAINEI : APIASA
1681 1 ΘANA : ANAINEI : CUMNISA :
1682 1 ΘANIA : ANAINEI : VELINA
1683 1 <F>ASTIA ANA+
1683 2 +INEI
1684 1 HASTIA : ANAINAI
1685 1 LARΘIA : ANAINEI : CAI<NA>L
1686 1 ANAINEI : LATIΘESA
1687 1 ANAINEI : LΘ : CAEś : HERINAś
1689 1 AΘ • ANCARIE • LS • CAINAL
1690 1 VEL • ANCARI
1691 1 VEL ANCARI
1692 1 LARΘ • ANCARI • <L>AR<ΘA>◆◆◆Θ<N>IAL
1693 1 AU • ACARI • MECLINAL
1694 1 {A • ANCARIUS
1694 2 A • F TOLMACA
1694 3 NATUS}
1695 1 ΘANIA
1695 2 ACARIA
1695 3 CVINTIAS+
1695 4 +A
1696 1 ANCARIA : PATISLAN<Eś> :
1697 1 ΘANA : ANCAR+
1697 2 +I HALTUNIś
1698 1 ΘANA • CRA
1699 1 ΘANA : ANCARIA : VERSA :
1700 1 LΘ : CAE : VERU : ANCARNIś :
1701 1 AUL+
1701 2 +E : CA+
1701 3 +E : ANC+
1701 4 +ARI
1702 1 A : ANXARU
1702 2 LARCANAL
1703 1 ◇◇ [AN]CARU : LARΘ<A>[L]
1704 1 ANCAR : LARCANA : LA
1705 1 LΘ : TITE : LARCE : ANCARUAL
1706 1 LAΘI : ACARUI
1706 2 TECUMUNI+
1706 3 +ś
1707 1 VEL : ANIE : LARΘAL :

1708	1	ARNZA : ANIE : HEIZUMNAT+
1708	2	+IAL
1709	1	LARΘI : FELZUMNATI : ANIESA
1710	1	<ARNΘ> : ANIE : CARCU : ANIEŚ
1711	1	ARΘ
1711	2	ANE
1712	1	LARΘ : ANE
1713	1	ARNΘ : AN<E> : AULEŚ
1714	1	EVL : ANE : AULEŚ : ŚERTURNAL :
1715	1	VL • ANE • VL •
1715	2	VIPINAL •
1716	1	VL : ANE : CRISU : LARΘAL :
1717	1	AULE : ANE : VELUSA
1718	1	LΘ • ANE • VELUS+
1718	2	+A HERCLE
1719	1	LARCI :
1719	2	ANIESA
1720	1	<L>ARCI : ANIESA :
1721	1	LARΘI : ANEI : SE≠
1722	1	LA<R>Θ : ANESA
1723	1	<AΘ> [:] ANIE+
1723	2	+<S>A
1724	1	VEL : ANEŚ : ARNΘAL
1725	1	VEL ANEŚ CLAUCE
1726	1	VEL : ANEŚ : TUŚNU
1727	1	ΘANA
1727	2	ANIA • CE+
1727	3	+LTA<LU>AL
1728	1	Θ : ANIA : VELUŚ
1729	1	{C • ANNIUS • L • F • COELIA • GNAT}
1729	2	VEL • ANNE • CUPSNAL
1730	1	{L • ANNIUS
1730	2	ANTHUS •
1730	3	NAVIE}
1731	1	{C • A<N>I<US
1731	2	Q> [• FI]LIUS
1731	3	VAEL}
1732	1	HASTIA : ANINAI
1733	1	{ANICIA
1733	2	§ • L • IUCUNΘA}
1734	1	LΘ : ANIU : ARNΘAL : MAR
1735	1	ARNΘAL
1736	1	TUTNAL : MARALIAS
1736	2	ARNΘALISA
1737	1	<H>ASTIA
1737	2	ANIUS<A>
1737	3	CIP<IR>U<NIA>
1738	1	ΘANIA : ANTRUMASIA : CAES
1739	1	ΘANA : APIA : ATAIN[AL :] ΘANSISA :
1740	1	VL : Θ◇◇◇E<◆> • APINAL
1741	1	T ANI AΘ APIA
1742	1	LARΘI : APIA : AULNAL : A<PI>+
1742	2	+CEŚ :
1743	1	VL : AU<LE> : C [:] APIAŚ :
1744	1	ER<I>S <L>AUTNTA
1744	2	<AP>IASA •
1745	1	LΘ : APLUNI : RAMΘAS : TIAZU :
1746	1	LARΘI : ARCMSNEI : VELISNISA
1747	1	VELIZA ARMUNI+
1747	2	+A
1748	1	[Θ]<AN>A • ARNTIL[ES]
1748	2	ΦESUS
1749	1	ΘANA : ARNTILES : ΦESUS
1750	1	ARNTLEI
1751	1	[L]<A>RΘ : A<R>TNI : LARΘAL
1752	1	ARNΘ : ANTNI : VELUSA
1753	1	VEL : ARNTNI : AΘALISA : CLA<N>
1754	1	VL : ARNTNI : CLAN<TI> : ARNTNAL :
1755	1	AΘ • ARNTNI • CICUN • PALPE
1756	1	LΘ : ARNTNI : CREICE : VEIZIAL : L<I>
1757	1	LARΘI : VEIZI : ARNTNISA :
1757	2	CREICESA
1758	1	VEL : ARNTNI : LATINIAL : CREICESA
1759	1	VEL : ARNTNI : LATINIAL :
1760	1	VEL : ARNTNI • VELUSA◇◇◇AI◇◇◇◇◇◇◇
1761	1	LΘ : ARNTNI : PLAUTIAL :
1762	1	AΘ : ARNTNI : LΘ : TUTNAL :
1763	1	VL : ARNTNI : TUTNAL : LARΘAL :
1764	1	LΘ : ARNTNI : TUTNAL
1765	1	ΘANA : ARNTNEI : TUTNAL : VL : PAPASLA : PUIA :
1766	1	ΘANA : TUTNEI : ARNTNISA
1767	1	LΘ : ARNTNI : ŚEPU : TUTNAL : CLAN
1768	1	LARΘ : ARNTNI : LΘ : ŚEPUSA
1769	1	VL • ARNTNI • SENΘIAL • CUM<ER>
1770	1	LARΘI : ARTNEI : SEIATIAL
1770	2	ŚEC
1771	1	[V]EL ARN<TNI>
1771	2	VELΘIAL
1773	1	[Θ]ANX[VI]L : ARNTN<E>I
1774	1	{C • ARRI}
1775	1	{ARRIAES}
1776	1	{ARRIA • § • L •
1776	2	PHILEMATIO}
1777	1	{ARN • ARIS
1777	2	SAEINAL}
1778	1	A • ARTINA

1778 2 LAUCINAL
1779 1 ΘANIA : LAUCINEI : AR⟨TI⟩NAŚ :
1780 1 LΘ • ATAINI
1780 2 LARISAL
1780 3 RESTUMNAL
1781 1 ATAINEI
1782 1 ATAINEI VELŚU+
1782 2 +SA
1783 1 ATAINE : VEŚUSA :
1784 1 VEL : ATE : FULU
1784 2 /VEL : CAE : LEN⟨T⟩IS : VEL⟨US⟩
1785 1 FASTI : TETIA : ATESA
1786 1 ΘANA ∘ ATINA
1787 1 HASTIA ∘ ATINATEŚ ∘
1788 1 ΘANI⟨A⟩ : ATINATI : PUMPU⟨N⟩A⟨L⟩
1789 1 LARΘI • PUMP+
1789 2 +NEI ∘ ATINA+
1789 3 +TEŚA
1790 1 LΘ • ATRU ∘ SATNAL ∘
1791 1 LARΘ AUCLINA
1791 2 CEŚU ΘUI
1792 1 ARNΘ • AULE
1793 1 [~ :] AULEŚ : LARΘIAL
1794 1 ΘANIA
1794 2 AULIA
1794 3 CREICES+
1794 4 +A
1795 1 ΘANIA ∘ AULIA ∘
1795 2 RAUŚ◇◇⟨P⟩LEC+
1795 3 +UŚ
1795 4 ARNZIU
1795 5 FRAUNIŚ
1795 6 LAUTNI
1796 1 ⫽AULI⟨A⟩
1796 2 ⫽⟨I⟩PE⟨CU⟩AL
1797 1 LA : CURV+
1797 2 +E : AULIAS
1798 1 ΘANA • AULNEI ∘ CANZNA+
1798 2 +SA
1799 1 ⟨L⟩S : AULUŚ+
1799 2 +⟨T⟩NI
1800 1 A⟨U⟩ : AULŚTNI : LARCIAL :
1801 1 AU ∘ AULU ∘ LAUTNI ∘ LARCIAL
1802 1 AΘ • AULŚTNI
1802 2 VETANAL
1803 1 AΘ : AUL⟨ŚT⟩NI : VETANAL :
1804 1 ◇◇◇I⟨A⟩ • AULŚT+
1804 2 +◇◇◇NEI • VETESA
1805 1 LΘ AXU AΘ
1806 1 VEL : AXU : LARΘ+
1806 2 +AL
1807 1 AΘ AFU⟨N⟩A
1808 1 AU • AFUNA • CAUL
1809 1 LARΘ : AFUNA : SEΘRESA
1810 1 VELXE ∘ AF⟨UN⟩[A]
1810 2 ⟨LAR⟩
1811 1 VELX⟨E⟩ : AFUNAŚ : LARC⟨E⟩S⟨A⟩
1812 1 HASTI : AFUNEI :
1812 2 LARΘ : AFUNA :
1812 3 ΘANX : AFUNEI :
1812 4 VEL : ARNTNI :
1812 5 LARCE : AFUNA :
1812 6 LARΘI : PURNEI :
1812 7 LARZA : AFUNA :
1812 8 VANΘ
1812 9 CULŚU
1813 1 ΘANA ∘ AFUNEI • S⟨E⟩NTINATES
1814 1 ARN : SEIANTE : TREPU :
1814 2 ARNΘAL : AFUNAL
1815 1 FASTIA AFUNEI TISCUSNISA
1816 1 HASTI : AFUNEI : CUPSNASA
1817 1 ⟨H⟩ASTI : AFUNEI : VARNA⟨L⟩
1818 1 FASTI : AFUNEI : VARNAL
1819 1 ⟨A⟩R : AFRC⟨E⟩ :
1820 1 ⟨Ś⟩N : AFRCEIA : LARCI :
1821 1 LΘ • AR • CAU
1822 1 {PHILIPPIO ∘ CAELI}
1823 1 {C ∘ CAETENNIUS
1823 2 VISINNIA • NATUS}
1824 1 AULE : CAE : CAESA :
1825 1 ARNΘ CAE CAEŚ
1826 1 VL ∘ CAE ∘ PEΘNAL • CAES⟨A⟩
1827 1 LΘ : CAE : PEΘNAL : CAEŚ
1828 1 AULE : CAE : MANIAŚ
1829 1 {L CAE L MINIAS}
1830 1 ΘANA : CAINEI : ŚININEI
1831 1 AV : CAE • VELUAL
1832 1 ARNZA : CAE : AULEZ : VELUAL :
1833 1 AU ∘ CAE • R⟨EM⟩
1834 1 AΘ • CA⟨E⟩ • ATRUNIAŚ
1835 1 VL ∘ CAE : PLAS
1836 1 VEL : CAE : ⟨AΘ⟩ : ANA⟨IN⟩[AL]
1837 1 VL : CAE : SEIATIAL
1838 1 CAE • ⟨SEI⟩◇◇◇◇◇◇◇⟨Θ⟩
1839 1 VEL ∘ CAE ∘ VELSA
1840 1 VL ∘ CAE ∘ SPLATURIA

1841	1	{VEL ∘ CAE ∘ TITIAL ∘ TRAPONI<AS>}
1842	1	LARZA : CAE : ACLNAL
1843	1	LARΘI ∘ CAINEI ∘ ACLNIŚ
1844	1	LA§CAE
1844	2	FUL
1845	1	LΘ : CAE◇◇◇
1845	2	FULU F◇◇◇◇
1846	1	[LA]RΘ : CAE : ARNΘ<A>[L : VIPINALISA]
1847	1	ARNΘ CAE/
1848	1	VEL : CAE : L<A>[RΘAL]
1849	1	[L]<ARΘ> • CA<E> • AUL<E>[Ś]
1850	1	/CAE/
1851	1	LARZA : C<A>E : VELXIEŚ
1852	1	LΘ : CAE : TUTNAŚ
1853	1	HASTIA : CAINEI : LEUSLA
1854	1	CAE : LAUTNI : CULT<E>CEŚ
1855	1	CAE<T>◇◇◇◇S LARΘAL • LAETNE :
1856	1	~
1856	2	SUS • VE • CALI+
1856	3	+SUS LARΘ ∘ CAES
1856	4	LAUTNI
1857	1	{L <G>AVI L F}
1858	1	{L • GAVI ∘ L ∘ F
1858	2	CLEMENTIS}
1859	1	{THANNIA
1859	2	<G>AVIA
1859	3	C • F}
1860	1	{GAVIA ∘ PRIM+
1860	2	+IGENEA C ∘
1860	3	GAVI ∘ L ∘}
1861	1	{GAVIA ∘ P ∘ L ∘
1861	2	TARNTIA}
1862	1	AULE CAINI
1863	1	HASTI
1863	2	VL XAINE
1864	1	AULE : CAINI : AUECA
1865	1	CAINEI ∘ AULESA
1866	1	AULE CAIN+
1866	2	+<I>
1866	3	SAINAL
1867	1	AULE : CAINI : TETNAL : AΘ
1868	1	AΘ • CAI<NI>
1869	1	AΘ : CAINI : AU : ΘANSINAL :
1870	1	ΘANA : CAIN[EI] : ΘA : NENA : ◇◇◇
1871	1	HASTIA
1871	2	CAINEI
1872	1	[HASTIA :] C<AI>NE<I> : ◆◆◆MINASA :
1873	1	FLASTIA • CAINEI • CLANTIE • PUIA • AME
1874	1	<H>ASTI : CAINE : HALISTREA
1875	1	LARΘI ∘ CAINEI
1875	2	<V>ISTIA
1876	1	ΘANIA ∘ CAINEI ∘ NAULIS<AL> ∘ VL • ŚEC
1877	1	AΘ : NAVLIS : CAINAL
1878	1	AΘ : NAVLIS : CAINAL :
1879	1	ΘANA : CAINEI
1880	1	ΘANA : CAINEI
1881	1	[Θ]<A>NA : CAINEI : VELUŚ
1882	1	LARΘI : CANEI : VE[LUŚ]
1883	1	ΘANA : CAINEI : AU<L>◇◇◇IŚ :
1884	1	ΘANA : CAINE+
1884	2	+I : SETUMESA
1885	1	Θ[A]NIA ∘ CANEI◇◇◇◇◇◇◇◇◇◇◇LARΘAL
1886	1	ΘANIA : CAINEI : URINATESA
1887	1	ΘA : CAINEI : CANZNASA
1888	1	VL ∘ CANZNA ∘ AΘ • CAINAL ∘
1889	1	LARΘIA ∘ CAINEI ∘
1889	2	<A> ∘ VE<L>CIA[L]
1890	1	LARΘI : CAINE : VECIA :
1891	1	LARΘI : CAINEI : AXUNIASA •
1892	1	LARΘI
1892	2	CAINEI
1892	3	TREPALUAL
1893	1	LARTI
1893	2	CAINEI
1893	3	CAINIZ
1894	1	LARΘI : CAINEI : LAUCANESA
1895	1	CAINEI
1895	2	PVRNISA
1896	1	CAINEI : PURNISA :
1897	1	CAINEI : VETISA : UMRINAL
1898	1	/ CAINEI /
1899	1	LA : MINATE
1899	2	VELIA CAI
1899	3	PETRUS<A>
1900	1	AU : CAE : ARCNTIS : HULUNIAŚ
1901	1	CAE • HU<L>U
1902	1	AR : CAE : CRAUFA : CAUPIS : VETRUAL
1903	1	<ΘA>[N]<IA> : <CA>INEI : C<R>A<UPA>NIA : L<A>RΘ/
1903	1	/AL
1904	1	ΘANIA : CAIN+
1904	2	+EI : CRESPIA
1904	3	PUMPUAL
1905	1	ΘANIA : PUMPUI : CAINISA
1906	1	CAINEI
1906	2	CARCU+
1906	3	+NIA

1907 1 CAINΞI
1907 2 ALFNISA
1908 1 CAINEI • CARCUNIA • ALFNISA
1909 1 VL : CAE : CU+
1909 2 +TL[IS : VELU+
1909 3 +Ś : PLA]+
1909 4 +UTR[IAŚ]
1910 1 ΘANAS : CAIN+
1910 2 +AL : VESCNA+
1910 3 +L :
1911 1 CAI • HERENI • PETINATIAL
1912 1 FA : CAINEI : HISUNIA
1913 1 ΘANIA : CAINEI : NUVIŚ :
1914 1 VELIA NUIŚ ⟨L⟩ ATINA
1915 1 AR : CAI : PATU
1915 2 ATAINAL
1916 1 AULE CAI PATU
1916 2 ARNΘAL
1917 1 AU [•] ⟨C⟩AE • A⟨RNTN⟩[AL]
1918 1 AΘ : CAE : PECE [: VE]L : VEIZIAL :
1919 1 LΘ : CAE : PEXE : CAINAL
1920 1 LARΘ : CAE • PEXE : TREPINAL
1921 1 CAINEI PRECUNIA
1922 1 AULE CAE
1922 2 RAUFE PUMPANAL
1923 1 ΘANIA : CAINEI
1923 2 PUMPNEI
1923 3 TECUMNAL
1924 1 ARNΘ : CAE • PESTIU : AUL • CAINAL :
1925 1 ⟨CA⟩IA • R⟨EST⟩UMNEI
1925 2 ANES
1926 1 SEΘRE • CAΘNI+
1926 2 +S ⟨L⟩[A]
1927 1 LΘ • CALE • MEFANA+
1927 2 +TIAL
1928 1 LA • CALE • ME
1929 1 ⟨LAR⟩[Θ]I • ⟨CALI⟩ • ⟨VEL⟩
1930 1 AΘ • CALITI • VIPIAS
1931 1 {TANIA • CALINAI}
1932 1 [LA]⟨R⟩Θ : CALISNI : SEΘRES⟨A⟩
1933 1 LARISAL • KALISNIŚ • AVIATI
1934 1 LART • CALISNI • ΘURICIA⟨L⟩
1935 1 LARΘ CALISNI V ANINA
1936 1 AR : CALISNI : ŚAPUSA
1936 2 LARΘAL
1937 1 LARΘI : CALIS+
1937 2 +NEI : MURINAL
1937 3 RENΘN :
1938 1 LARΘIA • CALISNEI
1938 2 VETIAS
1939 1 ARNΘ CALISINI VELU
1940 1 L[R : CA]MAS : HELIAL :
1941 1 LARΘIA : CAMEI : LARΘISA : LAU : ŚATNAŚ
1942 1 AULE • CAMARINE
1942 2 LARΘAL • CAINAL
1943 1 HASΘI : CAMARINEI : PUMPUAL :
1944 1 HASTIA : CAMARINEI : RUMATESA
1945 1 AULIU : CAMARINEŚ
1945 2 LAUTNI
1946 1 VL : CANZNA : VL : VETNAL
1947 1 [VE]⟨L⟩ICU
1947 2 [TIT]E⟨Ś⟩
1947 3 [CAN]ZNA
1948 1 AΘ : CAPIU : LARΘ♦♦♦♦♦
1949 1 AV • CAPNA • ALFNAL
1950 1 AΘ : CAPSNA : ECNATNAL
1951 1 AΘ : CAPSNA : PU⟨M⟩PA⟨N⟩A
1952 1 ARNZA : CAPSNA : SEΘRNAL
1953 1 ΘANIA : SEΘRNEI : CAPŚNAS
1954 1 ŚALIE : CARCU : NATIS
1955 1 {FLORA
1955 2 GARGOSSA}
1956 1 LARI CARCNA LAΘAL
1957 1 LARΘ CAR⟨N⟩A VELUŚ
1958 1 VEL : CARNA : LARΘAL :
1959 1 AΘ • CARNA • VETLNAL
1960 1 AΘ : CARNEI : TUTNAS+
1960 2 +A
1961 1 AR : TUTNA
1961 2 TUMU : CARN+
1961 3 +⟨A⟩L
1962 1 AR : CARZIU
1962 2 LEΘIAŚ
1963 1 ⟨VE⟩[L : L]⟨EΘ⟩E : CARSNA : HUPIE
1964 1 ΘANA • CA+
1964 2 +RPNATI • VENUSA
1965 1 LR : VIPI : VENU : CARPNA+
1965 2 +TIAL
1966 1 ΘANA CARPNTI LULESA
1967 1 {C • CARTILIUS • L • F
1967 2 HARISPEX}
1968 1 AULE : CATNI : AULESA
1969 1 VL : CAULE
1969 2 ARNΘAL
1970 1 VEL : CAUL⟨E⟩ : ARNΘAL :
1971 1 LΘ • CAUSLINI • LΘ

1971	2	VIPINAL •
1972	1	LARTI • CAUŚLINEI
1972	2	ŚALINAL
1973	1	LARΘI : CAUŚTINE
1973	2	LAΘI CAUŚINE
1974	1	LARΘI • CAUŚL<INEI> • HER<N>ESA
1975	1	CEICNEI
1976	1	AΘ CEINA •
1976	2	SAPINIAŚ
1977	1	LΘ : CELE : LARISAL : TITIAL
1978	1	LARΘ : CELE : ALXUSNAL
1979	1	LΘ : CELE : LΘ : ŚERTURNA<L>
1980	1	ΘANA : CELIA : SEΘRNASA
1981	1	<ΘA>NIA : PEIΘI : CELESA : VILTU+
1981	2	+NIAŚ : ŚEC
1982	1	LS : CE<L>E : LΘ : PEIΘIAL
1983	1	ΘA : CELIA : TUTNASA
1984	1	{M • GELIUS • L • F}
1985	1	ΘANA : CELIA : CUMNISA :
1986	1	{GELLIA • C • L • OLINPIA}
1987	1	AΘ • CEL<Ś>IN+
1987	2	+A
1987	3	LETIAL
1988	1	AU : CEMU : AΘ
1989	1	[C]<EM>U<N>IA • ARNZLA<N>EŚ <•> ATINA
1990	1	◇◇◇◇CECU : TEΘURIAŚ
1991	1	⫽CENCUS <L>A ΘANA CA⫽
1992	1	LARΘI : CENCUI : LARCNASA
1993	1	VL • CENCNA • AΘ
1994	1	LΘ • CENCNA • AFU
1995	1	LΘ : CECNA
1996	1	ΘANA • CETISNEI
1997	1	ΘANA • CETI
1998	1	VL • CVINTE
1998	2	VELIAŚ
1999	1	ΘANA • CVINTI+
1999	2	+A • TREPINAL
2000	1	VE CICU
2001	1	AΘ • CICU • AΘ
2001	2	TUTNAL
2002	1	CAE • CICU • LATINIAL
2003	1	LΘ • CICU • LΘ •
2003	2	MARCNAL
2004	1	ANTIPATER • CICUŚ
2005	1	AΘ • CIPIRU
2005	2	UCUMZNAL
2006	1	VL • CIPIRU
2006	2	UCUMZNA+
2006	3	+L
2007	1	LARTIA : UCU+
2007	2	+MŚNEI : CIPI+
2007	3	+RUSA
2008	1	Θ • CIPIRUNIA
2008	2	APICES
2009	1	{APRILISS}
2009	2	/{TI CLAUDI
2009	3	SECUNΘI}
2010	1	{SEX • GRANIUS
2010	2	CAPITO • SEX • F}
2011	1	{SEX • GRANIUS •
2011	2	SEX • F • ARN •
2011	3	FEROX •}
2012	1	{SEX
2012	2	GRANIO
2012	3	HERISPICI •
2012	4	FORTUNATUS • L •}
2013	1	{SALASSA • GRANIA • L • L •}
2014	1	ARNT CR+
2014	2	+EICE ANAI+
2014	3	+NL
2015	1	AR • CREICE • ANAINA
2016	1	LΘ • CREI⫽
2016	2	CALPUR<N>⫽
2017	1	VELISA
2017	2	CREICIA
2017	3	ANESA
2018	1	⫽REICIA : REICNAL
2019	1	CRUŚNI
2020	1	{COCCEIA • L
2020	2	L • SCATUNII UXOR}
2021	1	{COELIA • L • L
2021	2	ANTICLIA}
2022	1	VL : CULNI : TRISNAL :
2023	1	LΘ : CULTANA : LΘ : PULFNAL
2024	1	LARΘI : CULTANEI : VELXASA
2025	1	CULTANEI • TETINAS
2026	1	LΘ : CULTANEI : TETINASA
2027	1	LΘ : CULTCE : ANAINAL :
2028	1	LTCE : ANAINA : LΘ
2029	1	AR • CUMERE • AR • TUTNAL
2030	1	AΘ : CUMNI : AMRIΘIAL :
2031	1	VL : CUMNI : AMRIΘIAL :
2032	1	ΘANA : AMRIΘI : CUMNISA :
2033	1	VL • CUMNI • CAINAL
2034	1	VEL : CUMNI : CAUPIS :
2035	1	AΘ : CUMNI : CELAŚ

2036	1	AΘ : CUMNI : CERISTLIAL
2037	1	VL : CUMNI : CERISTLI+
2037	2	+AL
2038	1	CERISTLI •
2038	2	CUMNIESA
2039	1	LΘ : CUMNI : CUMNIŚ
2040	1	CUMNI : ΘUCERNAŚ :
2041	1	PUIA : CUMNIŚ : ΘUCERNA+
2041	2	+Ś
2042	1	ΘANIA
2042	2	CUMNIA : ARNTNISA
2043	1	{C • CO<NS>IDIUS
2043	2	C • F • POM}
2044	1	{C • CONSIDIUS • C • F •
2044	2	L • N
2044	3	COMINIA • NAT}
2044	4	4 {VIR}
2045	1	{L • CONSILI
2045	2	ATTICO
2045	3	VIXIT • A •} 20
2046	1	CUPI
2047	1	LARI : CUPRNA
2048	1	AΘ CUPSNA PUCSIN+
2048	2	+AL
2049	1	ARNΘ CUPSLNA : ARNΘAL
2050	1	LARΘ : CUPSLNA : ARNΘALISA
2051	1	ΘAN : CUPSNEI : CARPNATESA
2052	1	ΘANA : CUPSNEI :
2052	2	VIPISA
2053	1	ΘANA CUPSNEI
2053	2	◇◇◇◇ISA
2054	1	LARΘI : CUPSLNEI : TUTNASA
2055	1	ΘANA : CUVINEI : CALU◇◇◇
2056	1	LARΘI CUP+
2056	2	+NEI UITIAŚ
2057	1	<CU>RIA : VIPI
2057	2	<CEISI>NAL
2058	1	{AR • CORSDLE • VELIAS}
2059	1	{LARTHI • CORSTLI •}
2060	1	LA : CURV+
2060	2	+E : AULIAL
2061	1	ΘANA : CUSINEI : CURVESA :
2062	1	CUSINEI
2062	2	VPRΘSA
2063	1	CUSLNEI : PEIΘIAL : VPRΘESA
2064	1	ARNΘ CVSPI
2065	1	VELIZA
2065	2	CUTNEI
2066	1	TINUSI :
2066	2	LAUTI : CUT+
2066	3	+NAL
2067	1	TINUSI : LAUTNI : CUTNAL
2068	1	/<L>IA CUTNAL : LAUTNIΘA
2068	2	/<P>RNASA •
2069	1	LARΘ
2069	2	EZNA : AR+
2069	3	+ΘAL : VU+
2069	4	+SIAŚ
2070	1	ΘA : EZUNEI
2071	1	ΘANIA EZNEI CARATI
2072	1	LARΘI EZUNEI SCEVIAS
2073	1	LARΘI : EINATEI
2074	1	ARNΘ : E<P>LE : AU+
2074	2	+Ś
2075	1	{L • VARIUS
2075	2	OGLINIA • F}
2076	1	{VARIA • Q • L • HIL}
2077	1	LΘ : LAUTNI : VARNAS :
2078	1	LΘ : VARNEI : VRINATIAL :
2078	2	: PULFNASA
2079	1	LARΘI VARNEI
2079	2	SCEVIAŚ
2080	1	HAVAPAIP
2081	1	/VEANE CI/+
2081	2	+/IA
2082	1	ΘANIA : VEIANI<A>
2082	2	LEΘIUSA
2083	1	LARΘI : VEΘIE
2084	1	AΘ : VEIZA : LΘ : CAINAL
2085	1	VL • VEIZA • LΘ
2086	1	LARΘ • VEIZA
2086	2	VUISINAL • HULU
2087	1	VEIZI
2087	2	NUMSINAL
2088	1	HASTI : VEZA
2088	2	LR : TE : PU : LAU : A
2089	1	{L • VEISINNIUS • L • F • P •
2089	2	TITIA • GNATUS}
2090	1	AR : VELA+
2090	2	+ΘRI : VUI+
2090	3	+SINA
2091	1	ARNΘ : VELAΘRI : VELUŚ :
2092	1	LARΘ VELCIALU
2092	2	LARΘAL VIPINAL
2093	1	LΘ • VELCIALU • VIPINAL • LUPU
2094	1	AΘ • VELXE • SAPNAL

2095	1	TA<M>A : VELCEŚ
2095	2	LA[U]TNI
2096	1	TIΦILE : LAU
2096	2	VELXEŚ
2096	3	PULIAC
2097	1	[L]<A>R<Z>A [:] <LA>U<TN>I [:] VELXEŚ : ◇◇◇◇◇◇◇/
2097	1	/◇ [PUM]PUŚ : CLAN
2098	1	VL • PUMPU •
2098	2	VELX
2099	1	VEL : PUMPU :
2099	2	VELXIAŚ :
2100	1	ΘANA • PUMPUI • VELX • CUMNIS+
2100	2	+A
2101	1	VELIA • VELXI • <H>E<L>IA<L> Lʃ
2102	1	ΘANA : VEL<X>IA [: A]<R>NΘAL :
2103	1	ΘANIA : VELXAI : ŚV[E]INAL : UNATASA
2104	1	VEL : VELX[N]A : CAINAL :
2105	1	VELXREI : SEPIESA
2106	1	AΘ • VELCŚNA • LUXRIAŚ
2106	2	{C • VEDI}
2107	1	{AR • VELXSNA}
2108	1	{LARCE • VELCXNA
2108	2	LARGE • VELXNA}
2109	1	{LA : VELXSNA : LA}
2110	1	ΘANIA : VELEΘNEI : UCURSA
2111	1	VELΘNEI : LATINIŚ : PRICESLA
2112	1	ARNΘ : VELΘUR : FAPLNI+
2112	2	+Ś
2113	1	ARN<ΘA>L : VELΘURŚ : PUIA
2114	1	VIPI : VELΘ<U>+
2114	2	+RŚ
2115	1	LARΘ VEΘURA
2116	1	LΘ : VELΘ+
2116	2	+URU : ACLNAL
2117	1	LARΘI • VELΘU+
2117	2	+RU<I>
2118	1	VELICU
2119	1	LARΘI • VELIA •
2120	1	LAUTNA : VELIA
2120	2	PEΘIA
2121	1	LARΘI • VELIM+
2121	2	+NE
2122	1	LARΘI • VE[L]NEI • CVE<R>ΘESA
2123	1	AU : VELS+
2123	2	+CU : ZUXU
2123	3	ΘVSNTIA
2124	1	FASTI : VESCNEI :
2125	1	ARNΘ : VELSI : TUTNAL
2126	1	ARNΘ : VELSI : TUTNAL
2127	1	ARNΘ : NISI : TUTNAL
2128	1	VEL • VELSI • VELUŚ • PEΘNALIS+
2128	2	+A
2129	1	VEL : VELSI : VISCESA : VL : TLESNAL : CLAN
2130	1	VE UEL◇◇◇◇◇◇◇◇CESA
2131	1	VEL • VE[LSI •] LARΘAL • VISCE
2132	1	<ʃL> • VISCE • AULE<S> • [C]AR+
2132	2	+NAL
2133	1	[L]<AR>ΘIA • <V>ISC • A • MUTUSA
2134	1	LΘ • MUTU VISCIAS
2135	1	UISCESA
2136	1	VEL • VELSI • LARΘAL • SEITIΘIAL
2137	1	VEL : VELSIŚ : LARΘIALISA : LESTI
2138	1	VENZA : VELSI : PRU+
2138	2	+TESA : LATINIAL :
2139	1	LATINI
2139	2	VELSISA
2140	1	LARΘ • VELSI • AUL • PURNA<L>
2141	1	LΘ VELSI • L<Θ> CICIUN+
2141	2	+IAS :
2142	1	VEL VELSIŚ CACIU
2143	1	{<L> • VOLUSI • C • L • L •
2143	2	PHILEROT<I>S}
2143	3	3 • {VIR}
2144	1	ΘANIA : VELSI TLESNASA
2145	1	HASTI : VELSI : MARCNISA : CALUNAL : ŚEC
2146	1	HASTI : VELSI : METUSA<L>
2146	2	HELI
2147	1	FASTIA : VELSI : NUŚTESLISA
2148	1	FASTI : VELSI :
2148	2	PATISLANIAL
2149	1	LARΘ◇◇◇
2149	2	VEL◇◇◇
2149	3	AR • PA◇◇
2150	1	VELSI : VECNATISA
2151	1	{VALERIA
2151	2	L • L
2151	3	[H]<O>SPITA
2151	4	[H •] S • E}
2152	1	LARΘI • [V]EL<U>I • AXUSA
2153	1	VELUI : VETUSA
2154	1	VL : VELU • NEI : LAU◇◇◇L
2155	1	ARNΘ • VENATE • CISVITNA+
2155	2	+L
2156	1	AR • VENATE
2156	2	PUCSINA+
2156	3	+<L>

2157	1	LARΘI • PUCSIN
2157	2	VENATE<SA>
2158	1	L • VENATE • TITIAL • §§§§
2159	1	LΘ • VENA<T>E • AΘ
2160	1	LARΘI<A>
2160	2	VENATN<E>
2161	1	{⁄ VENIDIUS • Q • F • ARN • KALENUS
2161	2	F • T • AED •}
2162	1	HA • VERATRUNIA
2162	2	VELU
2163	1	HA • VERATRUNIA
2164	1	ΘANA : <VE>RCNEI : VECNISA : LS :
2165	1	[L]ARΘI • VERNA
2166	1	VL V<E>RU [PUM]PU<S> PU<T>INA<S> LAU<T>NI
2167	1	AR : VETE : TITIAL
2168	1	LARΘ : VE<T>I : VELUŚ
2169	1	LA : VETE : LARΘAL
2170	1	LS • VETE • ARAΘAL
2171	1	LΘ : VETI : FREMRNAL
2172	1	{C • VETTIUS
2172	2	SATURNINUS
2172	3	H • S • E}
2173	1	{P • VETTIUS • P • L • ANTIOC
2173	2	PURPURARIUS}
2174	1	<H>ASTI VETŚ
2175	1	ΘA : VETIA
2175	2	VENZILE+
2175	3	+<Ś>
2176	1	ΘANA : VETI
2176	2	RESNASA
2177	1	{VETTIA • C • F}
2178	1	ΘANA • VETIA
2178	2	TVNASA
2179	1	AΘ : VET+
2179	2	+NI : LA+
2179	3	+RΘAL
2180	1	VETINEI
2180	2	HELESA
2181	1	⁄ : VETINEI :
2182	1	{TANA
2182	2	VETNEI
2182	3	VIBINAL}
2183	1	ΘANA • V
2183	2	⁄CIAS⁄
2184	1	AU : VETU : MARCIAŚ
2185	1	ARNZA • VETU • MA
2186	1	AULE VETU
2186	2	PETRUAL
2187	1	ALVLTU : AU : TITIAL
2188	1	ΘANA • VETUI • AHNISA
2189	1	[Θ]ANA • VETUI • <CA>LATUA<L>
2190	1	VETUI : VELSISA
2191	1	VL VELXE • VELXEŚ ANAINAL
2192	1	ARNΘ VELTSNI ARNΘAL ANAINAL
2193	1	ΘANA § VELT+
2193	2	+SNEI § ARIS+
2193	3	+AL
2194	1	VL • VE◇◇◇◇LA : ◇◇◇◇◇AL
2195	1	AR • VIZE • PANZA ANCARIAL
2196	1	ATALE : VILIAŚ : LAUTNI :
2197	1	AULE : VIPI : PUP+
2197	2	+ANAŚIŚ
2198	1	A<S> VIPI PUM
2199	1	ΘANIA VIPINA • ARNΘAL • PU PUMP
2200	1	AR VIPI VUISINAL
2200	2	/AR : VIPI : VUI[S]I<N>+
2200	3	+AL
2201	1	AR : VIPI
2201	2	⁄CENA
2202	1	AR : VIPI • LUSCESA
2203	1	AR • VI
2204	1	VEL : VIPI : AR
2205	1	VEL VIPI : SEΘRA :
2206	1	VEL : VIPI : V<L> : PERIS<A>
2207	1	{L • VIBI • L • F • CAINAL}
2208	1	LARΘ <V>IPIŚ
2209	1	{RAMTA VIBIES • L
2209	2	LAUTNI}
2210	1	ΘA : VIPI : ECNATN◇◇◇
2211	1	{VIBIA • AMOEN}
2212	1	L • VIPINI • VETIAL LS VETEŚ PAPA◆Ś
2213	1	ΘANIA : VIPINEI : HER[INIŚ].
2214	1	VESINEI :
2214	2	CREICES
2215	1	ΘANA : VIPINEI : RANAZUNIA :
2215	2	CREIICESA
2216	1	ΘANIA : VIPINEI : TUTNASA :
2217	1	VIPINEI : VELXI+
2217	2	+TEŚ
2218	1	LARΘIA : VIPINEI : SEIANIA : VELUS
2219	1	{LAR • VIBINEI
2219	2	CRASNISA
2219	3	LA VIPINE
2219	4	CARI}
2220	1	⁄ • VIPINEI
2221	1	VIPINE : HU+

2221	2	+◇◇◇AS
2222	1	HA • VI • HARP
2223	1	AV • VI • <T>RA<Z>LU CUT[NAL]
2224	1	ΘANIA : VI◇◇◇◇
2225	1	LAΘI : VIPINE : VENUNIA
2226	1	/ [VIPI]NEI : VENUNIA : VL :
2227	1	HASTIA
2227	2	VIPINEI
2227	3	VERUNIA
2228	1	ΘA • VIPINEI
2228	2	LEI<X>UNIA
2228	3	<H>[ER]<I>NEŚ
2229	1	◇◇◇◇VI◇◇◇◇EI • LEIXUNIA • <C>◇◇◇
2230	1	LARΘI : LEX+
2230	2	+UNIA
2231	1	AΘ : VRINATI HELIAL
2232	1	L • VUISI •
2233	1	LARCE • VUIŚ<I> •
2234	1	{A • VOESIUS • A • F
2234	2	NAT}
2235	1	ΘANA : VUISI
2236	1	LARΘI <V>UISINE<I>
2236	2	HERINAŚ
2237	1	ARNΘ VUISI HERINIŚ
2238	1	LARΘI : VUISINEI : PETI
2239	1	AU : <V>USINA : A<Θ> : HANU
2240	1	L • ZARAPIU • L
2240	2	LATITEŚ
2241	1	ZARTA
2242	1	AΘ • ZIXU • AΘ
2242	2	ŚERT
2243	1	HA • ZIXNEI
2243	2	CUPSNAŚ
2244	1	VL • ZILI • LΘ
2245	1	/L : ZI : <AU>LIU :
2246	1	AULE ZUXU
2246	2	AU • ZUXU
2247	1	LARΘI
2247	2	AULEŚ
2247	3	ZUXUŚ
2248	1	AR : ZUXNI : RESNA : P : S :
2249	1	ΘANSI ZU+
2249	2	+XNIŚ
2250	1	ΘANSI : ZUŚ+
2250	2	+NIX
2251	1	AULE
2251	2	ZUPRE
2251	3	SVEASLA
2252	1	HALTU
2252	2	SCEVA
2253	1	SLEPARIS
2253	2	HALTUS
2253	3	TUTNA
2253	4	LAUT
2254	1	SLEPARŚ
2255	1	ΘANA HANI◇◇E◇VEIŚI
2256	1	<H>ASTA <L>Θ
2257	1	{PRIMA
2257	2	HASTIA}
2258	1	{HASTI • P • L}
2259	1	ARNΘ : HELE : HERINIAL
2260	1	ΘANA : ANCARUI : HELESA
2261	1	<L>AR<Θ> HE<L>E [ARN]+
2261	2	+ΘAL SUΘUN[AL]
2262	1	AR : HELE : HATUSA
2263	1	ARNΘ : HELE : TUTNAL
2264	1	HELI : TUTNASA
2265	1	ΘANA :
2265	2	HELIA
2265	3	REMZNAL :
2266	1	ΘANIA : HELI : CUMNISA :
2267	1	LARΘI : HELI : CAINAL : UCRSA :
2268	1	HELI : PUR+
2268	2	+NISA
2269	1	ΘANA HELI ATAR CLAN
2270	1	LΘ • HELVASI
2270	2	TITIAL
2271	1	ΘANA : HELUSNEI : VARNASA
2272	1	ΘANIA HERIALISA
2273	1	ARNΘ : HEIRINA : REMZNAL
2274	1	LARΘ : HERINE : LARΘAL
2275	1	CAE • HERINI • VL
2276	1	VEL : HERINI : VELUS : PUMPUAL :
2277	1	ΘA PUMPUI HER
2278	1	{L • PETINA<T>E
2278	2	VELOS}
2279	1	LA : <PE>[TI]NA<TE> [:] VELUS : SETRNAL
2280	1	AΘ • HARPIT<E> [•] ZEMNAL
2281	1	LΘ [•] HARPITE • LΘ • V<EL>◇◇◇◇
2282	1	AΘ • HARPITE
2282	2	NUMSINAL
2283	1	A<RN>[Θ] : HA<RPI>TE : NUM<S>[I]NAL :
2284	1	HAS<TI>A CA<N>PIN+
2284	2	+EI
2285	1	SIΘU
2286	1	AΘ : HERINE : VIPINAL :

2286 2 FUFLE :
2287 1 AR : HERINE : VIPINAL : FUP
2288 1 VL • HERINE • AΘ • PUMPUAL
2289 1 HA : PUMPUI : HERINISA
2290 1 LΘ : HERINI : CLAUCE : CAUNU/
2291 1 RAMΘA [• UM]<RINI> • <HER>INISA
2292 1 LARΘ • MARINACE • HERINAL
2293 1 AULE : HERINE : PETRUAL
2294 1 <V>EL <HE>RIN<E> PETRUA<L>
2295 1 VEL : HERINE : PETRUAL :
2296 1 <V>EL <HE>RIN<E> PETRUAL
2297 1 ΘA : PETRUI
2297 2 FERINISA
2298 1 LARΘ • HERIN<E> • UXU • LARΘAL • CA<I>NAL
2299 1 [HA]S<TI>A • HER<IN>∘∘∘∘APA/
2300 1 LARΘI • HERINI • ANINAL
2301 1 ΘA : HE : PU
2302 1 {C • HEREN<N>[IUS]
2302 2 Q • F}
2303 1 {LARTIA • HERENNIA • ESTLACIAL}
2304 1 AΘ : HERME
2304 2 SEΘRNAL
2305 1 [HAS]TI • <S>ETRNEI [•] HERMESA
2306 1 HA[STIA SE]ΘRNEI HER[MES]A
2307 1 ΘANA : HERMNEI : VE<T>NISA
2308 1 <HE>RM<NE>I :
2309 1 ΘANIA
2309 2 HILARUNIA
2310 1 ΘANIA • HILARNIA •
2311 1 LΘ • HISU •
2311 2 PURNAL
2312 1 ΘN • P<E>RNEI • HISUSA
2313 1 AU : HIŚUCNA
2313 2 [VIPI]NAL
2314 1 HIS § HUC
2314 2 VULSISA
2315 1 LARΘ • HUPL<I>CE
2316 1 HURAŚ
2317 1 HUŚUNEI
2317 2 FULNI
2318 1 LARΘ : ΘACUTURA
2319 1 LARΘ • <Θ>ACTRA • PRUINT∘∘∘
2320 1 <VL> : ΘACTARA : <L>Θ : AU<L>IA<S>
2320 2 /VL : ΘACTARA : LΘ : AULIAS :
2321 1 HASTIA : ΘACTREI : <A>ULIAŚ : VL :
2322 1 ΘANA
2322 2 LAUT
2322 3 NIΘA
2322 4 EINIS
2323 1 SEΘRE : ΘANSI
2324 1 LA • ΘANSI
2324 2 S •
2324 3 ΘANSI
2325 1 /<N>SI : VI/
2325 2 LAU[TNI]
2326 1 ANE • ΘAŚINI
2326 2 LATNI •
2327 1 ARNΘ : ΘELAZU : ARΘAL
2328 1 ARNΘ : ΘELAZU : ARΘA
2329 1 AΘ ΘELAZU • CARPNATIAL
2330 1 LARΘ : ΘELAZU : VELUŚ :
2331 1 LARΘ : ΘEPRIE : VE<T>NALISA
2332 1 ΘANA : ΘEPRINEI : LA<R>CESA :
2333 1 ΘESIA : SUΘUNAL : PUIA
2334 1 LARΘI • ΘLAINEI • EZ<NA>[L]
2335 1 AULE : ΘUCERNA : AULE+
2335 2 +Ś
2336 1 AULE ΘUCE+
2336 2 +RNA VELU+
2336 3 +SA
2337 1 ΘUΘE
2338 1 ARNTIU
2338 2 ΘUPITES
2339 1 LΘ • TURMNA • S<T>ATINI<AL>
2340 1 /LAUTNI : ΘUFULΘAŚ
2340 2 /TURCE :
2341 1 EI<S>ERAS ΘUF<L>ΘI
2341 2 CVEI • A
2342 1 LANIALISA
2343 1 VEL • LARCE • LETIAL •
2344 1 LA • LARC<E> • SVESTNAL •
2345 1 LARΘ : LARCNA : ARNΘAL
2346 1 LΘ : LARCNA : LAΘL
2347 1 HA<STIA L>ARCANAIA
2348 1 AΘ : LARCNA : LΘ : TUTNAL
2349 1 AΘ • LARCNA : TUTNAL
2350 1 VL : LARCANA : LΘ : TU<TNA>L :
2351 1 HA • LARCNEI • TUTNALISA
2352 1 ΘA : TU : LUS : LARCNASA
2353 1 LA LARISA
2354 1 LARΘ : LATIΘE
2354 2 LARΘAL
2355 1 LARΘ : LATIΘE : CRETLU
2356 1 LAΘITI :
2356 2 AFUNA+
2356 3 +S<A>

2357	1	LS : LATINI : ΘURMNAL
2358	1	ΘANA • LATINI • PEΘNASA
2359	1	LATINI UMRANAS+
2359	2	+A
2360	1	ERANTRA
2360	2	LATINIAL • L
2361	1	AΘ : L<A>[TINI :] <C>ESU : TITIAL :
2362	1	VL : CEŚU : TITIAL :
2363	1	VL : CESU : ARNTNAL
2364	1	VE : LATINI : CESU : ULTIMNIA<L>
2365	1	LARΘIA : LATINI : CESUNIA : TUTNASA
2365	2	ULTIMNIAL : ŚEC
2366	1	ΘANA : ULTIMI : CESUSA
2367	1	VEL : LATINI : CESUS<A> : /
2368	1	VEL : CESUSA : XERITNAL : CLAN
2369	1	LARΘ : LATINI : CLANTI : LATINIAL : LARΘAL
2369	2	SCIRES : CLAN :
2370	1	ΘANA LATINI RAΘUMSNAL
2371	1	AΘ [:] <PRI>C<E>SA : RAΘ<U>M<SN>AL
2372	1	AULE : LATINI : PULTUS : LARΘAL
2373	1	LARΘ : LATINI : PULTUSA
2374	1	AR : LAUCANE : ŚERTU
2374	2	/AR<N>ΘAL
2375	1	V<L> • L<A>U<C>ANE [•] <Ś>E<RT>U<R>N<A>
2376	1	ŚER<TUR>NEI : LAUCANE<SA>
2377	1	AΘ • LAUCANE
2378	1	ΘANA
2378	2	LAUCANI+
2378	3	+A EVTES
2378	4	PUIA
2379	1	ΘANA LAUC+
2379	2	+ANIA ŚALISA
2380	1	LAUCANIA
2381	1	AΘ • ŚAL
2381	2	AΘ • ŚALI
2381	3	LAUCANIAS
2381	4	CICU • STAS
2382	1	LAUCINIE
2383	1	LAUCINEI • ΘANA • VELUŚ • TITEŚ • LAUT<NIΘ>A
2384	1	LΘ : LAUC<T>INIE : LΘ :
2385	1	LAUXME
2386	1	VEL : LAUXUMES : VELSA : PETRUAL
2387	1	ΘANIA : LA+
2387	2	+UXUMSNEI
2388	1	LAUXMSNEI
2389	1	L<AR>ΘIA
2389	2	LAURSTI
2389	3	CUPSNASA
2390	1	LARΘI : LARSTI : PUCSINISA
2391	1	AU • PUCSINI • LARSTIAL
2392	1	VELICU
2392	2	LARIST<I>+
2392	3	+AL LAUTN+
2392	4	+ΘA
2393	1	ARNΘ : LECSUTINI : LARΘALISA
2394	1	LΘ : L<E>CS : CA
2395	1	LΘ : LE<C>STINI : SATRIA<L>
2396	1	V • LESCINI • VELIA • ΘUCERNEI
2397	1	FA[S]TI : LECS<TI>NEI : UM<R>IA<Ś> • <A>TINANA /
2397	1	/:
2398	1	UMRIA
2399	1	FASTI : LECSTINEI : SACUSA
2400	1	VL : TITE : SAXU : PUIAC
2401	1	LΘ • TITE • CLANTE AΘ LE<C>[S]TINAL
2402	1	ΘA : LEΘANEI
2402	2	VELΘESA
2403	1	ECN • TURCE • LARΘI •
2403	2	LEΘANEI • ALPNU
2403	3	SELVANSL
2403	4	CANZATE
2404	1	AULE
2404	2	LEΘE
2405	1	VEL : LEΘE : LAΘLIS
2406	1	LARZA • LEΘE
2406	2	CECUNIAŚ
2407	1	ΘANA • LEΘI • PUMPUSA
2408	1	LARΘI • LEΘI
2408	2	VEANEŚ
2409	1	FA<S>TI
2409	2	LEΘ
2410	1	LEΘI<A
2410	2	VE>NZLEŚ
2411	1	LEΘIA
2411	2	MAΘL
2412	1	LEΘIA
2412	2	MUN[I]NAŚ
2413	1	LEΘE UCRISLANEŚ LAUT[NI]
2414	1	LEΘIA • LAUTNIΘA • ARNTIŚ
2415	1	LEN+
2415	2	+UI
2416	1	ΘA LE[C]NEI CA<P>S<N>[AŚ]
2417	1	AR • LERNI • LS • AΘ
2418	1	ΘANA : LU : ANEI : A : SEPUSA :
2419	1	{C • MACIUS
2419	2	C • F • MARCN}
2420	1	MANΘVATNEI : TUMUSA

2421	1	VELIA : ŚANΘATNEI VELZNAL
2422	1	ΘA[NIA]
2422	2	FEL<Z>[N]+
2422	3	+EI MA<N>+
2422	4	+ΘVAT<E>SA
2423	1	HASTI
2423	2	MANIA
2423	3	ŚALIN+
2423	4	+AL
2424	1	ŚALINE
2424	2	I : MANES+
2424	3	+A
2425	1	VL • MANINA
2426	1	AΘ • MARCE • ARNΘAL • EINALC
2427	1	MARCE
2427	2	ECNA
2427	3	LARΘA
2428	1	<M>ARCE
2429	1	AULE : MARCNI
2429	2	ARNΘALISA
2430	1	AU M[AR]CNI AU
2431	1	AULE : MARCNI : FREMRNAL
2432	1	ΘANA : HELI : MARCNIŚ
2433	1	AULE : M[ARC]<NI> : CRAPILU : P<U>[RNAL]
2434	1	PURNEI : MARCNISA
2435	1	PUI◇◇TREPUNI
2436	1	≠MARCNA • PURNAL
2437	1	AU : MARCNI : PLAUTRIAŚ
2438	1	L<AR>ΘI : MARCNEI : ARΘA+
2438	2	+L : MARCNAŚ :
2438	3	ŚALISA
2439	1	MARCNEI CIANTI+
2439	2	+NEI • VL • CUTLISAL
2440	1	MARCNEI
2440	2	CLANTINEI
2440	3	AU • PETNAL
2440	4	<SE>C
2441	1	MARCNEI : PEΘNAL : ŚEC :
2444	1	VEL : CLANTMEI
2445	1	MARCNEI : CRAPILUNIA
2445	2	TREPUSA
2446	1	AVLE : MARCNI : AVLES : HERME
2446	2	T<L>ESNAL
2447	1	ΘANIA : TLESNEI : LULIA
2447	2	/MARCNISA
2448	1	AR : MACANI : HE : ATAINAL •
2449	1	HERME • MARCNI • <PE>
2450	1	LARΘI • M<A>REI
2450	2	PETRUAL
2451	1	AULE : MARIE : VELUS
2452	1	ΘANA : MARIA
2452	2	CEVCIAŚ
2453	1	LARΘ • MARICANE
2454	1	LΘ : MARICANE : AΘ
2454	2	VELSUNIAŚ
2455	1	AR : MARICANE : VELŚU : PETRUAL
2456	1	LΘ • MARICANE • VIA+
2456	2	+CIAL
2457	1	ΘANA • MARICA+
2457	2	+NI
2457	3	TATIIAL
2457	4	PUMPU+
2457	5	+SA
2458	1	AULE • MARUCE
2458	2	ARNΘAL
2459	1	MASTR
2459	2	ŚUPLU
2459	3	LAU
2459	4	AR
2460	1	ΘANA : MATAUSNEI : <A>[UL]+
2460	2	+EŚ
2461	1	VEL : MEIE
2462	1	VL • MEINA • LS •
2462	2	PIUTAAL •
2463	1	[V]<L> • MEINA • VL • TITIAL
2464	1	MEINEI : CESUSA
2465	1	HASTIA : MEINEI : CESUSA
2466	1	LARΘI : METI
2467	1	M<E>TUR
2468	1	≠ : MEFANA[T+
2468	2	+N]E<I>
2469	1	LΘ • MI+
2469	2	+NATE
2469	3	TUŚNU
2470	1	LARΘI : MINATI : CURΘUTEŚ :
2471	1	HASTIA : MINIA+
2471	2	+Ś : VETESA
2472	1	LΘ : MINIA
2472	2	XERITNA+
2472	3	+L
2473	1	AΘ : MURINA : CAINAL
2474	1	LARΘ : MURINA : ARNΘAL
2475	1	CA MURINAL
2476	1	LARΘ : MURINI
2477	1	LARΘI : MURINEI
2478	1	LARΘI : MURINEI : ARNT<N>ISA≠

2479 1 LARΘI • MURIN⟨E⟩I • ⟨ARNTN⟩[AL]
2480 1 ARNΘ § MU+
2480 2 +SCLENA § LA+
2480 3 +RΘAL § LAUTN+
2480 4 +ETE⟨RI⟩
2481 1 [A]RNΘ § MUSCLE⟨N⟩[A]
2481 2 LARΘAL § LAUTN§⟨E⟩T⟨E⟩[RI]
2482 1 VL • MUTI+
2482 2 +E • LATN
2483 1 VL : MU[TI]E : ⟨V⟩[L]
2484 1 ΘANA [•] LAUTNITA • MUTIESA •
2485 1 VL • MUTU • VLUS
2485 2 CAINAL
2486 1 LΘ • MUTU • VL
2486 2 CNEVNAL
2487 1 VE • MU • C
2488 1 VEL MUTRE
2489 1 NICIPUR • NAULISAL • L
2490 1 ARNΘ : NAMU LTL
2491 1 ΘANA • NARIA
2492 1 LARΘIA : NARIA : CAIAŚ
2492 2 ⟨A⟩XUAL
2493 1 NEVIA
2494 1 AU • NUZRNI
2494 2 CAPRINAL
2495 1 AU : NUZRNI : CAPRINAL :
2496 1 AU • NUZRNI
2496 2 CAPRIAS
2497 1 ΘANIA • NUZRNEI • PERNAL
2498 1 FASTIA : NUINEI
2499 1 ΘANXVIL : NUI/
2500 1 ΘA NUI◇◇◇◇◇
2501 1 LARΘ : NUMSI : LARΘAL : SCEUA
2502 1 VELIA • NUMISI • AV • UTANISA
2503 1 AR : PACI : HULU
2504 1 ΘANA
2504 2 PAISLE+
2504 3 +TI
2504 4 NE
2504 5 /ΘANA PA+
2504 6 +ISLETI
2505 1 VEL : PA[N]IAΘ⟨E L⟩[AR]⟨C⟩NA⟨L⟩
2506 1 LΘ : PAPA : PUPAINAL :
2507 1 ΘAN : LARISAL : PAPAŚ
2508 1 {§§ PAPIRI • D • F •
2508 2 DOCIO}
2509 1 AULA : PAR⟨Θ⟩+
2509 2 +ANAŚ : LA
2510 1 AR : PATISLANE AU
2511 1 AU : PATISLANE : CENCUAL
2512 1 AΘ : PATISLANE : VELUAL
2513 1 AΘ : PATISLANE : NEMSIAL
2514 1 AULE : PATISLANE : PURNAL
2515 1 ΘANA : PURNEI : PATISLANESA
2516 1 AR PATISLANE FELZNAL
2517 1 AΘ : PATISLANE : AN◇◇◇A
2518 1 PAT⟨N⟩IS ΘA
2518 2 PATISLA⟨N⟩
2519 1 LA • LAUTNI
2519 2 PECIA
2520 1 LARΘ : LAUTNI : PEXIAŚ :
2521 1 LΘ • ⟨P⟩EIΘNA • FREMNAL
2522 1 ARNΘ PEΘNA • A
2523 1 ARNΘ PEΘŚ
2524 1 AΘ : PEΘNA
2524 2 : REMZNAL
2525 1 LARΘ : PEΘNA : SEΘRNAL : LARΘAL
2526 1 LAR : PEΘNA : PLAUTIAL
2527 1 ΘANIA • PEΘNEI
2527 2 RAPLNIŚ
2527 3 PLAUTIAL • ŚEC
2528 1 PEΘNEI : PEΘNAS
2528 2 CAINAL
2529 1 LΘ : PEΘNA : SCIRE : ~~~ : HERIAL :
2530 1 PEΘNA : SCIRE : AΘ : TITIA+
2530 2 +L
2531 1 LΘ : PEIΘN⟨A : TITIAL⟩
2532 1 [~ PEΘN]⟨A⟩ SCIRE : FRAUNAL
2533 1 ΘANA : PEΘNE : SCIRIA
2533 2 CENCUAL : ŚEC :
2534 1 REΘEIA : VEΘNAŚ : ALAPU • RAUFE : FRACNAL : CLA/
2534 1 /N
2535 1 AULE : PESNA
2536 1 LΘ PEŚNA ⟨Ś⟩EΘ⟨RE⟩ŚA
2537 1 LA PESNEI
2538 1 LA • PESNEI
2539 1 {C • BAEBIUS
2539 2 L • F
2539 3 ARRESPEX}
2541 1 LARΘ • ⟨PE⟩RNA • LAXUMES
2542 1 HASTI : PERNEI :
2543 1 {PERPERNA • LARTHA •}
2544 1 {M • PESCENNIUS
2544 2 M • F
2544 3 MESSIA NATUS
2544 4 VIXIT ANNIS} 21

2545	1	ΘANA P<ESU+
2545	2	+M>SNE
2546	1	{L • PETILLIUS L F SATURNIN}
2547	1	{L PETILLIUS • L • F ARN
2547	2	SATURNINUS}
2548	1	PETINATE : CATUSA : /
2549	1	<VL> [•] <PET>INATE • HURA+
2549	2	+S<A>
2550	1	PUPLI
2550	2	PETINATE
2550	3	LAUTNI
2551	1	PUPLI : PETINATEŚ : LAUTNI
2552	1	ΘANIA : PETINATI : MUTIA<S> : <C>ALSUSA :
2553	1	• LΘ • P<E>TRU • AU
2554	1	LΘ : PETRU : AMNAL
2555	1	VEL : PETRU : VEL : ARCNTI
2556	1	ARNΘ PETRU
2556	2	CALAPI
2557	1	LR : PETRU : VIPINAL
2558	1	VEL : PETRUNI
2558	2	VELUŚ : VIPINA+
2558	3	+L
2559	1	VEL : PETRU : LARISTNAL
2560	1	VEL : PETRU : SPA<Z>IA
2561	1	AUL : PETRU : AR : SEΘRAŚ : SLA◇◇◇◇
2562	1	V PEIR
2563	1	{CASIA • PEDROS
2563	2	LAUTNIDA}
2564	1	{CASIA • PEDROS •
2564	2	LAUTNIDA}
2565	1	ΘANIA • PETRUI
2566	1	ΘANA • PETRUI
2566	2	CARNASA
2567	1	ΘANA : PETRUI : VILIASA
2568	1	ΘANA : PETRUI : VILIASA :
2569	1	PEITRUI : ΘEPRINASA
2570	1	PETRUI •
2570	2	MALAVINI+
2570	3	+SA
2571	1	AU : PETRU+
2571	2	+NI : UCLNI+
2571	3	+AL :
2572	1	AU : A◇◇◇◇◇◇◇◇◇◇<U>CUNAL
2573	1	AH • PETRUNI • AU • MANINAL •
2574	1	ΘUI • LART : PETRNI • LARΘALI+
2574	2	+SA :
2575	1	{PETRONIA • C • L •
2575	2	PRISCILLA}
2576	1	AULE
2576	2	[P]LANCU+
2576	3	+RE
2577	1	AU<L>E PETR PLANCURE
2578	1	ΘANIA [: PE]TRUI : PLANCURIA : SPLATUR
2579	1	PAPA PLA+
2579	2	+NCUR[E]Ś
2579	3	LAUTNI
2580	1	PUPLINA
2580	2	PLANCU+
2580	3	+RE
2580	4	NC
2581	1	{L • PISENTI • PAT}
2582	1	{TERENTIA PISENTI}
2583	1	LARΘ : PIUTE : ARNΘALISA
2584	1	AΘ : PIUTE : MARCNAL
2585	1	VL : PIUTE : LATINIAL :
2586	1	ΘANXVIL : PIUTI
2586	2	LATINISA
2587	1	LARΘI : PLASCNEI : LARCIAL :
2588	1	LARΘIA • PLASCNEI • LETARINAL
2589	1	VE : PLAUS+
2589	2	+A TITIAL
2589	3	NURZIUN+
2589	4	+IA<S>
2590	1	VL : PLAUSA : TITIAL : NUR+
2590	2	+ZINIAS
2591	1	{LARI/
2591	2	PLA/
2591	3	CE<I>/}
2592	1	{APRASNAR
2592	2	RAUMATRE}
2593	1	LΘ : <P>R<ECU> : LΘ : TITIAL :
2594	1	VEL : PRESNTE
2595	1	VL : PRESNTE
2596	1	AULE : PR<E>[SNTE]
2597	1	AR : PRESNTE : LATINIAL :
2598	1	LΘ : PRESNTE : LATINIAL :
2599	1	LARΘI : PR<ES>[NTI : LATI]NIAL
2600	1	LARΘ : PRESNTE : TUMUNIAŚ :
2602	1	ΘANA PRESNTI : PULTUSALISA :
2603	1	ΘANA • PRESNTI
2603	2	◇◇◇◇<IS>A
2604	1	LARΘI : PRECATI :
2605	1	LARΘ : PRESU : LAΘAL :
2606	1	[C]AE § P<A>PRIS
2607	1	LΘ : PRUCIU
2608	1	LARΘ : PRUNINI : CUTNAL :

2609	1	VE • PUCE • F
2610	1	VEL : PUCNA : LARΘIALISA
2611	1	PULIALIS<A> • śEC
2612	1	ANIA : PUPAINEI • [L]ARΘALI<S>A
2613	1	{C • PULFENNIUS
2613	2	C • F
2613	3	CALAMUS}
2614	1	{C • PULFENNIUS • C • F
2614	2	PISENTIA
2614	3	NATUS}
2615	1	ΘANIA • PULFNEI • TUTNASA
2616	1	VEL : TUTNA : PULUF[NAL]
2617	1	LΘI : PULFNEI : RAUFIA
2618	1	PULFNEI • RAPALNISA
2619	1	<Θ>ANA PUL[FNEI]
2620	1	PULFNEI
2620	2	ARNTNISA
2621	1	{PULFENNIA
2621	2	ARRI}
2622	1	VL • PULFNA • PERIS •
2622	2	ARNTNAL •
2623	1	LΘ • PULFNA • PERIS • PUMPUAL
2624	1	LΘ : PUL : NUS : N••
2625	1	AΘ : NUSTESLA : ARNΘAL : CAINAL :
2626	1	ARNΘ PMPU
2627	1	EIT PISCRI SURE
2627	2	ARNΘAL ITLE PUMPUś
2628	1	VL PUMPIU LA CAINAL
2629	1	LARΘI : PUMPUI : CAINAL •
2630	1	LARΘI • PUMPUI
2631	1	LARΘI : PUNPUI : AULIEś :
2632	1	ΘANA • PUMPUI • NAVLISAL •
2633	1	VEL : PUMPU : ZUXU
2634	1	[A]R[N]Θ : PUM[P]UNI : ARNΘAL :
2635	1	L • PUPUNI
2635	2	LAUTNI
2635	3	ANAINIś
2635	4	VERUś
2636	1	{VELIZA • POMPON[IA]}
2637	1	ΘANA : PUMPNEI : <P>ANΘ<V>CNISA : VELUś
2638	1	{[P]<O>NTIA •
2638	2	FLORA
2638	3	H • S • E}
2639	1	{PUPIA • L • F}
2640	1	LΘ • PUPLI • L • AULśTN
2641	1	ΘA • PUPLI • LΘ • SETUMNAL
2642	1	VELIA • SETUMNEI • PUP
2643	1	PUPLI
2643	2	śALI
2644	1	LARΘ : PUPURA
2644	2	LAR<Θ>[AL]
2645	1	ΘA : PUPREI
2646	1	PURE
2647	1	L • PVRNI • L • F
2647	2	{L • PURNI • L • F}
2648	1	LART LAUTI
2648	2	PURNAś
2649	1	HASTI
2649	2	PURNIS
2650	1	ΘA • PVRNEI • <V>ELZN<A>L • PESUMSNASA §
2651	1	LARΘI : PURNEI : LAUCINAL :
2652	1	VEL : PURNI
2652	2	FERINE
2653	1	SEΘ<RE> : <P>U[S]CA : SEΘREś
2653	2	/SEΘRE : PUSCA • SEΘREś
2654	1	[Θ]ANA • PUSIUNIA • E
2655	1	LA • PUSTA
2655	2	LARΘPUSTA
2656	1	[L]<A>RΘ PUSTA <AR>
2657	1	śΘ^^<A>Θ˘˘˘§USTRE
2658	1	LARΘ PUT<L>E AR+
2658	2	+NΘA
2659	1	HASTIA
2659	2	RA<V>IA
2659	3	LUXRES+
2659	4	+A
2660	1	CAE : RANAZU : LARTIUś
2661	1	VL • RA • CAI
2661	2	ARNTIUś
2662	1	ΘANIA
2662	2	RANA
2662	3	~
2663	1	AU RAPLNI LAΘITIAL
2664	1	ś [AR]<N>ΘAL : LARISAL : <R>APALNI<SA>
2665	1	AΘ RATUM<S>NA CEN<C>N
2666	1	RAUSIA • PUPILIś
2667	1	ΘANA : RAUFIA : SE<Θ>RESA
2668	1	ΘANICU
2668	2	RAUFEś
2668	3	REMZNA+
2668	4	+ś
2669	1	AR • REICN<A
2669	2	M>ELNE<A>L
2670	1	VELIZA REICNE+
2670	2	+<I>
2671	1	LARΘI : REICNEI : VETNALISA :

2672	1	ΘA : REICNAL
2673	1	VEL : REMZNA : LA<RΘ>◇◇◇
2674	1	[V]L : REMZNA : VAR<IN>AL :
2675	1	VL : REMSNA : PETINATIAL :
2676	1	A<Z> : REMZNA : AΘ : CUMNIAŚ
2677	1	VEL : REMZNA : CUMNIAŚ
2678	1	CUMNIA : RESNASA
2679	1	VEL : REMZNA CRESPE
2680	1	VL : REMZNA : SEPIESA : UCUMZNA[L]
2681	1	VL : REMZNA : VL : SEPIESA
2682	1	VL : REMZA : AΘ : SEPIESA : S+
2682	2	+PLATURIAŚ
2683	1	ΘANA : SPLATURIA : REMZNASA
2683	2	• SEP
2684	1	VEL : <RE>MZNA : VE : SE : HERINIAL
2685	1	ΘANA REMZNEI LATINIAL
2686	1	LARΘI : REMSNA : METRIAŚ
2687	1	VL • REMNI • LAR[Θ]IAL
2688	1	REMNE
2689	1	REMNE
2690	1	<A>R • RENXIE
2691	1	RENXIE+
2691	2	+Ś : PUIA
2692	1	LARΘIA : RESUI : <LΘ> :
2693	1	{AULE • REUSTI • MUNAINAL}
2694	1	RUSCI • CALISUS
2694	2	LAUTNI
2695	1	VEL LAV/
2695	2	RVSIN<A>/
2696	1	VELIA • LAVTNIT • RVS
2697	1	RUTIA : VELV+
2697	2	+AESA
2698	1	RUTIA : VELVAESA
2699	1	RUTIA : LARISAL : VELVAES
2700	1	{RUTI • THANA
2700	2	LAR • LI}
2701	1	{RUTILIA • C • F
2701	2	RUSSINAEI}
2702	1	HASTI • ŚALVINEI • VELIESA
2703	1	A ŚALI SE
2704	1	ŚALIE
2705	1	HASTI • <Ś>ALIA • P<U>CSANAŚ • L<A>[U]TN<I>ΘA •
2706	1	H<A>STI : ŚALINEI : VIZURISA :
2707	1	HASTIA : <Ś>ALINEI : ΘUCERNASA :
2708	1	ŚALINEI
2709	1	Ś<A>LINEI • PUM<P>[U]N<I>[SA]
2710	1	ARNT ŚALIE
2710	2	PULPAE
2711	1	HASTI
2711	2	ŚALIN+
2711	3	+EI : PULP+
2711	4	+AINEI
2712	1	{SABINIANI}
2713	1	VEL • SAPU • AU • L
2714	1	ΘANA : SATNEI : UELUS : UIPIS :
2715	1	LARΘI : ŚATNEI : CARNASA :
2716	1	ΘANIA • SCALUTIA
2717	1	{A • SCANDIO
2717	2	MUNATIAE
2717	3	<N>[AT<US>]}
2718	1	Θ • SCANSNA
2718	2	VETUNIASA
2719	1	VE : SCATU : VELŚ
2720	1	ΘANA : SCETUI
2720	2	VETESA
2721	1	LΘ • SCEVA • ŚATNA<L>
2722	1	{L • SCAEVIUS • L • F • ARN
2722	2	LAEVINUS}
2723	1	ΘA : SCU
2723	2	ARXSA
2724	1	ŚECTRAŚ : LAU<T>NI :
2725	1	AΘ [:] SECUNE
2725	2	AΘL :
2726	1	ARNΘ SEΘRE
2727	1	VEL : SEΘRE
2727	2	PUIAC
2728	1	SEΘRIA
2728	2	CAPNAŚ
2729	1	SEΘRIA :
2729	2	FRAUCNIŚ
2729	3	SEΘRIA : FRAUC
2730	1	FASTI • SEΘRNEI : UCRISLANES+
2730	2	+A :
2731	1	SEΘ<R>NEI : AFUNAŚ
2732	1	{HASTIA : SETHRNEI
2732	2	VIBINNAL}
2733	1	{HASTIA • SETHRNEI
2733	2	VIBINNAL}
2734	1	HASΘI : SETRNI : VELŚUSA
2735	1	LΘ • S<E>Θ<R>E • PU<S>CA • [V]<IPI>AŚ •
2736	1	LA : SEΘRE : SATURE
2737	1	AΘ • SEATE • VELUŚ
2738	1	LARI<S> : SEIA[NTE]
2739	1	LARΘ : SEIANTE : SEIANTIA
2740	1	{L • SENTIO •
2740	2	PHOEBO}

2741	1	{L • SENTIO • C
2741	2	L • PHOEBO}
2742	1	{L • SENTIUS • L • L •
2742	2	TELESPHORUS}
2743	1	{L • SENTI • NA<S>+
2743	2	+ONIS • L • SCARIPH<I>}
2744	1	VELIA • SENTI • TARXISA •
2745	1	VELIZA • SEAN+
2745	2	+TI
2745	3	AΘ • CALIAS •
2746	1	/<S>EIANTI : VELUŚ : CAEAL
2747	1	ΘANA SEIANT/
2748	1	FASTI SENTINATI◇◇◇◇◇
2749	1	SENTI
2750	1	{SENTIA • L • L •
2750	2	PERSIS}
2751	1	VEL : ACILU : MU[LEV]INAL
2752	1	AU : SEIANTE : MURINAL :
2753	1	AU : SE : ACILU : PRESNTIAL : VELUŚ
2754	1	FASTI • SENTI
2754	2	[A]CILUNIA • TETI[NAL]
2755	1	HA : TU : SU : ŚEC : ACILUSA
2756	1	ARNΘ : ACILU : TUT<N>[A]L :
2757	1	ΘANIA : SEIANTI : TUTNAL : ŚEC : HERINISA
2758	1	AΘ : ACILU : PVRNAL :
2759	1	AΘ : ACI[LU]
2760	1	ΘANA : SEIANTI : CENCUNIA : CICUSA :
2761	1	ΘANA : SEIANTI : CUMERUNIA LAT<IN>IALISA
2762	1	LΘ : SEIANTE : LARΘAL : LATINIALISA
2763	1	ΘANA : SEIANTI : LATINIAL :
2764	1	ΘANA • SE+
2764	2	+NTINATI
2764	3	LATINIAL
2765	1	ΘANA : SEIANTI : UCRSA :
2766	1	SEIANTI : CUMERUNIA
2766	2	FRAUNAL : ŚEC : CICUSA
2767	1	LARΘI : SEIANTI : FRAUNISA : ATIU : PIUTEŚ
2768	1	<SE>N<TI>NATI CUMER[UNIA] V<E>SISA
2769	1	LARΘIA : SEIANTI : VELSIAL : ŚE<X>
2770	1	Θ[ANA • SA]ΘN<E>I • <A>R<N> • <C>UMER[UNIA •] /
2771	1	ARNΘ : SEATE : CUIŚLA : ZILAT
2772	1	LA : SEIATE : CUISLA : MARCNA
2773	1	LΘ • SEIANTE
2774	1	LΘ : SEIANTE
2774	2	HLZUAL
2775	1	LΘ : SE<NT>E : HELZUMNATI+
2775	2	+AL
2776	1	ΘA : SEIANTI
2777	1	ΘANA : SEIANTI : VESACNISA : SETMANAL : ŚEC
2778	1	ΘA : VESACNISA : SETMANAL : MES :
2779	1	ΘANA
2779	2	TETINE
2779	3	SCANS+
2779	4	+NAL
2780	1	ΘANIA : TATINAI : S<E>IAN<T>
2781	1	Θ : HELZU+
2781	2	+I : LARC+
2781	3	+NAL
2782	1	<ΘA>NA • H<E>[L]SUI • LA<R>C[NA]<L>
2783	1	ΘANA • TISCUSN+
2783	2	+EI
2784	1	TISCUSNE
2785	1	VE • SEVERPE
2785	2	LΘ • T • ZI
2785	3	ΘANA
2785	4	PUIA
2786	1	AΘ • HANUSA • CICU
2787	1	<Θ>ANA SEIANTI [: ŚI]NU<N>IA : VEL<EA>L : ŚEX :/
2787	1	/ SVESLISA
2788	1	VELIA • SENTI • VL • VELESA
2789	1	SINUNIA : LΘ : CICUS : PAPANIAŚ
2790	1	ΘANIA : SEIANTI : TREPUNIA : TUTN+
2790	2	+AL
2791	1	SEANTI : TREPUNIA : LATINI<SA>
2792	1	<L>[A]RΘI : SEINEI :
2793	1	{SELIA • L • F •}
2794	1	ΘANA : SENXUNIA
2794	2	SEΘNASA
2795	1	VL SEPLE
2796	1	VEL • SE<PI>E
2796	2	VELŚ
2797	1	LAΘ<A>[L] : SEPIES
2798	1	ΘA<NI>A : SEPRSNEI : ALN◇◇◇A
2799	1	AΘ • SEPTLE • LΘ
2799	2	VIPINALISA
2800	1	LΘ • SEPTLE • VIPINA[L]
2801	1	VEINZA
2801	2	SERICE
2801	3	CICU
2802	1	{SEX • SERTORIUS
2802	2	L • F • SARTAGES}
2803	1	VEL : ŚERTURU
2803	2	CRUTLUNIAŚ
2804	1	VEL : ŚERTURU : MARIAŚ
2805	1	ARNΘ : SPLTUR : LARΘAL
2806	1	VELIA : SPLA+

2806	2	+TURŚ
2807	1	VELIA : SPLATURIA : S
2808	1	LARΘI SPU+
2808	2	+RINEI
2809	1	ARNT • S[T]EPRNI
2809	2	KRUTPUUS
2810	1	F : STICU : ⟨H⟩/
2811	1	VEL : SUPLUNI
2811	2	/LARΘI : ATEI
2812	1	ARNZA :
2812	2	ŚUPLUNIAŚ
2813	1	ARNZA : ŚUPLUNIAŚ
2814	1	ARNZA : ŚUPLUNIAŚ
2815	1	⟨S⟩USINEI
2815	2	PUMPNA+
2815	3	+SA
2816	1	HASTIA : T+
2816	2	+ARCSNEI
2817	1	AΘ : TAΦANE : VL : ANCARUAL :
2818	1	LA • TELI
2819	1	TELSINA
2820	1	AR : TET[A] : VE+
2820	2	+CAINAL [:] ⟨H⟩ISUNIAS
2821	1	/TETA⟨Ś A⟩Θ
2821	2	/A⟨NAL⟩
2822	1	{A • TETIE
2822	2	PHILOTIMUS}
2823	1	[A]U : TETE : I◇◇◇◇◇◇TN◇◇
2824	1	L • TETI • SUSINAL
2825	1	LARΘIA TETI CAINEI
2826	1	LA⟨RT⟩IA • T⟨EΘ⟩NIA • M⟨U⟩TUS⟨A⟩
2827	1	LARIS : TETINA : ARNΘAL
2828	1	LARΘ : TE : LA+
2828	2	+RISAL
2829	1	AΘ : TETINA : HLIAL : AΘ
2830	1	AΘ : TETINA : HELIAL
2831	1	AULE • TETINA • LAUXMSA⟨L⟩IŚ⟨A⟩
2832	1	AΘ : TETINA : MARCNAL :
2833	1	LTΘ : TETINA : MARCNAL
2834	1	A : TETINA : A : PEIΘNAL
2835	1	TINUSI : TETINAŚ
2835	2	LAUTNI : LARCES
2836	1	TINUSI LAUT
2837	1	ΦERSE [: LAU]⟨T⟩NI
2837	2	LΘ : TETINAŚ
2838	1	LARΘIA • TETINEI • CUM+
2838	2	+ERESA
2839	1	LARΘIA
2839	2	TETINEI
2839	3	CUMERESA
2840	1	LARΘIA : CUMERESA
2841	1	TETINEI • TREPUŚA
2842	1	AU • TREPU • LΘ • TETINA
2843	1	LR : TREPU : LR : TETINAL
2844	1	LΘ : TETINA : HUTIE : LATINIAL :
2845	1	AΘ : TETINA : LATIN
2846	1	LARΘI : TET+
2846	2	+NEI : MANΘV+
2846	3	+ATESA
2847	1	FASTI • TETNEI • PS • ŚEC
2847	2	CICUSA
2848	1	ΘA • T⟨E⟩TN⟨E⟩I • LΘ • ⟨A⟩V⟨I⟩L⟨E⟩Ś
2849	1	TETN
2850	1	ΘA • TISCUSN+
2850	2	+EI • VELNΘI+
2850	3	+AL
2850	4	VELNΘI • §
2850	5	TUTN
2851	1	ΘANIA : TISCUSNEI : VELNΘIAL :
2851	2	TUTNASA :
2852	1	ΘANA • TITEI • VEZAL
2853	1	LARΘI : TITEI
2854	1	ARNΘ : TITE : ARNΘAL
2855	1	AU : TITE : ARNΘL :
2856	1	VEL : TITE : ALU :
2857	1	VEL : TITE
2857	2	PRESNTIAL
2858	1	VL • TITE • AUL • SERTU
2859	1	VEL : TITEŚ : URFA : ΘI
2860	1	{VEL • TITE • LARISAL • F
2860	2	CAINAI • NATUS}
2861	1	LARΘI • TITI◇◇◇◇◇◇◇ARISA
2862	1	LΘ : TITIE : L
2863	1	SURE • TITE
2863	2	LΘ •
2864	1	LARΘ : TITE : VIPINAL :
2864	2	VENUNIAŚ : LAUT+
2864	3	+NI
2865	1	VELIA : TITI : TLESNASA
2866	1	LARΘI • TLESNEI • TITIAL
2867	1	ΘANA : TITI◇◇◇◇◇
2868	1	ΘANA TITI • CUTNISA •
2869	1	ΘANA TITI VELANAL
2870	1	ΘANA : TITI : TREPUSA : TUTNAL : ŚEX
2871	1	ΘANIA : TITI
2872	1	ΘANIA TITI

2873	1	LATI · TITI · VARIEŚ
2874	1	LAΘI : TI⟨T⟩I : NAXRNISA
2875	1	LARΘI : TITI : ˘˘˘PUNTNAŚ :
2876	1	LARΘI : TITI : UMRANAL : ŚEEC
2877	1	TITI LARCNASA
2878	1	TITI · LARΘAL · PUMPUŚ
2879	1	TITI : SEPIESLA :
2880	1	TITI : ARNΘAL : URINAT⟨E⟩[Ś]
2881	1	ARNΘ : URINATE : TITIAL
2882	1	{TITIA
2882	2	THANNAE · F}
2883	1	FA TITI VELSIS SE AMΘNIA
2884	1	[LARΘ]I · ⟨T⟩ITI
2884	2	◇◇◇◇IAŚ
2885	1	AΘ : APICE : VL : PUPLINAL :
2886	1	VL · APICE
2886	2	PEΘIAS
2887	1	VEL : APICE : LΘ : SENTINALC :
2888	1	VEL · TITE · APICE · SATNAL
2889	1	VL : APICE : REMZ+
2889	2	+NAL
2890	1	VEL : A · R
2891	1	ΘANIA : TITI : APICNEI
2891	2	REMZNAL
2892	1	≠⟨L⟩ : APICE : VIPI≠
2893	1	HA · A⟨P⟩IA
2893	2	⟨V⟩IPINAL
2894	1	LAR · API · SCEUA
2894	2	MATIASA
2895	1	L · SEΘ · RA◇◇◇
2895	2	ATICE◇◇◇◇
2896	1	LARΘ : ⟨TIT⟩E :
2896	2	ATARIS ·
2897	1	VL : TITE : CAΘA : ALXUSNAL :
2898	1	TARΘI : TITI : CRESPIA : SENATES+
2898	2	+A :
2899	1	LAΘI TITI SC · ◇◇◇◇
2900	1	LARI : TITE : EPLE :
2901	1	ARNΘ TITE : VELSI : REUSTIAL
2902	1	ΘANIA · TITI · VESCUNIA · ˘TLESNAL
2903	1	VEL : TITE : VETI : TITIAL :
2904	1	A[R]NΘ : TITE ΘELAZU⟨≠⟩
2905	1	TITI : HELZUNIA
2906	1	ΘA : TITI : LATUNI : UCRISLAN
2907	1	LARΘ · UCRISLANE · TITIAL · TUNIAL ·
2908	1	VL · UCRISLANE · TIT[I]AL
2909	1	TITI LEΘIUNIA CARNASA
2910	1	FASTI : TITI : MACUTIA : PURCESA
2911	1	AU : TITE : NURZIU
2912	1	ΘANA : TITI : NURZIUNI⟨A⟩
2913	1	ARNΘ [:] TITE : PANZA
2914	1	LARΘI ⟨·⟩ ◇◇◇⟨N⟩EI ⟨·⟩ LΘ : PANZAS
2915	1	LARTI : TITI
2915	2	SAPINI
2916	1	ΘANA TITI SECUNIA : STE◇◇◇+
2916	2	+◇◇◇◇◇◇◇
2917	1	HASTI · TITI · SVENIA · TISCUSNALISA
2918	1	VL · TITE◇◇◇◇◇◇◇◇U
2919	1	VELIEA : TITI
2919	2	VETUŚ
2920	1	VELIEA · TITI · VETUŚA
2921	1	VEL : TITI
2921	2	AULE
2922	1	VEL : TITE : AULES
2923	1	VEL · TITE : HELE
2924	1	ΘANA · TITIA
2924	2	VIPINA
2925	1	VELIA · VEL[[SI]] · TITI[[AL]] · VIP⟨E⟩SA
2926	1	VL · TITE
2926	2	MULSU⟨N⟩A
2927	1	AR : MELUTA : LARΘAL : TITIAL : CLAN :
2928	1	≠INE : ⟨M⟩ELU⟨T⟩NAL :
2929	1	VL : TITE : S⟨VEA⟩ : MARICANIAL :
2930	1	FASTI : TITLNEI :
2931	1	{TITLNEI ·
2931	2	ARISALISA}
2932	1	≠⟨E⟩ · TIΦANE
2933	1	AΘ · TIΦILE
2934	1	AΘ : TIΦILE : PALPE : PULIAS
2935	1	{AR · TIBILE · P · L}
2936	1	VEL : TLAPU : AΘ : VIPINAL : CLAN :
2937	1	AΘ : TLESNA : VL :
2938	1	VL : TLESNA : HERMIAL
2939	1	LΘ · TLESNA
2939	2	LΘ · ARNTNAL
2940	1	⟨Θ⟩ANIA · TLESN+
2940	2	+EI
2941	1	ΘANIA TLE⟨S⟩NEI
2941	2	PIUTEŚ
2942	1	VL · TLESNA · CECNU · LATINIAL
2943	1	Θ · TL · LA · VESCUŚA
2944	1	ΘANA : TLESNEI : LATINIAL VESCUSA :
2945	1	FASTI :
2945	2	TLESNEI : CLATIA
2945	3	UMRANASA
2946	1	ΘANA · TLESNEI · UMRANA

2947	1	HASPA • LAVΘN
2947	2	LΘ • CLATEŚ
2948	1	ARNZA : TLESNA : ARNΘALISA : CAMARINESA
2949	1	AR : TLESNA : CLAUCESA
2950	1	LA • TLESNA • CLAUCESA • PULFNAL
2951	1	AΘ : TLESNA : VL :
2951	2	/PAPASA : SEIANTIAL :
2952	1	VL : PAPASA : VL : S<E>[IA]<N>TIAL
2953	1	AΘ : TLESNA : PAPASA : LΘ : PULFNAL
2954	1	VL : TLESNA : PULFNAL
2955	1	ΘANA : TLESNEI : PULFNAL
2956	1	LARΘI : TETINEI : PULFNAL : ŚEC : PAPA
2956	2	TLESNASA˜˜˜˜SLIŚA
2957	1	AΘ : PAPASA : AΘ : MARCNAL :
2958	1	AΘ : PAPASA : AΘ : MARCNAL
2959	1	VEL : PAPASA : AΘ : MARCNAL :
2960	1	/ [P]ATACS : TLESNA : PETRUAL
2961	1	AΘ : TLESNA : PIS : TITIAL : S<VE>[NIAŚ]
2962	1	CARPE
2963	1	CARPE : LAULAUTNI : TLESNAŚ
2964	1	LΘ : CARINI : LΘ TLESNALISA
2965	1	AΘ : TREPI : ΘANASA
2965	2	{AR • TREBI • HISTRO}
2966	1	LUCI • TREPI • VL • CAINAL
2967	1	LΘ : TREPI
2967	2	VELXASI+
2967	3	+NAL
2968	1	LΘ : TREPU : TUTNAL : MARALIA<Ś>
2969	1	LΘ : TREPU : TUTNAL : PAP§
2970	1	TUTNEI : TREPUSA
2971	1	LARΘ : TREPUSA : ARNΘAL
2972	1	{A • TREBONI}
2973	1	{TREBONIA • P • F}
2974	1	{CELADUS
2974	2	TURIAES
2974	3	FAUSTAES
2974	4	SER L • RUFRIUS}
2975	1	ΘA • TURTI+
2975	2	+A •
2975	3	HANU+
2975	4	+S
2976	1	<LA> : TUTINI VEL+
2976	2	+ΘRITI+
2976	3	+AL
2977	1	AULE : TUTNI : CAINAL : S
2978	1	AR<N> : TUNA : LA
2979	1	ΘANA : TUTNEI : ALEΘNAŚ
2980	1	ΘA : TUTNEI : MARCNI
2981	1	<H>ASTI : TUTNEI : AULES : LATINI∞
2982	1	<V> • TU • LATI • V<EANEŚ>
2983	1	VEL : TUTNA : VEL : UTISNAL
2984	1	FA : TUTNEI : CUTLISNEI : TETINASA : TLESNA : Ś/
2984	1	/EC :
2985	1	HASTIA • TUTNEI • TET+
2985	2	+INASA •
2986	1	AΘ : TUTNA : A+
2986	2	+Θ : LEUSA
2987	1	VL : TUNA : LEUSA :
2987	2	LARCESA
2988	1	VL : TNA LUSCESA AR :
2989	1	VL : TUTNA : LUSCE[S]A : AR :
2990	1	VL • TUTNA • VLUS • LUSCESA
2991	1	[ΘA]<N>A : TUTNEI : LUSCENI<A L> PLAUTIAL
2992	1	VELIA • <LUSC>N∞<ARNTNISA>
2993	1	VL : TUTNA MARALE : PURN+
2993	2	+AL
2994	1	NEIPUR L MARALES
2995	1	LARCE : TUTNAŚ
2995	2	LAΘALISA : SCL :
2995	3	AFRA
2996	1	TUTNEI : SEPRIA : LULESA :
2997	1	ARNΘ : TUTNA : TUMU : AFRCAL
2997	2	/ARNΘ : TU<TNA>
2998	1	VEL TUTNA TUMU
2999	1	LARTIA • <T>UMU • <Φ>AUXANIA •
3000	1	TU<M>U
3001	1	VELIA TUTNAL
3001	2	LAUTNIT<A>
3002	1	{C • TUTILIUS
3002	2	PHILEMO}
3003	1	{C • TUTILI
3003	2	C • L • PHI<L>ODAMI}
3004	1	{C • TUTILIUS • L • F
3004	2	SPASP<O>}
3006	1	LARΘI : UCAL+
3006	2	+UI : HURACE+
3006	3	+SA
3007	1	ΘANA
3007	2	UCIRINEI
3007	3	TURTESA
3008	1	LΘ : UCRISL<ANE> : ARNΘ<AL> :
3009	1	LΘ : UCRISLANE : <T>U<TN>IAŚ :
3010	1	V : ULP<I>NI : CA<LIS>N<A>/
3011	1	ARNΘ ULTIMNE LΘ
3012	1	LARΘ : ULTIMNEŚ : VELNAL
3013	1	ΘANA • ULTIM+

3013	2	+NI ∘ VELSISA
3014	1	LARΘI UL◇◇◇◇
3015	1	LΘ ∘ UMA ∘ <L>Θ ∘ <V>ILINAL
3016	1	LARΘIA : UMRIA : PUIA
3016	2	PESTUŚ : ΘEPRINIŚ
3017	1	LA<R>[Θ]
3017	2	<U>MRAN<A>
3017	3	LARISALIS<A>
3018	1	VL : UMRANA : VL : PAPAN+
3018	2	+IAŚ
3019	1	LIUŚNU VELU UMRANAŚ LAUTNI
3020	1	HASTIA : UMRANEI : ARNTSA
3021	1	{M ∘ UMBRICIUS ∘ C ∘ L ∘ MENOMA}
3022	1	{UMBRICIA
3022	2	PHILAENIS}
3023	1	AΘ ∘ UNATA ∘ VARNAL <R>A
3023	2	{MN ∘ OTACILIUS ∘ RUFUS ∘ VARIA ∘ NATUS}
3024	1	LΘ ∘ UNATA ∘ LΘ
3024	2	ŚTENIAŚ
3025	1	UNAI ALCESA
3026	1	LARΘIA : UNA<T>NEI :
3027	1	LARΘI : UNA<TN>[EI] ◇◇◇
3028	1	UNATNEI
3029	1	{TANIA UNI◇◇◇}
3030	1	VEL : UPUS : LARΘAL
3031	1	VL : URATA : VL : UCUMZNAL
3032	1	LARΘI ∘ URIΘNEI ∘
3032	2	/LARΘI ∘ URIΘNEI
3033	1	AU : URSMINI : APLUNIAS : CECUS
3034	1	<A>◇◇◇SINA ∘ VELXAINAL
3035	1	{LARTHIA ∘ OTANIS}
3036	1	{LARTHIA OTANIS}
3037	1	LAZIU : UΦLE : LETIS
3038	1	AR ∘ FASNTRU ∘ SINUNIAS
3039	1	ARNΘ ∘ FEΘIU ∘ LARISAL
3040	1	LA[R]Θ : FRAUC<N>[I]
3041	1	LAS : FRAUCNI : ATINATIAL :
3042	1	LΘ : FRAVNEI : TIITAEA
3042	2	ATINATIAL
3043	1	ARNSA : FRAUNI : MURINAL :
3044	1	AU : FRAUNI : LS : SEIATIAL : CLAN
3045	1	AΘ : FRACNI : AΘ ᴾEΘNAL :
3046	1	AΘ ∘ FRAVCNI ∘ PEΘNAL
3047	1	LARΘIA ∘ <FR>AVNEI ∘ VE<TN>AL
3048	1	AΘ : FRAUNI : PENΘE : AMRIΘIA<L> :
3049	1	LA : FRAUCNI : AMRIΘIA
3050	1	VEL : FRAUCNI : AR◆◆◆◆L
3051	1	AΘ : FRAUCNI : RAUΘV
3052	1	FASTI FREIA HERI+
3052	2	+NAŚ
3053	1	ΘANA ∘ FREIA ∘ PATUSA
3054	1	ΘA◇◇◇◇
3054	2	HERIU
3054	3	PATUŚ
3055	1	AULE ∘ FUL<U>
3056	1	AΘ : HULU : LΘ : STATINAL
3057	1	LART : ΘULUNI : RAVΘAS :
3058	1	{LARTHI ∘ HOLLON◇◇ RAVE◇◇IA}
3059	1	ARNΘ : LȦUTNI : HULNIŚ
3060	1	AULE : FURACE
3061	1	VEL : FURACE : VELUŚ : CAINAL :
3062	1	HU◇◇◇ES
3062	2	LAUTNI
3063	1	{CN ∘ PHISIUS ∘ L ∘ F}
3064	1	Θ<A>N<A> XE<R>IT<N>EI FNESCIAL
3065	1	VL ∘ <X>IVI ∘ PIUT<I>AL
3066	1	{PHILUMENA
3066	2	MINUMA ∘ CHEI ∘ F ∘}
3067	1	MEINEI ∘ PAPASLISA ∘
3067	2	VL ∘ TITIALC SEC
3068	1	TUTNEI
3068	2	SPASPU
3068	3	PAPAS
3069	1	<A> CALISNI
3069	2	SP[AS]<P>U[S]A
3069	3	VIPINAL
3070	1	CALISUNIA
3070	2	TREPISA
3071	1	TUT<NE>[I]
3071	2	VISC<E>S[A]
3072	1	AU ∘ PETRU ∘ VIPINAL
3073	1	SECUN<I>A
3073	2	<P>ETRUI
3073	3	TUTNAL
3074	1	AULE : ALFNIŚ : LAUTNI :
3075	1	<P>ILUNICE : LAUTNI : HEUL : ALFNIS :
3076	1	VENZILE : ALFNIŚ : LAUTNI :
3077	1	RAMΘA
3078	1	RAMΘA : LAUTNIΘA : VENZILEŚ :
3079	1	<T>RETNEI
3079	2	LAUTNIΘA
3079	3	SEIA<N>TIAL
3080	1	ΘANA : TITI : VESCU+
3080	2	+Ś : LAUTNIΘA
3081	1	LAΘI : HELI : VESCUSA
3082	1	VELIA ∘ CAINEI

3082	2	MUTENIA
3083	1	VELIA : CAINE : MUTENI : TITE : LAUTNA :
3084	1	ΘANA : CAINEI : VELUŚ
3085	1	◇◇◇ [C]AINEI : MUTENI :
3086	1	◇◇ZIU◇◇<L>I PLAUTEŚ LAUTNI
3087	1	◇◇◇◇◇ [L]AVTNI
3087	2	◇◇◇◇◇NEŚ
3088	1	LAUTNIC ∘ H ∘ ECNATNEI ∘ ATIUCE
3089	1	VELA • LAUTNI<TA> ∘ S
3090	1	ARNΘAL
3090	2	LAUTN ETERI
3091	1	N<E> • VECSAL
3092	1	[LARΘ]I : ARN[TNEI]
3093	1	VEL AT◇◇◇
3093	2	SVEITAL
3094	1	LA<R> A<U>/
3095	1	/<VE>◆◆◆A PLAUT<I>[AL]
3096	1	ARNΘ C<A>[E]
3097	1	LΘ CA<E> ∘
3098	1	LARΘI CI+
3098	2	+RE • LE◇◇◇
3099	1	LΘ • CRACA
3100	1	LΘ • CRESA
3101	1	ARNΘ CR◇◇◇C◇◇
3102	1	/CR/
3103	1	RA • CUS
3103	2	ŚALIS
3104	1	LARΘI C<U>
3104	2	TITI : LU
3105	1	LARΘ EU<L>/
3106	1	VELXAE RU<V>
3107	1	[ARN]T : <VE>T<E> : <L>Θ <C>AIA<L>
3108	1	AU : V◇◇◇◇◇◇◇◇◇◇◇◇CIA◇◇◇
3109	1	LARΘI : ΘLAINEI : MANINASA :
3110	1	VELIA LARCNA LA
3111	1	ΘANA • LATINI
3112	1	ΘANIA : LA◇◇◇A◇◇◇◇ΘE◇◇◇IA
3113	1	LARΘIZA : MA◇◇◇◇
3114	1	C • INESTUA ŚAE TFA
3115	1	◇◇◇I◇◇MUI◇◇◇TUTNIA
3116	1	AΘ : PEΘ
3116	2	ΘUXIA
3117	1	VEL : IESΘE : LAS+
3117	2	+AL
3118	1	AΘ : PEI◇◇◇◇
3118	2	IA<N>IA
3118	3	◇◇◇◇<N>
3119	1	<VE>[LI]A [:] PR<E>[SNTI :] S[EI]A<N>[TI]AS :
3120	1	Θ • P • VAP
3121	1	ΘANIA : SEIATI : UNIAL
3122	1	/ [S]ETUMNEI/
3123	1	HASTI ∘ TALIS◇◇◇◇
3124	1	<TUTNA> ∘ VI<NAL>
3125	1	AU◇◇LEL
3125	2	R◇◇◇IL
3125	3	LATINI
3126	1	ΘANA◇◇◇◇◇◇ESTNAL • REMNI</>
3127	1	ΘAN<A> : <C>◇◇◇◇<NE>I : T<ETIN>A<L>
3128	1	ΘANIA◇◇◇◇◇◇◇◇ARNAL : ŚEC
3129	1	LAR<IS>◇◇◇◇◇◇LU
3130	1	VE[L] ∘ A[RNTN]I ∘ LARΘAL • RA<N>[AZU]IAL
3131	1	[ΘAN]A L[A]UCAN<E> ARN<ΘAL>
3132	1	AR[N]Θ◆CU◆UNA : VELUSA :
3133	1	◇◇◇<UIE> : VELUŚ :
3134	1	LΘ : CAI : VELE : CAINAL
3135	1	A<L> ŚEX HARΘNA
3136	1	</>NTILST ∘ AR ∘ CAIN ∘ A◇◇
3137	1	◇◇◇◇ [L]<A>RΘAL : CAI<N>[AL]
3138	1	/ [C]<A>INAL
3139	1	/REMR/
3140	1	[LAR]<Θ>I[A A]<L>FNE VEL<N>AL
3141	1	◇◇◇◇◇MES : VESCNAL
3142	1	<L>Θ [L]ARCNAL
3143	1	SUCNI
3144	1	LA : Θ◇◇◇◇◇◇NE PUMPUAL
3145	1	◇◇◇◇§§ANI : PUNPU<A>[L]
3146	1	◇◇◇◇◇<C>U<I F>ARUAL
3147	1	◇◇◇◇INE PETRUSA
3148	1	ΘA<N>◇◇◇◇◇<E>I : PETRUSA :
3149	1	<Θ>A ∘ [LE]Θ[I ∘ PETR]UN[I]S
3150	1	/ ∘ <I>◇◇CLUSA
3152	1	[V]EL[IA ∘] ◇◇◇◇◇◇EI [LAR]Θ<A>[L ∘ ART]N<I>S[A]
3153	1	N§§§§NI TUSNEI
3155	1	MA◇◇◇CIA ŚC
3156	1	◇◇RΘAL : LARISAL : PA◇◇ALN◇◇◇
3157	1	{~ • ARRIUS • ~ ∘ F
3157	2	ET • ARRIA • ~ F
3157	3	TREBONI •
3157	4	ET • C • ARRIUS • ~ • F}
3158	1	{PANS+
3158	2	+AE}
3159	1	{~
3159	2	L◆◆◆
3159	3	POSTUMA}
3160	1	{◇◇<S>ILNI
3160	2	RAVE}

3161	1	⟨AR⟩⁄
3162	1	ΘES[TI]A
3163	1	⟨LARΘ⟩ : ◇◇◇◇◇◇◇◇◇◇
3164	1	LΘ◇◇◇◇◇◇◇
3165	1	⁄ARNΘAL
3166	1	VELUŚ
3168	1	AR◇TK◇◇◇
3169	1	I · Θ · C · ΘRU
3170	1	TA◇◇◇LA
3171	1	L · CN◇◇◇
3171	2	U⟨L⟩
3172	1	◇◇◇◇◇◇◇◇◇IA : ARNΘAL
3173	1	◇◇◇◇◇◇◇◇◇◇◇◇◇ANIL+
3173	2	+Ś
3174	1	⟨U⟩I CES[T]N[AŚ]
3175	1	◇◇◇◇◇◇◇◇◇◇◇◇◇RINAL
3176	1	⁄MEI :
3176	2	⁄ : ZEC :
3178	1	⁄RTIA
3179	1	◇◇◇S · ELA◇◇◇◇◇
3180	1	◇◇◇◇UKUŚI
3181	1	⁄⟨Θ⟩ISA
3182	1	⁄⟨NE⟩I
3184	1	⁄A⟨N⟩⁄
3185	1	⁄Ś⁄
3186	1	⁄E
3187	1	~
3187	2	{V A} 63
3188	1	29
3189	1	⁄⟨E⟩ · ⟨V⟩L · LT · ⟨TEC⟩
3189	2	⁄E · LAΘR · EIT
3189	3	MUNICL⁄
3190	1	VELI◇◇I◇◇◇◇U◇◇I◇◇ERUΘ⁄+
3190	2	+◇◇◇◇◇◇TUMEŚ◇◇◇◇◇◇U◇◇
3191	1	⟨L⟩A ⟨P⟩E⟨T⟩R⟨N⟩A : ⟨L⟩A
3192	1	AˇˇˇN⁄
3193	1	◇◇◇◇A◇◇◇UI M◇◇◇◇◇N◇◇◇VA
3195	1	AILESI : ARCUNA : Ś⟨E⟩C
3196	1	ARNΘ : CAIE
3196	2	UHTAVIAL
3197	1	LΘ ANI CAE API+
3197	2	+CIAŚ⁄
3198	1	NKATNA
3200	1	LARΘI AULŚTINEI
3201	1	CIAΘNA
3202	1	IUCURTE : AT⁄
3205	1	ΘANA · LAUTI STESINAL · REMNISA
3207	1	A · VET[E] ⁄
3212	1	ΘANA TUI CA VITUNA
3213	1	{C AE◆◆US C F}
3230	1	{⁄QUEI · S⟨TI⟩PULA⟨T⟩UM · EIUS⁄
3230	2	⁄OQUE · UTEI · EA · FI⟨ANT⟩ · PRIMO [QUOQUE ƆIE/
3230	2	/ ~
3230	3	~ B]ONEIS · PRAEĐIBUSVE · EIUS · EX [H · L · VE/
3230	3	/NĐITIS]
3230	4	⁄T · QUOĐQUE · UXOREI · MAT⟨RE⟩[I ~
3230	5	QUOIUS · O]PERA · MAXUME · EUM · REUM [CONĐEMNA/
3230	5	/TUM · ESSE · CONSTITERIT]
3230	6	⁄T · EIQUE · EAM · PEQUNIAM · P[ERSOLVITO ~
3230	7	~ Q]⟨U⟩OIUS · H · L · QUAESTIO · ERIT · CO[NĐEM/
3230	7	/NATO ~
3230	8	~ QUOI]VE · IPSE · PARENS · SIT · QUOVE⁄
3230	9	[~ P]EQUNIA · QUAE · ĐE · EA · RE · EX · ⟨H⟩ · /
3230	9	/[L ~]
3230	10	I F Đ Đ}
3230	11	/⟨Θ⟩I LΘˇˇˇˇˇˇˇˇˇˇAU
3230	12	SI · LΘˇˇˇˇˇˇˇˇˇˇVL ·
3230	13	NI · LΘˇˇˇˇˇˇˇˇˇˇAU ·
3230	14	⟨E⟩ · AΘˇˇˇˇˇˇˇˇˇˇˇˇAU ·
3230	15	NA · TARXIˇˇˇˇˇSΘ · T
3230	16	NA · TARXIˇˇˇˇˇVL ·
3230	17	NA · LΘˇˇˇˇˇˇˇˇˇˇVL
3230	18	⟨A⟩X⟨E⟩ AUˇˇˇˇˇˇˇˇˇˇˇˇ⟨LΘ⟩
3230	19	/{⁄ · ⟨O⟩I⟨N⟩U⟨M⟩
3230	20	QUAI · SEN
3230	21	⁄ · ⟨P⟩ANSA ⟨C⟩
3230	22	⁄IUĐI
3230	23	⁄⟨U⟩}
3230	24	/◇◇◇◇⟨Θ⟩ PEI⟨Θ⟩◇◇◇◇
3230	25	◇◇◇◇Θ · CAE · C◇◇◇
3230	26	◇◇◇◇◇◇⟨I⟩PI · V◇◇◇
3230	27	◇◇◇◇◇◇◇◇◇◇ · ⟨C⟩◇◇◇
3230	28	/{◇◇◇⟨OIN⟩AE · ⟨B
3230	29	O⟩IUPIC ·
3230	30	◇◇AM · COIFCE
3230	31	EREITOQUE · S
3230	32	◇◇◇⟨O⟩UAME}
3230	33	/LΘ⁄
3230	34	LΘ⁄
3230	35	A⟨Θ⟩⁄
3230	36	⟨A⟩⁄
3230	37	/{⟨II⟩
3230	38	[M]⟨O⟩VERE · ⟨P⟩
3230	39	EX · ⟨LE⟩G
3230	40	⟨O⟩}
3230	41	/R

3230	42	/E
3230	43	/F
3231	1	≠NI • AΘ
3231	2	≠AU
3231	3	≠Θ
3233	1	<I>U • <I>
3233	2	L
3233	3	AU<F>
3233	4	S
3234	1	MI NEVIKU MULUEVNEKE ARPAś KAMAIA
3235	1	MI TEZAN TEI A TARXU MENAIA
3242	1	CESE
3242	2	FA
3242	3	TATI
3243	1	: LE :
3243	2	SA≠+
3243	3	+≠XNIA≠
3244	1	LU • VENΘACE
3245	1	HRE : FRAUNAL : LARΘAL
3246	1	AU : PLNAL
3247	1	AH : SEPAER
3248	1	TUPISΘNIA
3248	2	TITΘLAI
3249	1	EUELAE<N>E<I>
3253	1	NILARIA
3253	2	TULISEI
3254	1	AH • LANIASE
3255	1	SIENILE : LASINIA
3256	1	CAPISA : VIAMILAI
3257	1	LARINIA • TUTASI • VINILA
3258	1	MIATISI • SENIU • TUSILAI
3259	1	≠SNEI : RENΘN
3260	1	VILEUA : NAUISE
3261	1	LIMAVIA : TICALI
3262	1	MANILE • TINIANI • CINE
3263	1	PEΘNA : SINEI
3264	1	LIMATIS • ENE
3264	2	/CAVIRE
3264	3	VEMATI
3264	4	TURESA
3265	1	SANISEI
3265	2	AUSINEI
3265	3	FICINE
3266	1	LARIVIA • TESIN
3267	1	TISEIN • NAIME
3268	1	VINIMIA • LENIASE
3269	1	VITASI : TOSIA
3270	1	≠<N>ICIA≠
3271	1	MI CUTUNAS
3272	1	LS : MHRVAIP : AECANTITI
3273	1	HE : RAESNINIXVPLAHAT
3274	1	CENISE • NEIS
3275	1	SINI<S> • NIVIA
3276	1	LANIS TUNE
3277	1	LANIS • CEISE
3278	1	VICEIS
3279	1	VICEIS
3280	1	T • CASIAL
3281	1	SE<NT>IAL
3282	1	≠XAETI •
3283	1	AVIL
3283	2	/◆N •
3284	1	AVIL
3285	1	LETEI : TUSIA
3286	1	TITANIA : LISNEI
3287	1	V<L> • TITANIA • VINEI
3288	1	LARTI : HULNEI : VELSISA
3289	1	ΘA TITI SUTIUNI+
3289	2	+A
3289	3	AULIAś LARCE
3290	1	LE : TETI : LANIA : TINEI
3291	1	LAVΘI : CECUNIA
3292	1	SULPICIA
3292	2	SECUN
3293	1	NATIA : VL : SNEISA
3294	1	NANIA : VETIAL
3295	1	ESI<N> VETE
3296	1	VEΘNA
3296	2	VESIAL
3297	1	LART<IZ>I
3298	1	ΘANIA 10
3299	1	ASMURIA
3300	1	AULE : CAVSUSLE
3301	1	L • AUSLU
3302	1	LΘ◇◇◇◇◇◇
3302	2	AV<A>◆URI
3303	1	T : LARΘI+
3303	2	+ES
3303	3	SETURIS
3303	4	ULU+
3303	5	+SINA
3304	1	◇◇◇◇ALNIE
3304	2	VEΘSARAś
3305	1	≠RSUΘIN
3306	1	APAN : SUΘIL
3324	1	≠SUśNAL

3324	2	≠§ NAPER §
3325	1	ARNΘ ANEIś NUMNAś
3326	1	HERMIAL • CAPZNASL[A]
3326	2	MAN • śEXIS • CAPZNA[S]
3327	1	AR • PRESNTE • śERTURIAL
3328	1	ΘANA • śERTURI
3329	1	{HASTIA • AEMILI • PRAESENTI •}
3330	1	{ROSCIA • CASSI}
3331	1	{L • SCRIBONIUS
3331	2	L • L • BARBA}
3332	1	{L • SCRIBONIUS • L • F
3332	2	CLOUIAN+
3332	3	+US}
3333	1	FASTI • CAIś • MARXN⟨Aś⟩ • AU
3334	1	ΘANA CAIś • ETU RIś •
3335	1	AULE : VERUś NUMAś :
3335	2	CLAN •
3336	1	LA PET⟨R⟩UI : N
3337	1	{PERRICA • GNATU}
3338	1	{OSSA}
3338	2	/{LUSIUS
3338	3	GENTIUS}
3339	1	{LUSIAE • CHIAE}
3340	1	{CORNELIA
3340	2	C • F • AVONI[A]
3340	3	NATA}
3341	1	{LARTIA • FIRMI • L •}
3342	1	{VETIA • C • F •}
3343	1	{METELIA • A • F •
3343	2	VETI •}
3344	1	{A NONIUS • ALEXA[NDER]}
3345	1	{LAELIA AULNIA ALEX⟨A⟩D~~~~}
3347	1	{FANNIA • L • F • SATURNIN}
3348	1	{TERTIA • S • F • SALVIA}
3349	1	{L • SPINTI • L • L
3349	2	ANTIOCI}
3350	1	LA • TLAPU • SAUTURIN+
3350	2	+IAL •
3351	1	VELEA • TLAPUś • SAUTUR+
3351	2	+INIAL
3352	1	LA TLAPU SE~~~~
3353	1	SE • CAI • LACANE LA
3354	1	ΘANA • PETRUNI
3354	2	LA VEANEś • PUIA
3355	1	PETVI • UNIAL
3356	1	{L • TITI • SEXTI}
3357	1	ARNΘ • UHTAVE • VELXEI
3358	1	⟨UHT⟩AV[E •] ⟨V⟩ELX⟨E⟩[INI]
3358	2	LARΘII⟨A⟩ [• V]IPIś C[ASP+
3358	3	+REś]
3359	1	UHTAVE VELXEINI
3359	2	LARΘIIA VIPIś CASP+
3359	3	+REś
3360	1	AULA • CUSPERIENA
3361	1	CAVLA
3362	1	VELXREI • CASPREś
3363	1	LARI VUSIś
3364	1	VEL VUISI AUF+
3364	2	+LEś
3365	1	AULE VUIS[I]ś ⟨L⟩A
3366	1	ARNΘ • VUISI • V • LAU⟨TN⟩ ETE+
3366	2	+RI
3367	1	LARΘI • VUISIA • PETRUNIś
3367	2	PACSINIAL
3368	1	LARΘIA • VETRUNI • CUśIś
3369	1	ΘANIA • VUSIA
3370	1	AU • RA⟨P⟩LE • PE⟨R⟩PRAΘIAL
3371	1	PERPRATI RAPLEś
3372	1	{L • VOLU⟨M⟩NI • LA • L • THEOPILUS}
3373	1	{THANIA • CAESINIA • VOLUMNI}
3374	1	{L • VOLUMNI • L
3374	2	IASO}
3375	1	{L • VOLUMNI • L
3375	2	IASO}
3376	1	AULE : HAPRNA
3377	1	ΘANA • CUNUI
3378	1	ΘANA • ALFI • MENZNAL
3379	1	[LA]⟨RΘ⟩ CUTUś ⟨ś⟩EΘR⟨E⟩ś
3379	2	[LA]⟨U⟩TN E⟨T⟩ERś
3380	1	{AVISCUS • APOLO}
3381	1	LARΘ • CAI • VARNA • AR • AULIAL
3383	1	{A • TITIUS • A • F • ISIDORIUS}
3384	1	{TITIA • ISIDOR~~~~}
3385	1	AU • CAINI • LA • SENTINATIA⟨L⟩
3386	1	LAR⟨Θ⟩ • CAINI • LA • SENTINATIA
3387	1	SENTINATI • CAINIś
3388	1	PUSLI • CAINIś
3389	1	LΘ : CAMPANIA
3390	1	LARTIA • CAIN⟨E⟩ • ANE⟨S⟩ •
3390	2	LEΘIAL •
3391	1	VEL • AXUNI • AULEś •
3392	1	VEL • AXUNI • VE • VERCNA
3393	1	⟨VE⟩L AXUNI • VE⟨L⟩ [•] TRAZLUAL
3394	1	AU : CACNI : AR : AX[UAL :]
3395	1	LARΘ⟨I⟩ • ⟨H⟩AMΦNEI • CACNIś • CA[CNAL]
3396	1	CACNEI • CALISNAś • HAMΦNAL

3397 1 LΘI CALISNEI • PERPRA+
3397 2 +TEZ
3399 1 LS • CAI • PERPRAΘE • CALISNAL •
3400 1 FAS • ATNEI • PERPRAN
3401 1 FANA • VE • ATNAL
3402 1 ARNT : FANAK+
3402 2 +NI : VELRNAL
3403 1 LARΘI : CAL◇◇◇A
3403 2 ZULUŚ
3404 1 AU HANHINA SE ALSRIAL
3405 1 AU • SENTINATE • ALESIAL
3406 1 FASTI CIST◇◇◇VI • HAMΦNIAL
3407 1 HASTI • CISUITA • ALE
3408 1 AR • TITUI • AR
3409 1 LA • TITUI : LA
3410 1 VE • TITUI • <L>Θ • ALFIAL
3411 1 ΘANA • ALFI • TITUIŚ • PUIA •
3412 1 ΘANA • <A>LF<I> • <TI>TUIŚ [•] <P>ETVIAL • ŚEC /
3412 1 /•
3413 1 AR • TITUI • LA • FAL+
3413 2 +ASIAL
3414 1 LATI • ANI
3415 1 TITE : ATRANE : ETRI
3416 1 VETIE
3417 1 ARNΘ : SCEFI
3418 1 AULE • SCEVI+
3418 2 +Ś • ARNΘIA+
3418 3 +L • ETERA •
3419 1 <V>[EL] • SC<EF>[I] • <V>[E]<L>
3420 1 ◇◇◇V<EL>◇◇◇◇◇◇◇◇SC◇◇◇◇◇
3421 1 VL • VELI • SEINIAL
3422 1 LARΘI • SEINA
3423 1 LA<RT>IA VELI
3424 1 AU • VELI • <U>NA<R>IS • LA • NUNIAL
3425 1 LARΘI • PUMPUNI CAI • EI • Ś •
3426 1 LA • PU • ATRANE<Ś> •
3427 1 SERTUR E+
3427 2 +TRU CAINI<S>
3428 1 LARZA ETRU
3429 1 ETERA
3429 2 LA TITEŚ
3430 1 FAST ETERAŚ
3431 1 [E]<T>RU : ΘUI
3431 2 [L]ARUŚ AΘNU
3431 3 [LAR]ΘZAL PE◇◇◇◇
3431 4 <A>NEINIA
3432 1 TEZAN
3432 2 TETA T+
3432 3 +ULAR
3433 1 AR [•] TETNA • LX
3434 1 LARΘ • <T>ETNA [•] LA<X>U
3435 1 FA • TITI • HERMIA • ŚEX • CESTN[AŚ]
3436 1 §
3437 1 U
3438 1 TECSA
3439 1 {[~ •] HATERIUS • C • F
3439 2 ANNORUM} • 15
3440 1 LARN : VELΘ◇◇◇
3441 1 ARN • CAE • CRACINA
3442 1 AULE ACRI CAIŚ
3442 2 LAUTN • ETERI
3442 3 EI • ŚENIS
3443 1 HASTI • CAI • SENTIS • LX
3444 1 LΘ • CUSNIA • SENTIŚ
3445 1 FASTI : PATNEI : VESTRCNAŚ
3446 1 FASTI : PATNEI : ESTRCNAŚ
3447 1 PATN<EI> • HURTINIAL
3448 1 LARΘI • CAI : PATNA+
3448 2 +Ś
3449 1 LUNCI : PATNAS :
3450 1 AU PETRUNI • LS •
3451 1 {A • PETRONIUS • L • F • SUCIAE CNAT}
3452 1 {ANCHARIA • PETRONI}
3453 1 {VIBIA PTRONI}
3454 1 AU • <P>ETRUNI • VIPIAL •
3455 1 AR • PETRUNI • VIPIAL •
3456 1 LAR<T> PETR[UNI •] CAIAL
3457 1 LARIS VET<E> P[ETR]UIAL
3458 1 AR • SENATE •
3459 1 SE • SENATE •
3460 1 LS • PETRUNI
3461 1 LARΘI : VELNEA
3462 1 LARΘIA • AR • HAMERIŚ • ŚEC •
3463 1 ΘANA • CAFATI • ARTINIAL
3464 1 FASTI : PUIA : LX :
3464 2 SICLEŚ
3467 1 AU • HAMΦNA • LA • SEIAL •
3467 2 /RUVF
3468 1 V<L> • HAM<Φ>NA • <LE>UNAL •
3469 1 {AR • RUFI • V◇◇◇◇◇◇◇NATUS • CEPA}
3470 1 FA • ANCARI
3471 1 AULE : RUFI : ARZNI
3472 1 AR • RAFI • ARZNI • LA
3473 1 AR • RUFI • AR • CAIAL
3474 1 VL • RAFI • AR • CAIAL
3475 1 <LA> • RUFI • AR • CAI[A]<L>

3476	1	SE • RUFI • AR
3476	2	CAIAL
3477	1	ΘA • CAIA+
3477	2	+LEΘIA
3478	1	LAR : RAFI : LAΘIA<L>
3479	1	LS • RAFI • SE • CINCUAL •
3480	1	LΘ • CINCUNI[A]+
3480	2	+<L>A • <RAFIŚ>
3481	1	VL • RAFI • VL • MARCIAL
3482	1	LA • RAUFI • VL • MARCIAL •
3483	1	ΘANA • MARCI • RAFIS
3484	1	AU • RFI • SUΘ+
3484	2	+RINIAL
3485	1	LAR • RAFI • SUΘRINA
3486	1	ΘANA • SUTRINEI • RAUFIŚ
3487	1	AU • RAFI • ARΘ • TITIA
3488	1	AR • RAFI • ARΘ •
3488	2	TITEAL
3489	1	FASTI • TITIA • RAFIŚ
3490	1	TITIA • RAFIS
3491	1	VEL : RAU<F>IŚ : L • T◆◆L
3492	1	ΘANA • RAFI S<E>NTIN<A>T<E>S •
3493	1	FASTIA : RAFI : LS : SEX : CACNIS
3494	1	{TERTIA • AVILIA • C • F • RUFI • UXOR}
3495	1	ΘA • HUSETNEI • RAFIS
3496	1	ΘANA • VI • RAUFIŚ
3497	1	FA • V<I>PIA • RAFIŚ
3498	1	{AROS • RUFIS • ATINEA
3498	2	NATUS}
3499	1	TANA • ATINIA • RAFI+
3499	2	+S
3500	1	AULE • RAFI CUTUNIAL
3500	2	/{A • RU}
3501	1	{L • RUFIS • COTONIA
3501	2	NATUS}
3502	1	LS • RAFI • MARCIAL •
3503	1	<AR> • <R>A<FI> • AR • VIPIAL
3504	1	AU • RAFI • AR • TITIAL
3505	1	<LARΘ>I • CEI<SI>NE<I>
3506	1	{LARTIA • OCTAVIA}
3507	1	VL • FEΘIU • AU • <VEI>AΘIA<L>
3508	1	AR • SURNA • AU •
3509	1	LA • SURNA • AR • ALFIAL
3510	1	ΘANA • ALFI • CAPRASIAL
3511	1	AU • SURN◇◇◇LΘUR
3512	1	LA • SURNA • AR • VELΘURIAL •
3513	1	FASTI • VELΘURI • SURNAŚ
3514	1	{C • SULPICIS • C • F • VELTHURIAE
3514	2	GNATUS}
3515	1	AU • SURNA • AU • VIPIAL •
3516	1	VEILIA • VIPIA • SURNAŚ •
3517	1	VEILIA : VIPIŚ : ACRIŚ :
3518	1	AU • SURNA • AU • HERINIAL •
3519	1	FASTI • HERINI • SURNAS •
3520	1	AR • SURNA • AU • PACSNIAL •
3521	1	AR • SURNA • AR • PETRUAL
3522	1	AR • SURNA • AR • URINA+
3522	2	+<TI>AL
3523	1	ΘA • SURNEI • FEΘIUŚ
3524	1	AR • CIRE • AR • CAIAL
3525	1	CAIA : CIREŚ
3526	1	AU • CIRE • AU • CAFATIAL
3527	1	CIRI • CAFATIAL • ŚEC •
3528	1	CAFATI • MACRI • CIREŚ
3529	1	LARΘI • ◇◇◇◇◇◇◇◇
3530	1	ΘA • CAS<PR>I • VE • CAFATES
3531	1	AR • CIRI • AU • VIPIAL
3532	1	AU • CIRE • AU • ◇◇◇◇<VIP>IAL
3533	1	FASTI • VI • CAPENATI
3534	1	AU [•] CIRE • AR • ŚAL<V>I<A>L
3535	1	AR • CIRE • AR • ŚALVI • A/
3536	1	ΘANIA • SALUVI • CIRES
3537	1	FASTI • ŚALVI • CIREŚ
3538	1	CIRE • AR • ΘER◡◡IA •
3539	1	SE • VI • ANCARI • UVILANA
3540	1	LARΘI • ANCARI • UVILANA
3541	1	LARΘI • MT • ANCARIŚ
3542	1	LARΘI • PUMPUNI • METELIAL • SEX
3543	1	ΘA • CAFATI • VL • CASPRIAL
3544	1	ΘAN • TRENΘINEI • CASPREŚ •
3545	1	{L • CASIUS • L • F • SCARPIA • NATU+
3545	2	+S}
3546	1	{CAFATIAE
3546	2	L • AΘANATIS}
3547	1	{ASICIA • SEX • F}
3548	1	LARΘ : ANEIŚ A+
3548	2	+ULEŚ
3549	1	LARΘ : ANEI : ARNΘAL
3550	1	LA : ANEIE : LARΘIA :
3551	1	ARNΘ ANEI LARΘIAŚ VI+
3551	2	+A CLAN
3552	1	{C • FULONI • POS F}
3553	1	ΘANA TITIA
3554	1	AULE • ANEI • CACNA • L • E
3555	1	FASTI • ◆◆◆◆ • ANEIŚ
3556	1	AR • RAUFE • AR • APUNIAL

3557	1	◇◇◇◇RAFE • AR • CASP◇◇◇
3558	1	VEL • RAFE • METELIAL
3559	1	AR • RAUFE • AR • ALU • TIAL
3560	1	SUΘI • RUTIA+
3560	2	+ś • VELIMNAS •
3560	3	◇<IA> • IEPESIAL •
3560	4	◇◇◇◇◇ • IAXNAZ •
3561	1	LA • LARC≠
3562	1	ARΘ FUL
3563	1	AULEś : ANI◇◇◇
3564	1	◇◇◇◇◇TI◇◇◇
3565	1	ΘANA : CAIś : SAUTURINI : CESTNAś
3566	1	SAUTURINI • XVESTNAś • VELΘURNAL • śEC
3567	1	SE TITE
3567	2	LAXU+
3567	3	+MNIAL
3568	1	LARΘ • VETI • AITENIAL
3569	1	LA • ETANEI • LA • CUSNA
3569	2	CLAN
3570	1	LARΘI • MASLNEI • VETIś
3571	1	LARΘI • VETI
3572	1	LX • VARNA • AR • VETIAL
3573	1	LARΘI • SAUTURINI • NUFRZN
3574	1	LA • VETI • AFLE • LA • UHTAVI+
3574	2	+AL
3575	1	ΘANIA VETI • U<H>TAVIAL • AVILES •
3576	1	LΘ • UTAVI • VETI •
3577	1	SE • VETI • AFLE • LA • EE<L>I
3578	1	LA • CAI • LAUCANE • AXRATI<AL>
3579	1	LA • VIPI
3580	1	AU • VIPI • CAFATIAL
3581	1	AR • V<IPI> • TITIAL
3582	1	LARIS • VIPI VE • TITA
3583	1	AULE • VIPIś
3583	2	LARISAL
3584	1	VEL • VIPI • LS
3585	1	AR • VI • LS
3586	1	VEL • VIPI • śAUXNATEś
3587	1	AU • VI • SAUXNATE • VL
3588	1	AR [• VIPI]
3588	2	CRUSIE
3589	1	LARIS • VIPI+
3589	2	+ś • CRUSI •
3590	1	AR CRUNSLE
3591	1	LARIS VIPI CRU+
3591	2	+SEL
3592	1	SETRE • CAI • ΘURMNA • AU
3593	1	L<ARΘ>IA • <V>IPLIA

3593	2	ΘURMN<Aś>
3594	1	AR • LARCI • TUśNU
3595	1	LAR LARCI AR
3596	1	ΘANIA • LARCI • RUFRIAś •
3597	1	FICANI • LARCIś
3598	1	TITIA • LARCIś
3599	1	<Θ>ANA <LA>R<CIA>
3600	1	LARCE • METE+
3600	2	+LIś • LAU<T>NI
3601	1	AR PAPNI LAUTNI
3602	1	LARTI : MUTEI : ◇◇◇VTA
3603	1	NIUTLITEALEALAPN
3604	1	SE PAPNI HU+
3604	2	+PESIAL
3605	1	TANA CUIN+
3605	2	+NI
3606	1	ΘANA CAIA LEΘI
3607	1	FEΘI
3608	1	{JATRINIA
3608	2	SEX • P •}
3609	1	{L • CASSIUS • L • L • ARTE+
3609	2	+IMIΘORUS
3609	3	§}
3610	1	ΘANA TR<CUΘ>
3611	1	SEΘRA : CURANIA
3612	1	LARΘI • SE<M>ΘN<E> • CUTUś
3613	1	LARΘ:A CAFATI S LAUTNES
3615	1	{VEL • VIBIUS AR <P>ANSA TRO}
3616	1	<VL> VELTI CAIA<L>
3617	1	L<A> • <P>UM<P>U • PLAUTE
3618	1	{<L> • POMPONIUS • L • F • PLOTUS}
3619	1	<LS> • PLAUTE • VL • A<S>I[AL]
3620	1	LA • PUMPU • PLUTE
3620	2	LS • AHSIA<L>
3621	1	LARΘI • AHSI • PLAUTES
3622	1	{L • POMPONIUS • L • F • ARSNIAE • GNATUS • PLA/
3622	1	/+
3622	2	+U<TUS>}
3623	1	FASTIA • ARTNI • PUMPUS
3624	1	LARΘ • PUMPU • <P>LAUTE • LAL • HERI+
3624	2	+NIA<L> •
3625	1	LS • PUMPU • PLAUTE • HERINIAL
3626	1	LA • PUMPU • PLUTE • LA • SCATRNI<A>
3627	1	LS • PLAUTE • SCATRNIAL
3628	1	ΘA • PUMPUI • PLAUTI • AR • PUMP
3628	2	CAPZNAś
3629	1	ΘANA • PUMPUNI • PLAUTI • VELTSNAś
3630	1	ΘANI<A> • VELI • PLAUTEś

3631	1	FASTI • ANCARI • PLAUT<E>Ś • CAFAT<IAL>
3632	1	TINŚ : AR : TINIŚ
3633	1	AR • TINŚ [•] VE •
3634	1	VL • TINŚ • AR • ATUNIAL •
3635	1	ΘA • ATUNIA • LA • CAIAL • Ś
3636	1	AR • TINŚ • AR • CAFATIAL
3637	1	LARΘIA • CAIA • HUZETNAS • ARNΘALISA • CAFATI
3637	2	SEC
3638	1	VE • TINŚ • V<E>LEΘI<A>[L]
3639	1	ΘANA : VEL<TI> : <VEL>US : <P>U<R>NAL : <Ś>EX
3640	1	VE • TINŚ • VELUŚ • VETIAL • CLAN •
3641	1	AR TINŚ VL VETIAL
3642	1	VETI • VELUŚ • TINŚ
3643	1	AR : TINŚ : AR : LUNCIAL
3644	1	VEL • TINŚ • AR • LUNCIAL • CLAN
3645	1	VEΘI • LUNCI
3646	1	AR • TINS • AR • VIPIAL •
3647	1	{C • JUENTIUS • C • F}
3648	1	AR TINŚ VL VETIAL
3649	1	LARΘI :
3649	2	VEIZA :
3650	1	AU • PRECU • LA • ATIAL
3651	1	LA • PREXU • LA • ATIAL • VEPU
3652	1	AU • PRECU • HARPITINAL • VEPU
3653	1	<V>E<L> TITEŚ P<U>[I]+
3653	2	+A <H>ERI<NI>
3654	1	SE • ŚALV • LARΘAL
3655	1	AULE • ŚALVI • SETRES
3656	1	LARΘIA • RI<V>IA
3656	2	ŚALVIS PREX<U>
3657	1	{C • SALVIUS • CASSIAE • GN<A>}
3658	1	HERMI : CACEIŚ ACSIAL • ŚEX
3659	1	CACEINEI • ŚELVAΘREŚ
3660	1	ΘANA • ŚELVAΘRI • CUSIΘEŚ • CACEINAL
3661	1	ΘANIA • CUSIΘI • <L>VESNAS •
3662	1	FA • ATEIN[EI • ŚELVA]Θ[REŚ~]
3663	1	AR PETVI AR ANE+
3663	2	+INIA
3663	3	/AU • PETVI
3663	4	/STARNIΘIA
3664	1	LAΘI ANEINIA
3665	1	STARNIΘI
3665	2	PETUEZ
3666	1	AR • PET+
3666	2	+VI • XAIA+
3666	3	+L
3667	1	AR PETUVI AR+
3667	2	+CAI<A>L
3668	1	ΘANA • CAIA • UMIΘE[AL] • PET<V>[IS]
3668	2	PU<I>A
3669	1	AU • PETVI • AU •
3669	2	APUNIAL
3670	1	AR • PETVI • AU • ŚERTUR+
3670	2	+IAL
3671	1	LA<RΘ>I • PE<TU>I • <S>ER<TU>RIAL
3672	1	<LA>R<Θ> • <P>ETUI • L<ARΘIA>L • TUCUNT+
3672	2	+NAL
3673	1	[LAR]<ΘI> • TU<C>UNTI • PETEVIS
3674	1	PETVIA : NANSTIŚ
3675	1	LA • CUIESA • PETUI
3676	1	VELIA VELEΘEA AU PETUVEŚ
3676	2	PUIA
3677	1	VIPIA
3677	2	MASUI :
3678	1	ARNTU • NUMSIS •
3679	1	PUIA • ARNTUŚ • NUMSIS •
3679	2	URNASIS • LAUTNIΘA
3680	1	LARΘI • VIPI • AULNI
3680	2	ŚALVIAL
3681	1	LARΘIA • AULNI • URINATIAL
3682	1	FASTI • SCEFIA
3683	1	AU : PUSLA
3683	2	ETERA
3684	1	AULE • VLESI • AULES
3685	1	AR • VELSI • AU •
3686	1	AU • VLESI • <A>R
3687	1	LA • VLESI • AR •
3688	1	AU • VLESI • AU • CASNTINIA+
3688	2	+L
3689	1	<L>A • VLESI • <AR> • TATNAL
3690	1	ΘA • VLESI • AFLES [•] C<A>RCUS
3691	1	{TANIA • VLESIA • SCARPES •}
3692	1	{L • SCARPUS • SCARPIAE • L • POPA}
3692	2	/LARNΘ • SCARPE • LAUTUN<I>
3693	1	{LAETO<RI>A • VLESI}
3694	1	FASTI • APEINEI •
3695	1	ΘANA : CAPA+
3695	2	+NE : LA
3696	1	AULE : CAPANI : LA[RΘAL]
3697	1	ΘA • CAIA • SENTINATES
3698	1	ARNΘIA • CAI • ARNΘAL • SENTINATES
3701	1	VEILIA • CAIA •
3701	2	MENZNA<L> •
3702	1	SE • TARXI • LUESN<AL>
3703	1	LA • MENZ • VETIA+
3703	2	+L

3704	1	AR • MENZNA • LA •
3705	1	LARΘI • MANSIA
3706	1	LA • VETI • AU
3707	1	ARNΘ • CEARΘIŚ •
3708	1	LAR[Θ] • CEAR[ΘIŚ]
3709	1	RAMΘA CEARΘIŚ
3710	1	FASTI : TITI :
3711	1	VEL PETCEŚ
3712	1	LARΘI : PETECI : CACEIŚ
3713	1	FASTI : <T>I<TI> [:] PETRUI : CACEIŚ
3714	1	VELIMNEI : NUFURZNAŚ : NACERIA+
3714	2	+L : ŚEC :
3715	1	FASTI : NACEREI : VELI<MN>[AŚ]
3716	1	VEILIA VELT+
3716	2	+SANEI VELIM+
3716	3	+NAŚ
3717	1	LARΘI : METELI : NUFRZNAŚ : VELTSNEAL : ŚEX
3718	1	VENΘNEI VELTSNAŚ
3719	1	AR : LENSU LA
3720	1	FASTI • CVINTIA • LENSUS
3721	1	{AR • LENSO LA
3721	2	FILI}
3722	1	{A • BRUTIS • VEL • F}
3723	1	{BRUITIA • A • F}
3724	1	L • AXUNIE • CESINA
3725	1	L • AXUNIE • CESINA
3726	1	<L>A AXU LA LUCES
3727	1	AR • AXU • LA
3728	1	LA • AXU • LA • CASNIAL
3729	1	LARΘI : CASNIA
3730	1	CA<S> • PUIA • L • AXUNI[EŚ]
3731	1	{L • ACONIUS
3731	2	L • F • MEDICUS}
3732	1	{ANCHONIUS • L • F • MEDICUS}
3733	1	{URSIA • A • F • QUARTA
3733	2	ACONI}
3734	1	{LA • ACONIUS • L • L • UR • GN}
3735	1	{ACONIA • L • F •
3735	2	QUARTILLA
3735	3	ANNOR •} 6
3736	1	VEL • CAI • CESTNA • ŚMINΘINAL
3737	1	LS • CAI • CESTNA • LS • SMINΘI+
3737	2	+N<AL>
3738	1	LARΘIA • CAIA • LS • Ś+
3738	2	+MINΘINAL
3739	1	AR • CAI • CESTNA ECNAT
3740	1	[L]<A> : CAI : CESTNA : LA : CAIA[L]
3741	1	ΘA •
3741	2	SETUMI
3741	3	VLΘ CESTNAS [P]UI[A]
3742	1	{C • CASCELLIUS • CAUTHI+
3742	2	+A}
3743	1	{SEX • CASSCELIUS • C • F • LEONIA • GNA+
3743	2	+TUS}
3744	1	{THANIA • ACHONIA • CASCELI}
3745	1	{HASTIA • ALFIA L • L}
3746	1	{LARTIA • VARNA}
3747	1	{ACONIA • C • L • PUMPUA}
3748	1	{SIX • MIDICUS • P • F •}
3749	1	{FLORA • CESTIAE • NUTRIX •}
3750	1	TLAPU : LAUTNI : CAPZNAŚ :
3750	2	/TARXISLA :
3751	1	{THANIA • HARNUSTIA • LA • F}
3752	1	{THANIA • NAEVIAE • L •}
3754	1	ARNΘ LARΘ VELIMNAŚ
3754	2	ARZNEAL HUSIUR
3754	3	SUΘI ACIL HECE
3755	1	SEΘUME◇◇◇
3755	2	IUI SEΘU CAIPURE VRI◇◇◇◇E
3756	1	◇◇◇◇◇SEΘ[UMI
3756	2	A]VEIŚ
3757	1	ΘEFRI : VELIMNAŚ
3757	2	TARXIŚ : CLAN :
3758	1	AULE VELIMNAŚ ΘEFRISA
3758	2	/NUFRZNAL CLAN
3759	1	LARΘ VELIMNAŚ AULEŚ
3760	1	VEL VELIMNAŚ
3760	2	/VEL VEL[IMNA]<Ś> AULEŚ
3761	1	ARNΘ VELIMNAŚ AULEŚ
3762	1	VEILIA VELIMNEI ARNΘIAL
3763	1	PUP • VELIMNA AU CAHATIAL
3763	2	/{P • VOLUMNIUS • A • F • VIOLENS
3763	3	CAFATIA • NATUS •}
3764	1	{C • ARRI • MISIA}
3765	1	CAIA LARZNAL : TETALŚ :
3766	1	VEL : PLAUTE : VELUŚ : CAIAI : LARNAL : CLAN : /
3766	1	/VELARAL : TETALŚ :
3767	1	LARΘ : ŚALVI :
3767	2	VITLIAL
3768	1	FASTI : VITLI : ŚALVIŚ : HESUAL : ŚEC •
3769	1	AR : VIPI : ALFA :
3770	1	AR • VIPI • ALFA :
3771	1	VEL : VIPI : ALFA
3772	1	VEL : VIPI : ALFA :
3772	2	PAPA :
3773	1	VIPIA : APEIN+

3773	2	+A<L>
3774	1	LARΘ • <V>^^^^^^
3774	2	/LARΘ VETEŚ ZIXU
3775	1	LA • CESI
3776	1	PEΘNEI • CEISIŚ
3777	1	AR • CEISI • PEΘNAL
3778	1	ARNΘ : CEISI : ARNΘIAL
3779	1	LARΘI • LUTNI • CEISIŚ •
3780	1	SUΘI : ETE<RA>
3780	2	VELUŚ : ANEIŚ [: SE]<N>TINATEŚ
3781	1	AR : CAIŚ : TUŚNU : LS : CALERIAL
3782	1	VEL • TATNI [•] VE<LU>Ś
3783	1	SEΘRE • VIPIŚ • LA • HELVINATIA+
3783	2	+L
3784	1	LAR VIPI UPELSI PETRNAL
3785	1	A<U><^^^^^^^>[U]PELSI • PETRNIAL
3786	1	LA • VI • UPELSI • AU • TRAZLUNIAL
3787	1	VEI<LI>A • TRAZLUI • UPELSIŚ •
3788	1	LARΘI
3788	2	VETLNEI • TRAZLUŚ
3789	1	VEILIA : MASLNE<I> : P<U>IA : LAΘIAL :
3789	2	VIPI<Ś> : UPELSIŚ
3790	1	LARΘI : CAIA : MASLN+
3790	2	+IŚ
3791	1	ARΘ PUPUŚ
3791	2	SNUTEŚ
3791	3	PUIA VELA+
3791	4	+RIE
3792	1	ARNΘ PUPUŚ
3792	2	SNUTEŚ <A>RN+
3792	3	+ΘIAL
3793	1	AU<LE> PU<M>PUŚ
3793	2	SNUTEŚ ARN+
3793	3	+ΘIAL
3794	1	VEILIA : SNVTI~~<V>EPIA
3795	1	SNUTI HUZETNAŚ
3796	1	PUMPU SNUTE
3796	2	ETERA
3797	1	SAPLATIA
3797	2	PUMPUŚ
3797	3	SNUTE
3798	1	LAΘI : <P>ETRUNI
3798	2	SNUTE
3799	1	LA PLEURA
3800	1	ΘAN<A> • VUISI • SEΘREŚ
3801	1	LA PLEURA : VUISI+
3801	2	+AL :
3802	1	LA • APURΘE • AUNIAL
3803	1	AU : APURΘE
3803	2	CURIAL
3804	1	AR • APURΘE • CURIAL
3805	1	LAR • APURΘE • VATATIAL
3806	1	AU • APRΘE • VELCIAL •
3807	1	AU • APRΘE • LUSCEAL
3808	1	LUSC<E>I : APRΘEŚ :
3809	1	AR • AXSI • ANIAL •
3810	1	LA • ACSI • ANIAL
3811	1	ARNΘ ACSIŚ • ANEI+
3811	2	+NAL • CLAN
3812	1	AR • ASI • ANANAL •
3813	1	LARIS • ACSIŚ • [V]EILIAŚ
3813	2	CAIIAL • CLAN
3814	1	LARΘ • ACSIŚ • VEILIAŚ
3814	2	CAIIAL • CLAN •
3815	1	ARNΘ : ACSIŚ
3815	2	LARΘAL : CARNAL
3815	3	CLAN :
3816	1	ARNΘ • ACSIŚ • CARNAL
3817	1	ACSIŚ CA^^^^
3818	1	AULE ACSIŚ CUEΘN+
3818	2	+AL CLA+
3818	3	+N
3819	1	<A>R : AXSI : ARN<ΘA>L : CVE<ΘN>AL :
3820	1	ARNΘ • ACSIŚ • VISCIAL
3820	2	CLAN
3821	1	ARNΘ • ACSI • LARZNA+
3821	2	+L
3822	1	LA • AXSI • TRETNAL
3823	1	LA : AXSI • AR • TRILIALŚ •
3824	1	SE • ACSI • AR • TRILIAL
3825	1	AR • ACSI • AR • FATINIAL
3826	1	LARΘ • ACSI
3826	2	ARNΘIAL •
3827	1	AR • ACSI • LA
3828	1	LARΘ ACSIŚ
3828	2	LARΘIAL
3829	1	LARΘ • ΘEΘ[URE~]
3830	1	ARNΘ • ACSIŚ • ΘEΘUREŚ
3830	2	CLAN
3831	1	LARΘ ACSIŚ • ΘEΘUREŚ
3831	2	CLAN
3832	1	ARNΘ • ACSIŚ • PI •
3832	2	ARNΘIAL • PALPE
3832	3	LARΘI CAPRTI
3833	1	ARNΘ • ACSI
3833	2	ARNΘIAL

3833 3 PALPE
3834 1 ARNΘ ACSI • C APRUNTIAL
3835 1 LAUTN
3836 1 VEL • VETI •
3837 1 FASTI • VETI •
3838 1 ⟨A⟩ULE : VET⟨I⟩Ś : LA
3839 1 LA • VETI • AU
3840 1 ARNΘ • VETI • LANΘEAL
3841 1 VETI • ANEIΘURAŚ
3842 1 LARΘ : VETE : ANEIΘURA
3843 1 VEILIA • CAIIA •
3844 1 VEILIA • ⟨T⟩I⟨T⟩I • MARCNEI
3845 1 RAMΘA : CAPZNAŚ :
3846 1 ARNΘ : VETI
3847 1 LARΘ • VETI
3848 1 LA • VETI
3849 1 LA • VETIE • LA
3850 1 FA • SPURI • VETI+
3850 2 +EŚ
3851 1 SPURI : CA : FATIAL
3852 1 PUI • SPUITEŚ
3853 1 LARΘI • ŚALVI • CAIAL • ŚEC •
3854 1 AULE : TITEŚ
3854 2 [PE]T⟨RU⟩NI⟨Ś⟩ :
3855 1 AULE : TITEŚ : PETRUNIŚ : VELUŚ : T :
3855 2 ETERA
3856 1 FASTI • TITIA • ⟨PE⟩TI⟨Ś⟩
3856 2 /FASTI
3856 3 TITIA
3856 4 PETIŚ
3857 1 LS • TITE • PATRUNI • LS • CASPRIAL
3858 1 VE : TI : PETRUNI : VE : ANEINAL : SPURINAL : C/
3858 1 /LAN : VEILIA : CLANTI : ARNZAL˘˘TUŚURΘI
3859 1 LS : TITE : PETRUNI : VELUŚ : CLANTIAL :
3860 1 LA • TITE • PETRUNI • VE • CLANTIAL • FASTI • C/
3860 1 /APZNEI • VE
3860 2 TARXISA • XVESTNAL • TUSURΘIR
3861 1 VE • TI • PETRUNI • LA • CAPZNAL
3862 1 LS • TITE • PETRUNI • LS • VESTA
3863 1 VL • TI • PETRU • HAMΦNAL •
3864 1 {L • PETRONIUS • L • F • NOBORSINIA}
3865 1 ARNZIU SLAIΘEŚ LATNI
3866 1 ΘANA : ARZIUŚ : PUIA
3867 1 ARNZA : ARNZIUŚ
3867 2 SLAIΘEŚ •
3868 1 LA • VELUŚ • TINŚ •
3868 2 LAUTNI •
3869 1 LARΘI • VIPI • LA • TIN+
3869 2 +Ś
3870 1 AU • LX • LARΘI • VELS
3871 1 ⟨AR⟩ • ANANI • AR
3871 2 AΘNU
3872 1 FASTI : LAXUMNI •
3872 2 ANANIŚ
3873 1 FASTI • ⟨L⟩X • CAMURIŚ • PUIA •
3874 1 FASTI ASI SAX⟨U⟩Ś
3875 1 LA • ANANI • CAPZNAL
3876 1 AR : ANANI : LA : AΘNU
3877 1 LA • ANANI • AR • LAXUMNEA+
3877 2 +L
3878 1 AR • ANANI • AR • CAIAL •
3879 1 LA • ANANI • LA • CAIAL • CNA+
3879 2 +RIAL •
3880 1 AU • ANANI • LA • CNARIAL •
3881 1 AR • ANANI • LA • CA⟨IA⟩L • PETVIA[L]
3882 1 LA • ANNI • LA • PEVTIAL
3883 1 AR • ANANI • PEZACL+
3883 2 +IAL
3884 1 FASTI • V⟨E⟩TESI
3884 2 /AU • ANANI • VEANIAL
3885 1 LA • ANANI • LA • VIEANIAL
3886 1 AR : ARNTI : LARΘIAL
3887 1 LARΘI CAPNI
3888 1 ΘA • CAIA • MEHN • AT⟨E⟩Ś
3889 1 AU : VETI
3890 1 AR • VETI • AU • PUIA
3890 2 /≠V⟨E⟩[TIŚ]
3890 3 PUIA
3891 1 Θ^^^VETIEŚ
3892 1 AR • VETI • AFLE • NAVESIAL •
3893 1 ARZA • VETI • NAVERIAL •
3894 1 LA • VT • AFLE • NAVESIAL •
3895 1 ΘANIA • VETI • NAVERIAL •
3896 1 LARΘI • NAVESI • VETIEŚ •
3897 1 [AR]NZ⟨A⟩ • VE⟨T⟩[I] ≠
3898 1 AR • VETI • AFLE • AR • ˘ΘANA • PETSNEI
3899 1 AR • VT • AFLE • PETSNAL
3900 1 LA • VEZI • AFLE • AR • PETSNAL
3901 1 AR • PETSNA • PU+
3901 2 +IA
3902 1 VELIΘNEI • VETIŚ
3903 1 LA CACNI
3904 1 VELIA • CACNIŚ • FULUŚ
3905 1 AU • ANEI • CACNIŚ • AU
3906 1 AR • AFLE • VETI • VIPIAL
3907 1 LA • AFLE • LA • FACUAL

3908 1 SE • AFLE • LA • FA • HUSTNEI • ARZNAL • AITU
3909 1 LA • AFLE • SE • HUSTNAL
3910 1 AFLI • HUSTNAL • ŚEX • FARΘANA
3911 1 TX • AFLES • ULΘIAL • CLAN
3912 1 LS : AFLE : ULΘIAL
3913 1 LARIS • AUFLE LARISAL • ANEINAL
3914 1 LA : AFLE • SE • AN[E]INAL
3915 1 VEL TITEŚ MA<R>+
3915 2 +CNAŚ
3916 1 AU • TITE • MARCNA • VEL+
3916 2 +UŚ
3917 1 AULE : TITI : MARXNA : CAIA<L>
3918 1 LARΘI : CAI : PITIUI : TI+
3918 2 +TIEŚ :
3919 1 AU • TI • MARCNA • PATLI◇◇◇
3920 1 FASTI : ATVLI •
3920 2 MARCNAŚ
3921 1 CURANEI • TITIŚ
3922 1 FASTI • VELCZNEI • MARXNAŚ •
3923 1 C<A>IE • MARCNAŚ
3924 1 LARΘI • VELIA • CAIEŚ
3925 1 FASTI • VELIA
3926 1 AU • TETI • AR
3927 1 LARSIU • VARNAS •
3927 2 LAUTNI
3928 1 {C • SOCCONIUS • C • L
3928 2 DASIUS}
3929 1 {C • SOCCONIUS • C • L •
3929 2 OLIPOR}
3930 1 {ACONIA • L • L •
3930 2 LAIS}
3932 1 AU • LUXUMNI • LALUŚ
3933 1 AULE • VELIŚ
3934 1 LARΘI VELIA
3935 1 LARCE • VELI • SENTIN+
3935 2 +ATIAL •
3936 1 VELU ANIŚ LAU+
3936 2 +TNI
3937 1 FASTI • TITLIA
3938 1 AR : UPELSI : LA
3939 1 VEILIA • VIPI • UPELSI • FELCINATIAL •
3940 1 FASTI • HELVINATI • UPELSIŚ
3941 1 LARΘI • VI • UPELSI • TRAZLUN+
3941 2 +IA<L>
3942 1 LARΘI • ANCARI • UPELSIŚ
3943 1 SE • LUSCNI • SE • SALTUCAL •
3944 1 AR • SETRI • AR
3945 1 AU • VI • VERCN◇◇◇
3945 2 /AU • VI • VERCN◇◇
3946 1 AU VIPI VERCNAŚ
3947 1 ARNΘ : VIPI : VERCNAŚ
3948 1 ARNΘ : VIPIŚ VERCNAŚ
3949 1 VE • VIPI • VERCNA • VE
3950 1 LARΘ • VIPIŚ • VERCNA
3950 2 SEIREŚ
3951 1 LA • VI • VERCNA • ATIAL •
3952 1 LARΘI : VIPI : VERCNEI : ATIAL
3953 1 ΘANA • ATEI • VERCNAŚ • MUSENIAL •
3954 1 LA • VI • VERCNA • VIPIŚ • <VE> • CALISNAL •
3955 1 LARΘ : VI : VERCNA
3955 2 CALISNAL : CLAN
3956 1 SEΘRE • VIPIŚ • <V>ERCNAŚ
3956 2 CALISNAL
3957 1 LARΘ : CALISNEI
3958 1 AU • VI • VERCNA • CEISIAL
3959 1 AU : VIPIŚ : SE
3959 2 VATINIAL : CLAN
3960 1 LARΘI : VIPI : PUIA : TITEŚ
3960 2 SATNAŚ : VATINIAL : ŚEC
3961 1 FASTI : VATINI
3962 1 LARΘI • CAIA • FULUNI • VERCNAŚ
3963 1 FASTI SCAPIA
3964 1 FASTI : ANEINEI
3965 1 AU : SEMΘNI : ETERA
3965 2 HELVEREAL
3966 1 AU : SEMΘNI : AU
3966 2 HELVEREAL : CLAN
3967 1 AR • SEMΘNI • AULEŚ
3967 2 HELVERIAL • CLAN
3968 1 AU : SEMTNI : LS
3969 1 SEΘRA : VELCIA
3970 1 VE • CAFATE • VE • TITIAL •
3971 1 RAUFI • VELIMNAŚ
3972 1 ACSI • HERMEŚ
3973 1 ACSI • UVILANEŚ
3974 1 LA : ANEI : FARU :
3975 1 FASTI : ANEINEI : FARUI
3976 1 LS : FARU : ŚERTURIAL :
3977 1 FASTI • ŚERTURI • FARUŚ
3978 1 LS • FARU • LS
3978 2 VEZIAL
3979 1 LARΘI : VETI : VARI : AU : FARUŚ : PU+
3979 2 +IA
3980 1 LA<TI> ANI RAUFIA
3981 1 LA : PETRUNI
3981 2 AN : LARTIA

3982	1	LARΘI • ANI • CAFATEŚ
3983	1	S • [V]ELIΘ<NA> • <M> • CLA[[N]]
3984	1	LARΘ : ARUS[E]R[I]
3984	2	A[H]SIAL
3985	1	LARΘI : AHSI :
3985	2	ARUSERI •
3986	1	ΘANA : VIRŚNEIA :
3986	2	ARUSERIŚ :
3987	1	CAI ARUSERIA ACRIŚ
3988	1	ARNΘ • CASNI • AUL
3989	1	AU • CASNI • CAUΘIAL
3990	1	LARΘI • CASNI • VERCNAŚ
3991	1	SE • CASNI : ACESIAL
3992	1	ΘANA VETI
3993	1	AU • CASNI • AR • CAIAL
3994	1	SEΘRE • CASNI • CAIAL •
3995	1	CAIA • CASNIZ •
3996	1	FASTI : CAI : LEΘEŚ
3997	1	LARΘ : LEΘEŚ : SEΘREŚ
3998	1	AU • LEΘE • TNA◇◇◇◇CA+
3998	2	+RI •
3999	1	FA • CASNIA • AU •
3999	2	<V>IPIAL
3999	3	TRISNEI • TUCUNTINE+
3999	4	+Ś
4000	1	TUCNI◇◇◇◇CASNI[Ś]
4001	1	AULE • PETRUŚ • CASNIŚ : PUIAC :
4001	2	LEΘI :
4002	1	ΘANA • PETRUI • AFLEŚ
4003	1	LARΘ ANNTEI
4004	1	FASTI • AUN◇◇◇
4005	1	AU • CASNI •
4006	1	AR CASNI
4006	2	AULEŚ
4007	1	LAΘI : ACLINEI : CASNI •
4008	1	AR • CASNI • AR • AUCLINA
4008	2	CLA<N>
4009	1	SEΘRE
4009	2	CASNI
4009	3	ARIΘA
4010	1	VEILIA : AUCL<IN>E<I>
4011	1	AR • CASNI •
4011	2	TAMNIA
4012	1	LARΘI : SETUMI : CASNI
4013	1	LA • CAFATE • MANIAL •
4014	1	LARΘI • CAFATI • TITIA<L> • L/
4015	1	CAIA • CAFATEŚ
4016	1	RAUFNEI • CAFATEŚ •
4017	1	LA • VIPI • VARI •
4018	1	LA : VIPI : VARI : LA
4019	1	AR : VARIŚ : <L>A<I> : VETIA+
4019	2	+L
4020	1	ΘANA • VELTI • LARΘIAL • VIPIŚ • VARNIŚ
4021	1	ΘANA : VIPIŚ : ALFAŚ : <V>ETEŚ
4022	1	LARΘI VELŚUNIA
4023	1	LA • LECETIS • AR • ATNAL
4024	1	VEILIA • ATNEI • LECETISAL •
4025	1	AR • LECETIS • LEUNIA
4026	1	LARΘI • LEUNEI • L<ECE>T<IS>[A]+
4026	2	+L
4027	1	ΘANA : VEIANI : LECETISAL :
4028	1	LECUSTI • CASPRES • LATNI
4029	1	AULE • LEMRCNA
4030	1	FASTI CAI • LEMRECNAŚ
4031	1	ΘANA LEMRC+
4031	2	+NEI
4032	1	ΘANA : ALUNI
4033	1	LEΘARI : SENTINATES :
4034	1	Θ<A> [•] SENTINATI • PETRUNIS
4034	2	LEΘERIAL • SEX •
4035	1	LΘ • FACUI • VL • TITIAL
4037	1	LARΘ : TRIILE : LARISAL : PETRUAL : CL<AN>
4038	1	LARΘ • TRILE • LARISAL •
4038	2	PETRUAL • CLAN
4039	1	PETRUI • TRILEŚ
4040	1	PETRUI : TRIL<E>+
4040	2	+Ś
4041	1	ΘANA • PETRUI • ATEIŚ
4042	1	ΘANA • PETRUI • A • VELX
4043	1	PETRU : ΘURŚ
4044	1	LARΘI • TRILI • ACSIŚ •
4045	1	LAXU ΘEFRIŚ
4045	2	SPURINAŚ LAU
4046	1	CAIA PUIA LAXUŚ
4047	1	LARΘI PETRUI
4047	2	LUESNAŚ
4048	1	/ [L]<UE>S<N>E : LARI<S>A<L> : PETRUAL
4049	1	AR • SALE • CLAN • NURZIU
4050	1	FASTI • CVINTI •
4050	2	SALEŚ • CLENŚ
4050	3	PUIA
4051	1	LA : TITE : RAFE : VIPIAZ
4052	1	ΘANA • VIPIA • TITIZ
4053	1	AU • APRΘE • ΘEREŚ
4054	1	SE • LEΘE • APURΘIAL
4055	1	LARIS

4055 2 CAPE L

4056 1 LAΘI • CAI

4056 2 SURTEś

4057 1 ΘA : VATINA

4058 1 LARΘI • <V>ELI • VAHRIś :

4059 1 LA • VI •

4059 2 VELIMNA • AR •

4060 1 LS • VI • MA • PUP • N<A>/

4061 1 LARΘIA • HELSCI • ACSI<ś>

4062 1 ARNΘ : PATRUNI : L<A> :

4063 1 <AR>NΘ PETRUś AUF<LE>[ś]

4063 2 /ARNΘ PETRUś

4063 3 AUFLEś

4064 1 FASTI • PETRNEI

4065 1 AU<L>E

4065 2 [PU]<M>[P]U<ś>

4065 3 LARΘI<A>[L]

4066 1 VE RAUFE UPELSIś

4066 2 LAUTNI

4067 1 [LAR]ΘI • TITI • /

4068 1 L◇◇◇TIA MARXNAś

4069 1 LARΘI • TARXNIA •

4070 1 {◇◇NICIOS◇◇◇}

4072 1 ARNΘ TANTLEś

4072 2 LARISAL

4073 1 ARNΘ TANTL<E>

4073 2 LARSTIIALISA

4074 1 ARNΘ TANTLE

4074 2 LARSTIAL

4075 1 AULE TANTLE CUIUN

4076 1 AU TANTLE VEΘ+

4076 2 +NIAL

4077 1 LARΘA • CESUAśAIś

4078 1 AULE VARUNI CUSPI •

4079 1 VELIA : ALESI : VAHRUNIś

4080 1 ΘANA : SETUMI

4080 2 PUIA : LARISAL : PUMPUś

4080 3 NUFRZNAś

4081 1 LARΘ RECI+

4081 2 +MNA VELUś

4081 3 ETERA

4082 1 CEHEN

4082 2 CEL TEZA+

4082 3 +N PENΘN+

4082 4 +A ΘAURU+

4082 5 +ś ΘANR

4083 1 LARΘI RUTSNEI

4083 2 MAALNAś

4084 1 AΘ◇◇A◇I RUTSNI

4085 1 ΘANA LARIST+

4085 2 +NEI RUTSNIś

4086 1 SCARPMI LARΘI◇◇◇

4086 2 RUTSNIS LA

4087 1 LARΘ AXU

4087 2 VENETEś

4088 1 <P>UśLA • RUFIAL

4089 1 AU SENTI • RF

4090 1 ENZ : ETAZ

4090 2 [V]ELΘURNAL

4091 1 LARΘ FATUNI LATNI

4092 1 ΘAN FATUNI

4093 1 TUNES • CASPRES • LATNI

4094 1 AU • TITE • VESI • VEL • CACEINAL

4095 1 VEL : TITEś [:] ˇˇˇVESIś : ˇˇˇARNΘIAL

4096 1 VEL : VESIś : CAPEVANIAL : CLAN :

4097 1 VEILIA CAPEVANI

4098 1 SE • TI • VESI • VE • VIPIAL • SEHTMNAL

4099 1 VL • TITE • VESI • SE • CUSIΘIAL

4100 1 AU : TI<T>Eś : VESI : MANIAS : CLAN :

4101 1 VE : TI : [V]<Eś>I : AU : HERMIAL

4102 1 L VESIś A

4103 1 : TITE : VESIś

4104 1 LARΘI CURUNEI

4104 2 <V>ELXśNAś

4105 1 ETAN LAUTN

4106 1 LA : CAFATE : VUISIAL :

4107 1 {HASTIA • HAMPNHEA • A • F}

4108 1 {C • PRAESENTI • C • F • F •}

4109 1 {L • VOLUMNIUS • L • L

4109 2 MENOLAUS}

4110 1 LX VIPI VARNA

4111 1 AU VIPI VARNA LX

4112 1 LARI VARNA ΘURAL

4113 1 VIPI • CAI • VAR[NAś]

4114 1 LARΘ VIPI+

4114 2 +ś VARNAś

4114 3 ETERA

4115 1 ◇◇◇◇ESTNA

4115 2 /◇◇◇◇◇◇◇NAL śEC

4116 1 CEHEN : SUΘI : HINΘIU : ΘUEś : SIANś : ETVE : Θ/

4116 1 /AURE : LAUTNEśCLE : CARESRI : AULEś : LARΘI/

4116 1 /AL : PRECUΘURAśI :

4116 2 LARΘIALISVLE : CESTNAL : CLENARAśI : EΘ : FANU /

4116 2 /: LAUTN : PRECUś : IPA : MURZUA : CERURUM :/

4116 2 / EIN :

4116 3 HECZRI : TUNUR : CLUTIVA : ZELU<R>◇◇◇◇<R>

4117 1 APAŚ
4118 1 LARΘIA • AFLI • ARZN◇◇◇ANRI◆◆◇◇◇
4118 2 ŚEX
4119 1 ΘERMI ŚIATE
4120 1 ΘANA • A˘XUNI • LA • ˘TITEŚ • S[URTEŚ]
4121 1 LS • VETI • LS • TI[T]IAL
4122 1 AU • CAI • VETI • LARI •
4123 1 AU • CAI • VETI • LE<P>RECNAL
4124 1 SE • CAI • VETI • AU
4125 1 LA • CAI • VETI
4126 1 <VL> • VETI • LA
4127 1 UEL • CAI • VETI • METENAL
4128 1 VE : CAI : VETI : VESCNAL
4129 1 LARΘI VELCZNEI
4130 1 LARΘIA : VELCZNE
4131 1 LΘ • VELCZNEI • MESIAL
4132 1 AR : VELCZNEI : PETRNAL
4133 1 ΘANA • VARNEI • VELEZNAŚ • LEΘIAL • ŚEX
4134 1 ΘA • PANIAΘI • VELXZNAŚ SPURINIA<L>
4135 1 SE : VELΘURNA : AULEŚ
4136 1 VEL • VELΘURNA • VEL • CRA+
4136 2 +M<N>AL
4137 1 LA : VELΘURNAŚ : VIPIAL
4138 1 ΘANA • VELΘURNAS • PUM<P>+
4138 2 +UNIA<L>
4139 1 LARΘ VELΘURNA LA
4139 2 ŚERTURIAL CLA<N>
4140 1 LΘ : SETRI : VELΘURNAŚ
4141 1 SE : VELΘURNA : SETRE
4142 1 ATRANIA • VELΘURNA
4143 1 S<E> • VENETE • LA • LEΘIAL • CLAN •
4144 1 LA • VENETE • LA • LEΘIAL
4144 2 ETERA
4145 1 AR : VENETE
4145 2 AR : ETERA
4146 1 AR : VENETE : AΘNU
4147 1 LA • VENETE • VATINIA
4148 1 LARΘ : HAMΦNA : AULEŚ : VENETIAL : CLAN
4149 1 LA • VENETE • ŚANIS
4150 1 VENETI • NARIA
4151 1 VENETE • AZLŚNA◇◇◇◇Ś
4152 1 AR • RAFI • LA • APUNIAL •
4153 1 APUNI : RAFIŚ : TRISNAL : ŚEC
4154 1 ΘN • RAFI • UHTAVES • CASP<R>[IAL •] Ś<E>C
4155 1 CASPRI RAFIS
4156 1 AR • RAFI • VENΘNAL
4157 1 AR • RAFI • AU • VIPLIAL
4158 1 AR • RAFI • AR • LATIΘIAL
4159 1 <R>A<UF>I • SAUTURINEŚ • LATIΘIAL
4160 1 LATIΘI • RAFIŚ
4161 1 <L>S • RAFI • AR • LEΘIAL •
4162 1 LARΘI • LEΘI • RAFIŚ • SENTIAL •
4163 1 AU : RAFIA : AR : <P>E<R>CUMSN<AL>
4164 1 ARRA • PERCUMSNAL
4165 1 ΘANA • RAFI • CLANTIS • PERCUMSNAL • ŚEX •
4166 1 PERCUMSNEI • RAFIS
4167 1 RAUFI
4167 2 CLANT+
4167 3 +IAL
4168 1 AU • REZU • AΘ
4169 1 LA : REZU
4170 1 LA • REZU • AUL
4171 1 LARΘI • REZUI • AR
4172 1 AR • RESU • ALFIAL
4173 1 RETUI • ARZNIŚ • VINAL • ŚEX
4174 1 LA : REZU : TITIAL
4175 1 [TIT]IA • REZUŚ
4176 1 LARΘI • SE • VESI • R<E>ZUŚ •
4177 1 URNATI • REZUŚ
4178 1 ΘA • CASPRI • TRISN
4179 1 LAR◇◇◇◇CASPRIAL
4180 1 VEL • MLEVI • MEHNATIAL •
4181 1 ΘANIA LUCANIA LA
4182 1 LARΘIA • ŚALVIS • LAUTN
4183 1 {A • VETTIUS • A • F • PINARIA • <G>}
4184 1 {VELTIA}
4185 1 LARΘI • VETNEI • ANIS
4186 1 {REMMIA • ANNI}
4187 1 {SENTIA • ANNI}
4188 1 {[C •] C<L>ANDIUS • VEL • F • VESSIA • GNATUS}
4189 1 {L • CL • VESSIA}
4190 1 AR MESI
4190 2 {MESIA • ARUN
4190 3 L • F • TETIA • GNATA}
4191 1 {ARSINUA • AMPUDI}
4192 1 {L • PAPIRIUS • L • ARSI • OBELSIANUS}
4193 1 VTAZIEI • ARCUTU
4194 1 ◇◇◇LARΘIALISA TREŚ◇◇◇ŚEC
4195 1 ΘANA LEUNEI CUESNAŚ
4196 1 AULEŚI • METELIŚ • VE • VESIAL • CLENŚI
4196 2 CEN • FLERES • TECE • SANŚL • TENINE
4196 3 TUΘINEŚ • XISVLICŚ
4198 1 PUIA • ACLNIŚ • NUFRZNAŚ • PARM+
4198 2 +NIAL • ŚEX
4199 1 L • AXUNI • ARTINIAL
4200 1 VL : AXUNIAR+

4200 2 +TINIAL
4201 1 LΘ : AVEI : LAUTN : ETERI : EIN : ŚENIS
4201 2 ER : EŚ
4202 1 〰〰AVEIŚ〰〰〰〰
4203 1 LA • AVEIŚ • VE • CASUNTINIAL
4204 1 CANTINI AVEINAS
4205 1 VELIA AVTLEŚ
4206 1 VELIA • AULEŚ
4207 1 AU • AHSI VE •
4207 2 CAFATIAL
4208 1 FASTI : AH<I>A : CAFATE
4209 1 AMΘNI • CAPZNAŚ • VELCZNAL • ŚEC
4210 1 ΘANIA • AMΘNIA • <S>ERTUR
4211 1 ΘA • ŚERTURI • AMΘNEŚ • MUR+
4211 2 +UNIAL • SEC
4212 1 A<R>[N]Z[A • A]MRΘI • LAUT[[<NI>]]
4213 1 SE • <AN>CARI • AR • CASPRIAL
4214 1 AXRATI • CAFATES • CASPRIAL • ŚEX
4215 1 ΘANA : ANCARI : VETIŚ
4216 1 {THANNIA • ANCHAR+
4216 2 +IA • LAR • F}
4217 1 ΘANA ANCRIA
4218 1 ARNΘIA • ANEI
4218 2 CACNIŚ
4219 1 VEL ANEI • SENTINATEŚ •
4220 1 <S>E • ANEI • SENTINATES
4221 1 FASTI : ANEINEI : VESCUŚ [: C]VEΘNAL
4222 1 FASTI • ANEINEI • CVEΘNAL •
4223 1 CUEΘNEI ANEIŚ • CURUNAL
4224 1 FASTI • ANEINEI • VELCZNAŚ • TITIAL • ŚEC •
4225 1 ANEINEI : VELΘU+
4225 2 +[R]NAŚ : SL<A>
4226 1 FAST ANEI+
4226 2 +NIA
4227 1 LΘ • ANIS • SURTES •
4228 1 TITI ANIŚ
4229 1 ΘANA • ANI • CARNAŚ
4230 1 ANI : LUESNAŚ
4231 1 {ANNIA • SEX • F〰CASSIA • NATA}
4232 1 VL : APICE : RAZIS : VELUŚ : CAΘANIAŚ
4233 1 APLUNI〰〰〰<L L>A<UTNI>
4234 1 ΘANA • AP<LU>+
4234 2 +NAI
4235 1 ARLEN<E>A • ŚALVIS
4236 1 FA : ARMUNIA : VEL
4237 1 ARNTI • CAPZNAŚ
4238 1 ARNTI • CARNAŚ • LAUTNI
4239 1 VE • ASTESINE • CA
4240 1 VEL : ATINA+
4240 2 +TEŚ
4241 1 ATNEI • CASPREŚ
4242 1 AR : ATNEI : AR : SEFRIAL
4243 1 ΘANIA • ATNEI • TITIS
4244 1 ΘANA AUIA
4245 1 ≠<A>ULI<A>≠
4246 1 VL : AULNI : VL : MAS<AT>EŚ
4247 1 LARΘI • AUNE LI • ANIS • TETIA<L>
4248 1 TETI • AUNAŚ
4249 1 ATUSNEI • CAFATEŚ
4250 1 AUTU • VIPLI • LAUTNI
4251 1 HASTI : AUTUŚ : VIPLIŚ : PUIA
4253 1 FASTI • CAVILI • PETRUNIŚ
4254 1 AULE
4254 2 AULE : CAI AU<L>NA
4255 1 LA CA<I> AS<AT>EŚ
4256 1 [LAR]ΘIA • CAI • FULUNIŚ
4257 1 CAI • ACR+
4257 2 +IŚ
4258 1 LU • C<A>I • LA •
4259 1 {LARTIA • CAIA • LUCI • F}
4260 1 CAIA • ŚALVI
4261 1 HA • SALVIA • CAI+
4261 2 +AL
4262 1 LA • CAI • CNAREŚ • AU • <S>ENTINATIAL
4263 1 AU • CAI • ΘURMNA • SE • RAPLIAL
4264 1 AR • ΘURMNA • SE • RAPLIAL
4265 1 LARΘI • RAPLI • ΘURMNAŚ • PETRUA
4266 1 LARΘI • PETRUI • ΘURMNAŚ • NETEI
4267 1 AU • ΘURMNA • AR • MARSI
4268 1 〰〰〰〰〰MANA L<AR>ΘIA<L>
4269 1 {A • THORMENA • A • F • PISTO • GN〰}
4270 1 CAI : CREICE
4270 2 ΘURMNAŚ : LAUTNI
4271 1 VEILIA • VELEΘ〰〰〰〰ATEIŚ • CAIAL •
4272 1 LA : CAI : UΘAVE : VELUŚ : SURNIAL
4273 1 AR • ΘURMNA • MARSIAL •
4274 1 VESI • ΘURMNAS •
4275 1 VEL ΘURMNA
4276 1 CAI • PUMPUAL • L •
4277 1 LARΘI • CAIA • PUMPUNI
4278 1 {A • CAITHO • C • F • FABER}
4279 1 {A • CAITHO AB}
4280 1 LA • CALISNA • VETU+
4280 2 +NIA<L>
4281 1 LARΘI • VETUI • CALISNAŚ
4282 1 ΘA • CALUNEI • VELSIS • NAMULTL

4283	1	≠SNEI : CAPEVANES
4284	1	LA : CAPNA : LA : CAIAL
4285	1	SEFRI • CAPNAS •
4286	1	{[~ •] GABINIUS • L • F
4286	2	PERCACNIUS}
4287	1	LA • CAP<T>◇◇◇◇A◇◇
4287	2	SEHTUMIAL
4288	1	LΘ CAPNA LS
4289	1	{CASSIA • C •}
4290	1	VELΘUR • CASPREŚ • LAUTNI
4291	1	{[LA]<R>TIA • PEDRO • CASP<RIA> • LAR<T> • PANA/
4291	1	/TIA • GNA<TA>}
4292	1	AR • CAFATE • ARTINIAL •
4293	1	SE • CAFATE
4293	2	RAFIAL
4294	1	AULE CAFAT+
4294	2	+E CAPUAN
4295	1	AU • CAFATE • VL • ŚALVIA<L> [• C]IRE
4296	1	VL • CAFATE • AR • MACRE • VEL
4297	1	AR • CAF • MAC • VELC
4298	1	VEILIA • CAFATI • VELIMNAŚ
4299	1	AR • CA • TI •
4299	2	AU
4300	1	CA : AN : Ś
4301	1	FA • CESTNEI • VL • SAUTRI • SEC
4302	1	ΘANA : ZAUTURIA : CESTNAŚ
4303	1	CIANTI : METELIAL
4304	1	ΘEP◇◇U • CLANTIAL • AUT<N>I •
4305	1	ΘANA • CLUMNEI • SILAIΘEŚ
4306	1	A<V>LEŚ CNEVEŚ LARISALISLA
4307	1	LA • CNEVI • AU
4307	2	SACRIAL
4308	1	CNEVE LA
4309	1	{L • CORNELIUS [• L]
4309	2	L • SPURIANUS
4309	3	MARIO}
4310	1	{CORNELIA • A • L
4310	2	PERSICE
4310	3	VIX • ANN •} 23
4311	1	ΘANA • CURSPIA • LΘ
4311	2	• CELTA
4312	1	LARTI : ENTNEI
4313	1	HASTI • ESPIA
4314	1	{BALERIA}
4315	1	LS • VARNA • VARNAŚ •
4315	2	APEI<N>AL
4316	1	LA • VASTI
4317	1	A • VATINI C◇◇
4317	2	LARΘIA◇◇CI
4318	1	AR • VATRI • CAIAL
4319	1	[ΘA]<N>XVIL VEANI FEΘIUŚ
4320	1	LARΘI • VECNE • UHTAVES • CAFAT
4321	1	LARΘIA • VELA
4322	1	AU • VELI • CURA+
4322	2	+NIAL •
4323	1	VL • VELI • MARC◇◇◇◇
4324	1	LΘ : VELXE : ŚALVI+
4324	2	+N
4325	1	VEL • VELXEIŚ
4325	2	ETERA
4326	1	{AROS • VELESIUS • TLABNIA}
4327	1	ARXAZA VEΘURI+
4327	2	+Ś
4328	1	AU • VELΘINA • CAIAL
4329	1	AR • VELEΘIA • CA◇◇◇
4330	1	AU • VELΘINA • PETRUAL
4331	1	Θ • VELΘINEI • ALFIAL :
4332	1	VENΘNEI : TREAŚ
4333	1	LA : VELTI : VELEIAL
4334	1	ΘANIA • VELZINAŚIA
4335	1	AU • VELNI
4336	1	SEΘRA VERUN+
4336	2	+IA
4337	1	LARΘ • VESI<Ś> • CR
4338	1	AU • VETIE
4339	1	ARNΘ : VETI : LARISA
4340	1	FASTI • VETNEI •
4341	1	FASTI • VETNEI
4342	1	VETSNEI LAU<C>ANIS
4343	1	LARTIA • VETUS • NENE
4344	1	VEILIA : VIPIA : PUIA : SE : ALSUAL
4345	1	ΘANIA • <V>IPI<A>
4345	2	LA • TANTLE[Ś]
4346	1	ΘANA • VIPI • TETIŚ
4347	1	FASTI : VIPI : <VE>LIMNAŚ : HERMIAL : <Ś>E<X>
4348	1	VIPIA : PAL<N>IS
4349	1	VIPI ANCA+
4349	2	+RIŚ
4350	1	VIPI • ΘERAŚ
4351	1	V • VIPI • UNIAL
4352	1	ΘA • VIPINEI • VE • VELEIAL
4353	1	LA • VIPI • VENU • VIPINAL • CLAN
4354	1	VIPINEI VENUNIA
4354	2	PURNISA
4355	1	VIPI ZERTURI
4355	2	PARFNAL

4356	1	[A]<R>NΘ <V>IPI RUF+
4356	2	+E
4357	1	VIPIA • SAMERUNI • SERTURUS
4357	2	TITEAL • SEC •
4358	1	^^^^SAMERU • <TI>TEAL [• C]LAN
4359	1	SAMERUNIAL
4360	1	LA • VUISI • EL
4361	1	{C • VOLCACIUS
4361	2	C • F • VARUS
4361	3	ANTIGONAE
4361	4	GNATUS}
4362	1	AU • VULSUNIś • AR • CAI<AL>
4363	1	L • V^^^NTE • TITEIAL
4364	1	LARΘI • V^^^EI • VESTRECNA
4364	2	• HEΘESIAL • śEC
4365	1	FASTI HAM<NI>A
4365	2	LAUTNI • NUS
4366	1	ΘANIA • HELVA+
4366	2	+SIA • PETISIś
4367	1	ΘA • PET<E>śI
4367	2	HELVASI<A>[L]
4368	1	HELI MARCEś
4368	2	NARI
4369	1	LARΘI • HERINI • CAIU
4370	1	/<H>ERINI : <A>U TI+
4370	2	+TUR
4371	1	ΘANIA • HESEI • VELTIA SEC
4372	1	{HOSTILIAE • GNATUS}
4373	1	ΘANA : HUZETNEI : FEΘIUś :
4374	1	LA • ΘEPRI • LUESNAś
4375	1	{L • LAELIUS • L • F • SCURRA}
4376	1	CNEVE LARCN
4376	2	ΘANA PETRUA
4377	1	LARΘ
4377	2	LAR<Θ>ITE
4378	1	AU • LAUCRI • MARCNAś
4379	1	ΘANA : LECUSTA : LAUTNI
4380	1	ARNΘ <LE>Θ<E>
4381	1	SEΘRE LEΘE
4382	1	FASTI • LEUNEI • SE • ˇˇˇˇˇATNEIS •
4383	1	FA • LEUNEI • AU • VELΘINEAL • SEC •
4384	1	LA • LUCANI • VL [• V]ESIAL
4385	1	AΘ • LUNCEś • LAΘIAL
4386	1	ΘANIA • LUNCEś • <V>L • LEΘIAL
4387	1	{TANIA • LUSIA}
4388	1	{LUSI<A> [•] <L> • L • NEPEL<E>}
4389	1	{L • MAENAS • L • L
4389	2	ALEXANDER}
4390	1	ΘANA • MANI • CLANTEś • PUIA
4391	1	{L • MANLIUS
4391	2	AMICUS}
4392	1	LARΘ : MARSI : AΘ : ERINIAL
4393	1	ΘA : MARICAN+
4393	2	+E
4394	1	AU • MASLNI
4395	1	MEHNATI VEL<IM>NAś CAIAL
4396	1	LARΘI MESTRI
4397	1	AR • MEś
4398	1	FASTI • MINATI
4399	1	AΘ • MURCUNU
4400	1	MURI
4401	1	LARΘIA N
4401	2	/LARΘI NAR
4402	1	AR • NERU • TITEA[L • CLA]N
4403	1	{GNEA • NUISCINIA • C • F}
4404	1	PACNEI : AVEIś
4405	1	PALNEI • MEHNATEś
4406	1	A • PATLNIS
4406	2	LARΘIA[LI]SA
4407	1	AU • PATLNI • VUISIAL
4408	1	AULE : PATLINś : RUPENIAL : CLAN :
4409	1	LA • PATLNI • LA • CNEVIAL
4410	1	{PATE • SC • L • BURRIA}
4411	1	{BATTA}
4412	1	LA • PETRU • ANAINAL
4413	1	SEΘRA PETRUSA
4414	1	LARΘI • PETRUI • VL • APURΘIAL
4415	1	LARΘI • PETRUI • CESTNAś •
4416	1	PETRUI • <V>EΘES
4417	1	AV : PETRUNI : VELUś : CLANTIAL
4418	1	AR PETRUNI ZETNAL
4419	1	ΘEPRI : PETRUNI
4420	1	FASTI • PETRUNI • UELESIAL
4421	1	[FASTI • PE]TRUNI • V+
4421	2	+♦+
4421	3	+<X>PIś
4422	1	{C • PETRONIUS
4422	2	SEX • F • FABER}
4423	1	LA • PE/
4423	2	VE • PE/
4424	1	AU PIANIAΘE • CALISNA
4425	1	[A]U : PLAUTE : LS
4426	1	ΘAN : PLAUTRIA : MARCNISA
4427	1	AU : PLITINE : TITIAL
4428	1	{L • PROCULEIUS • A • F
4428	2	TITIA • GNATUS

4428	3	§§§§ • VIR • §§ • VIR}
4429	1	LAΘI PUCLIŚ
4430	1	{Q • POBLICIUS • L [• F • SE]CUN+
4430	2	+ΘUS
4430	3	FILIUS}
4431	1	LA • <P>URINI • VI<PI>AL
4432	1	<A>Θ • <P>URUNI • ARNΘIAL
4433	1	{A • POSTUMIUS • VIB <F>}
4434	1	C SALISNA
4435	1	LARIS : SALU : ARNΘIAL :
4436	1	TARXI • ŚALVI • CUCUTI •
4437	1	FASTI : ŚAL◇◇◇◇◇◇◇◇◇◇◇
4438	1	LARΘ SATNAŚ LARΘIAL :
4439	1	≠CNAN≠
4440	1	LS SATNA LA
4440	2	MENENIAL
4440	3	CLAN
4441	1	AU • SATNA • LS
4442	1	SE • SATNA
4442	2	LARΘIAL
4443	1	AU • SAUTURINE • AR
4444	1	ΘANA • VISCI • SAUTURINEŚ
4445	1	{THANA • SEICIA • TREPU}
4446	1	LARΘ ŚELVA+
4446	2	+ŚL AΘNU
4447	1	SENATIA
4449	1	LA • SENTINATE • AΘ • UNIAL
4450	1	LAR SENTINATE LA PUMPUNIAL
4451	1	LAR • SENTINATE • ARTNIAL
4452	1	ΘANA : SENTINATI
4453	1	LARΘI SE+
4453	2	+TINATI
4454	1	FASTI : SENTINATI : VLESIAL
4455	1	ΘANA • VESI • SE<N>
4456	1	FAST : SENTINATI : LARCNAL
4457	1	{L • SEPTUMULEIUS
4457	2	SP • F • A • §§§}
4458	1	ΘANIA ŚERΘURI • SAHINIS :
4459	1	A<U>L • SERTURNI
4459	2	A<U>
4460	1	AR • ŚERTURUŚ • CACNI
4461	1	LA • ŚERTU
4461	2	HAΦNAŚ
4462	1	≠SERVE◆◆◆I<A>Ś :
4462	2	LA<R> : TITI : A<Θ> : ACSNEAL : ŚEC
4463	1	LA • SERVI • TITIA
4464	1	SPURINEI PANIAΘES TATNAL◇◇◇◇
4465	1	ΘANA : TATNEI : SPURINAŚ
4466	1	ΘANA • STATSNE
4467	1	LA : SUΘRINA : AU : A<L>FNAL
4468	1	VEILIA : SURTI : VELCZNAL : ŚEX
4469	1	PUIA • AULEŚ • SUTRINAŚ
4470	1	AVULNI • SUTU • PU
4471	1	ΘANA SUTŚ
4472	1	LS • TETI • LS • TITIA<LISA>
4473	1	ΘANA • TETI • SICLES
4474	1	VE • T<IN>A+
4474	2	+NI • AR≠
4475	1	LA • TITE • LA • VE<LAR>AL
4476	1	{L • TITIUS • C • F • ABERRA}
4477	1	VEILIA • TITIA
4477	2	CAPZ<NA>Ś
4478	1	ΘANIIA
4478	2	TITIA •
4478	3	NUŚTIIA
4479	1	LARΘ+
4479	2	+I • TITIA • CAIA •
4480	1	ΘANA • TITI • HERMEŚ • L◇◇◇◇◇◇S<E>
4481	1	ΘANA : TI : ACSI
4482	1	TITI • VELIMNAŚ • ACRIL • ŚEC
4483	1	LA • TITE • LARΘURUŚ • FELCINATIAL
4484	1	LARΘ TITEŚ LARΘURUŚ
4484	2	ARNΘIAL
4485	1	FASTI : CAI • LARΘUR[UŚ]
4486	1	≠TITE MARCNAŚ
4487	1	FASTI • TI • MAR<X>NEI • AR<TN>I • PATINEAL • Ś/
4487	1	/EC
4488	1	LARIS TITEŚ
4488	2	PETRUNIŚ
4489	1	AULE • TITE • SURTE • AXUNI
4490	1	VELIA • AXUNI • VE<LUŚ> • TRAZLUAL
4491	1	FASTI : SURTEŚ
4492	1	TITE • UFLEŚ
4493	1	TLATIA
4494	1	ΘANA : TRETNA : LAUTNI
4495	1	LA • TURPLI ΘLECINIA
4496	1	LS • TURPLI
4496	2	T<R>E◇◇◇CXINEAŚ
4497	1	LA • TURPLI+
4497	2	+LARIS :
4498	1	LARΘI : TURPLI : LS
4499	1	AR : TURPLI : LA
4500	1	LA • TURPLI • LA
4501	1	LARΘ • TURPLI • ARNΘAL • PETRUAL • CLAN
4502	1	V<L> • UCLINA • LA
4503	1	LARΘIA • UΘAVIS • ATINATIA

4504 1 ΘAUVIA
4505 1 LAR • UTILANE
4505 2 UVIAL
4506 1 ◇◇◇◇ : ULΘE [: AU]LEŚ
4506 2 ◆◆A
4507 1 LARΘI • HERMI • ARNΘI+
4507 2 +AL • PETRUAL • ŚEC
4508 1 VE • ULΘE • VE • HERMIAL •
4509 1 LARΘ : ΦELNAŚ : LARΘIAL
4509 2 VEILIA : MARCNEI
4510 1 : FASTI : ΦURIŚ
4511 1 {T • FABIUS • A • F • TRO • CERGA}
4512 1 ΘANIA • FACUI • CUSIΘEŚ • VESTRECNAL • ŚEC •
4513 1 FALSCIA : ◇◇◇◇AVEIŚ : PUIA
4514 1 ZE<R>A<PI>U : LAUTNI : FRAUCNAL
4515 1 ARNΘ : FRENTINATE : PISICE
4516 1 §§◇◇◇◇<F>ULUI • <LA>[R]Θ<A>[L]
4517 1 VELIZA
4518 1 RAMΘA : N
4519 1 ΘASNIAŚ
4520 1 E
4520 2 RPI T◇◇◇◇
4520 3 CALISUS • LAUT<NI>
4521 1 TITIA SUS
4522 1 LARΘI◇◇◇A • CAPRAŚ
4523 1 AULE • CUIEŚ •
4524 1 LA • EL◇◇◇◇◇◇◇◇
4525 1 TUI • AΘ • LATINISA
4526 1 RANAZUSA
4527 1 LA • <E>L◇◇◇◇◇◇◇◇
4528 1 <VL> • VELITNAL
4529 1 LATINIAL
4530 1 ◇◇◇◇<N>UMNIAL •
4531 1 ◇◇◇◇◇◇◇◇◇◇◇◇◇◇◇◇◇◇◇+
4531 2 +NTIAL • CLAN
4532 1 CASN
4533 1 VEN
4534 1 NAX
4535 1 AN • X
4536 1 ŚE
4537 1 ETERA
4538 1 EU<LA>T • TAN NA • LAREZ<UL>
4538 2 AME VAXR LAUTN • VELΘINAŚ • E+
4538 3 +ŚTLA AFUNAŚ SLELEΘ CARU
4538 4 TEZAN FUŚLERI TESNŚ TEIŚ
4538 5 RAŚNEŚ IPA AMA HEN NAPER
4538 6 12 VELΘINAΘURAŚ ARAŚ PE+
4538 7 +RAŚ CEMUL MLESCUL ZUCI EN+
4538 8 +ESCI EPL TULARU
4538 9 AULEŚI • VELΘINAŚ ARZNAL CL+
4538 10 +ENŚI • ΘII • ΘIL • ŚCUNA • CENU • E+
4538 11 +PLC • FELIC LARΘALŚ AFUNEŚ
4538 12 CLEN • ΘUNXULΘE
4538 13 FALAŚ • XIEM • FUŚLE • VELΘINA
4538 14 HINΘA • CAPE • MUNICLET • MASU
4538 15 NAPER • ZRANC • ZL ΘII FALŚTI V+
4538 16 +ELΘINA • HUT • NAPAR • PENEZŚ
4538 17 MASU • ACNINA • CLEL • AFUNA VEL+
4538 18 +ΘINAM LERZ INIA INTEMAME+
4538 19 +R • CNL • VELΘINA • ZIA ŚATENE
4538 20 TESNE • ECA • VELΘINAΘURAŚ Θ+
4538 21 +AURA HELU TESNE RAŚNE CEI
4538 22 TESNŚ TEIŚ RAŚNEŚ XIMΘ ŚP+
4538 23 +ELΘ UTA ŚCUNA AFUNA MENA
4538 24 HEN • NAPER • CI CNL HAREUTUŚE
4538 25 /VELΘINAŚ
4538 26 ATENA ZUC+
4538 27 +I ENESCI • IP+
4538 28 +A ŚPELANE+
4538 29 +ΘI • FULUMX+
4538 30 +VA ŚPELΘI
4538 31 RENEΘI • EŚT+
4538 32 +AC • VELΘINA
4538 33 ACILUNE •
4538 34 TURUNE • ŚC+
4538 35 +UNE • ZEA • ZUC+
4538 36 +I • ENESCI • AΘ+
4538 37 +UMICŚ • AFU+
4538 38 +NAŚ • PENΘ<N>+
4538 39 +A • AMA • VELΘ+
4538 40 +INA • AFUN<A>
4538 41 ΘURUNI EIN
4538 42 ZERI UNACX+
4538 43 +A • ΘIL ΘUNX+
4538 44 +ULΘL • IX • CA •
4538 45 CEXA ZIXUX+
4538 46 +E
4539 1 CA : SUΘI : <NES>[L :] ◇◇◇
4539 2 <A>MCIE : T<I>TIAL : CAN+
4539 3 +L : RESTIAŚ : CAL : C<A>+
4539 4 +RAΘSLE : APERUCE+
4539 5 +N : CA : ΘUI : CEŚU
4539 6 LUSVER : ETVA : CA<P>U<V>ANE : CARES<I>
4539 7 CARAΘSLE : S<A>◇◇◇
4540 1 ŚUΘI◇◇◇◇
4540 2 PENΘN◇◇◇◇◇

4540	3	/SUΘIŚ : E<C>A
4540	4	PENΘUNA
4540	5	CAI : VELŚ : CAI<Ś
4540	6	Θ>AREŚ : LAUTNI
4542	1	CAI :
4542	2	ARNΘ
4543	1	◇◇◇LEΘI CAI ΘIL◇◇◇◇◇◇IA
4543	2	<Z>ILUŚ
4544	1	ΘANIAŚ
4544	2	LEUNAL
4544	3	ATNAL
4544	4	ŚEXIŚ
4545	1	LEUNAL
4546	1	A
4546	2	ΘUR
4546	3	ETE
4547	1	ARΘ <PL>AΘRUNI
4547	2	VETIŚ
4548	1	◆◆◆◆◆◆+
4548	2	+◆◆◆◆◆+
4548	3	+RAPLE
4549	1	ŚAL<V>[I] PRECUŚ LAUTN •
4549	2	ETER<I>
4550	1	<L>ARΘIAL
4550	2	ŚALVIŚ
4550	3	/VIPIAL
4551	1	TARXIŚALVI
4551	2	ΘANA<H>ERINI
4551	3	<ΘA> : <TX>
4552	1	⸗<T>I • TARCNEI
4552	2	/⸗NEI : TUŚURΘII
4553	1	ARNΘNI •
4553	2	PUPLNAL
4554	1	<A> TETI • H<E>◇◇◇◇AŚ
4554	2	AITNE<T>EΘI
4555	1	XESTN
4555	2	<Ś> • LAU • CARC
4556	1	Θ • AMΘNI
4557	1	EFESIU • RUCIPUAL
4558	1	⸗<N>EI <LΘA>◇◇◇◇◇Ś
4558	2	◇◇◇◇◇◇◇◇AL
4559	1	[H]A<ST>I <V>EL<I>ΘA+
4559	2	+NEI
4561	1	FLEREŚ TEC SANŚL CVER
4562	1	FLE[[REŚ]] Z[[EC]] R[[AMΘA]] L
4563	1	LVRMIT <◇◇◇>
4564	1	FASΘI :
4564	2	/<U>NAI : ΘUI
4565	1	{F<A>USTIO
4565	2	CR}
4565	3	/{VILLI+
4565	4	+CO}
4566	1	{• RICLO}
4567	1	{ICARUS}
4567	2	/{CINT
4567	3	CO
4567	4	C • V • S}
4568	1	{FUS
4568	2	FUR
4568	3	B •}
4569	1	{PI
4569	2	SUTUS
4569	3	CR}
4569	4	/{ST}
4570	1	{NI+
4570	2	+CAN}
4570	3	/{• [[CI]]NTI
4570	4	CO
4570	5	N◆}
4571	1	{TA • STITR+
4571	2	+IAS}
4571	3	/{TU◇◇◇}
4572	1	{FELIX • P+
4572	2	+ETRON}
4572	3	/{CAM<A+
4572	4	+R>INU<S
4572	5	N>}
4573	1	ACLASIA ALHISLA
4574	1	AVILEAS • SEF • ANTEISUNAL • SEC
4576	1	ALA • RUZSNA
4577	1	ARΘ [• U]LTNA
4577	2	AU<L>E<S> C[LAN]
4578	1	AR◇◇◇◇F ARSA
4578	2	LAUTN ETERI
4579	1	AU<L> • HE<LE> • UV[I]<LAN>A
4580	1	AU • <A>U<LI> • U<LT>IMNI[[AL]] •
4581	1	AURE TEUINE ŚESAR
4582	1	AU • TUTS UTNTA • TP◇◇◇ANL
4583	1	ΘANA • TUTN FU • FALTUŚ<L>A MARCNŚA
4584	1	ETAXTS
4585	1	FASTI • ANI • LUESNAŚ • A
4586	1	VELIA • ALFI • NIUŚ LATINIAL
4587	1	ΘANA • <A>NINI<E>Ś
4588	1	ZUMA • M⸗
4589	1	LARΘ AN<X>ARU L<A>R[ΘAL L]AΘITIAL
4591	1	LAUIŚCTERΘUE

4593	1	L CAFATE V MACRE NAC[⟨ERIAL⟩]
4594	1	LEΘIU VET • FIU • ANEI
4595	1	LIEPLAśΘA
4596	1	NICU • SU •
4597	1	⟨F V⟩ELUI • ⟨T⟩A⟨RC⟩NAS • PU[⟨IA⟩]
4600	1	śER • VELΘUAś
4601	1	◇◇◇AURIA : VELΘ◇◇◇
4604	1	TIME • TIIEP
4606	1	TUCE CINIAL
4607	1	⟨H⟩A • ⟨H⟩UES⟨N⟩IA
4609	1	◇◇◇◇◇⟨EP⟩IN⟨AL⟩
4609	2	PUL ZIVAś PET+
4609	3	+SNEI
4610	1	≠IPUTINAKRUL≠
4613	1	L • VELUFNA • RAUFIA
4613	2	L • AP⟨I⟩ • CUINUI
4613	3	⟨M⟩AZU⟨T⟩I • LAUTNI • CNEV
4613	4	L⟨Θ⟩ • ALPIU • IANZU
4614	1	LART : ⟨I⟩NSNI : śUPL+
4614	2	+NAL
4615	1	{C • IU◇◇◇◇VIX • ANN⟨O⟩S •} ⟨59⟩
4616	1	{C • GAVIUS • A • F
4616	2	FAB • TUSCUS •}
4618	1	MI : CAPRA : CALIśNAś : LARΘAL
4618	2	śEPUś : ARNΘALISLA :
4618	3	CURSNIALX
4619	1	MI : ΘANIAś : MUΘURINA+
4619	2	+L
4619	3	śEPUS⟨LA⟩
4620	1	MI VENELUś REPUSIUNAś
4621	1	LARΘI TRE+
4621	2	+MSINEI
4622	1	ΘREMSINI PETR+
4622	2	+IES LAUTN[[I]]
4623	1	ΘUI
4623	2	ARΘ : ATINI
4624	1	LAUTN : ETERI
4625	1	[Θ]UI
4625	2	LA • A⟨T⟩INEI
4626	1	ΘANAś • ATINAL
4627	1	L ARNTI SECU
4628	1	{SEX SEPTIMI}
4629	1	{LAELIAE • A • F}
4630	1	{P • TELLIUS • C • F}
4631	1	{TITAE • L • F •
4631	2	TERTULLAE}
4632	1	{CRISPINIA • L • F • FIRMA
4632	2	VALERI • FESTI •}
4633	1	{L • VALERIUS
4633	2	A • F • POM
4633	3	FESTUS}
4634	1	{FABRICIA • L • L •
4634	2	PHILEMA}
4635	1	{VALERIA • P • F
4635	2	~}
4636	1	ARNΘUR • LEVE • ANAINAL
4637	1	VE : LEVE : A : ANEINAL
4638	1	V • LEVE • A • ANEINAL
4639	1	LARΘIA : LEVEI : FASTIś : ANEINAL • śEC
4640	1	LARΘI • LEVEI • ANEINAL
4641	1	L • ANEINEI : LEVEś
4642	1	LEVE
4642	2	A : L : A : HERINIAL
4643	1	A • LEVEA • ΦARINA
4644	1	V • AΘARINEI • FULNA
4645	1	A • LEVE • A • PUMPUAL
4646	1	LAΘI • PUMPUI • ANAINAL
4647	1	L : LEVE : V
4648	1	◇◇◇◇◇NEI • MANEC • LEVIAL
4649	1	L • SEΘRNI • PUPUAL
4650	1	LS • SEΘRNI • AUINIAL
4651	1	LARIS • SEΘRNI • ΘAIPRE • VELśUNAL
4652	1	VEL • SEΘRNI • LARISAL
4653	1	{L • AELIUS • M • F • POM}
4654	1	{L • AVILLIO
4654	2	PROCULO}
4655	1	VELIA • VETUI
4656	1	{PEDUCAEA
4656	2	Q F TERTIA}
4657	1	{SEX • SAE+
4657	2	+NIO
4657	3	PRISCO}
4658	1	{L • S⟨E⟩X • SPERATI}
4659	1	{M • ULATTIUS • M • F}
4663	1	ARNT VELINE ⟨U⟩RINA[TIAL]
4664	1	ARNZA : ANAINI
4664	2	ARNΘALISA : VELśNAL
4665	1	LART : VELΘIś
4665	2	VEN⟨EΘ⟩[I]AL [: V]⟨E⟩
4667	1	VEL • KARSE
4667	2	VE⟨LU⟩AL
4668	1	HASTIA • APISNE[⟨I⟩]
4668	2	• LAUXMES • MURI+
4668	3	+⟨A⟩L
4669	1	{COSCONIA
4669	2	C • F

4669	3	PAETHINIA}
4671	1	LARΘ : SEIANTE : TREPU : TUTNAL
4672	1	AR : TREPU : TUTNAL
4673	1	AΘ : TREPU : TETI+
4673	2	+NAL
4674	1	ARNΘ • PANTNA
4675	1	VEL • ANE ∘ LATIΘE • ARNΘAL
4676	1	ΘANA ∘ ANAINE
4677	1	LARΘI : ANAINE[I
4677	2	LA]⟨R⟩ISAL
4678	1	VEL • ATE ∘ A+
4678	2	+ΘAL
4679	1	LART : ATE : VELU+
4679	2	+ś
4680	1	Θ[A]NA
4680	2	ATAI+
4680	3	+NEI VESA+
4680	4	+CANEI
4681	1	VETU
4681	2	VELI+
4681	3	+NI
4681	4	§§§§
4682	1	VEL : VELNI : VELUś :
4683	1	VELIA • VELNI+
4683	2	+S
4684	1	HASTIA : VELNIA
4684	2	VELAΘRIZ
4685	1	SURE : VELA+
4685	2	+⟨Θ⟩RI : ARNΘA+
4685	3	+L
4686	1	LA : VUISINI :
4686	2	ARNΘAL
4687	1	LARΘI : VUISIA
4688	1	AΘ • ⟨H⟩ASE • LA
4689	1	AΘ • ARN+
4689	2	+TU • AΘ
4689	3	HASTI • LA+
4689	4	+ś
4690	1	LARCE
4690	2	LAUTNI
4690	3	SE : PA
4691	1	LARΘIA
4691	2	LARCI
4692	1	Θ[ANA] LAR◇◇◇
4693	1	LARTΘ : TAURE
4693	2	PATś : LAUTI
4694	1	VL : PUPLIN+
4694	2	+A
4695	1	VL • PUPLINA
4695	2	PUPUAL
4696	1	V : PUPLI+
4696	2	+NA : ULSIN+
4696	3	+AL
4697	1	CAFATI LA
4697	2	[UTNI PU]⟨PLI⟩N+
4697	3	+[AL]
4698	1	VEL • PUMPU • ARNΘAL
4699	1	ΘANA
4699	2	VIPINEI
4699	3	PUMPUSA
4700	1	VIPI : AL : L
4701	1	ΘA ⟨FA⟩
4701	2	V⟨I⟩
4702	1	LΘ : V ⟨A⟩NINAL
4703	1	FE : CA :
4704	1	FASTI : FELUNI
4705	1	AULE
4705	2	TETA
4706	1	LA : TETIE
4707	1	LR : TE : VE
4708	1	ΘANA : MUśUNIA
4708	2	ΘANA : TETI
4709	1	LA ∘ TITIE
4710	1	LA ∘ TITIE ∘ LA
4711	1	LA ∘ TITI/
4712	1	LARΘ ⟨T⟩I[TIE]
4713	1	VL : TI : VE
4713	2	/VL ∘ TITIE ∘ L ∘
4714	1	HASTI : TITI AULE : MARCNI
4715	1	FASTI TIVI
4715	2	⟨V⟩ • ⟨VE⟩SIś
4715	3	§ §
4715	4	§
4716	1	L ∘ VEZI ∘ A
4716	2	I§§§A§§§§+
4716	3	+§§§§§§§§§
4717	1	ΘANIA
4717	2	TITI
4717	3	SULUNIA
4718	1	AULE • VELXAIE ∘ LARΘA+
4718	2	+L
4719	1	⟨L⟩ : VARINEI : VELCUEś
4720	1	ΘANA
4720	2	HERENE
4721	1	LARΘIA : ΘVEΘ+
4721	2	+L[I]

4721	3	§ §
4722	1	§
4722	2	AULE : LEΘARI
4722	3	ΘANSINAL
4723	1	ΘANA
4723	2	PERCEΘ+
4723	3	+NEI
4724	1	VEL : SAΘNA
4725	1	LAUTN
4725	2	ETERI
4726	1	ΘANA
4726	2	§
4727	1	TN • CA
4727	2	/AP
4734	1	PESNEI
4735	1	ΘANA • MAC⟨I⟩
4737	1	ΘANA LEΘARIA
4738	1	RAMΘA : VAN+
4738	2	+⟨I⟩Aś : MANASA
4739	1	IZU
4739	2	[T]ITE • NURZIU
4740	1	[L]⟨E⟩ΘARI : CANINA[L]
4741	1	ARNT : LEΘ⟨AR⟩I : AULEś
4742	1	RAMΘA
4742	2	⟨V⟩ELEś LAUT+
4742	3	+NIΘA
4743	1	VL • VIPI : VESCU
4744	1	LAΘI
4744	2	VEZANAś
4745	1	VL : ⟨R⟩APLNI
4746	1	AΘ : AMUNI
4746	2	AΘ
4747	1	RAMΘA
4748	1	ARN
4749	1	HASTI : CAURI
4750	1	AULE : TITE : AULESA
4751	1	AΘ • MURINA
4751	2	LΘ • C⟨R⟩EICESA
4752	1	VEL • LAUXMSNI
4753	1	ARNΘ • VIPI • śINU
4754	1	HASTI : UVIA :
4755	1	SEΘRE PAZINI •
4756	1	LARNΘAL PAPALś
4757	1	◇◇◇TNEI : CAΦATEś
4758	1	VE • REMNI
4759	1	[L]A REMN[I]
4760	1	AULE • AR⟨N⟩ΘAL
4760	2	HULUNI
4761	1	[LARΘ]I [•] RAU+
4761	2	+[FI • V]ELESIA+
4761	3	+ś
4762	1	LARΘ : LECSTINI : AULESA
4763	1	LΘ : ⟨C⟩ULTANEI : TETINASA
4764	1	PEIΘI : CULTANASA
4765	1	VEL : MARC+
4765	2	+NI : TINUTA
4766	1	ΘANA : CALLIA : VELXESA
4767	1	{C • ARINIUS • C • F
4767	2	VEIENTO
4767	3	TITIA • SUEN[IA]
4767	4	CNATUS}
4768	1	{C • ARINIUS
4768	2	VEIENTO}
4769	1	{C • AUFIDI • C • F
4769	2	HARISP◇◇◇◇
4769	3	VETTIA VAEΘN◇◇
4769	4	NAT}
4770	1	{C • AUFIDI • C • F
4770	2	HARIS}
4771	1	{VETTIA
4771	2	SEX • F • QUARTA}
4772	1	{C • VETTIUS • C • L
4772	2	PLINTHA}
4773	1	{SATELLIA • C • L
4773	2	PHILEMATIU
4773	3	UXOR • C [•] VETTI
4773	4	PLINTHAE}
4774	1	{UXOR
4774	2	SATELLIA
4774	3	PHILEMATIU
4774	4	PLINTHAI
4774	5	C • VETTI}
4775	1	{C • VETTIUS • C • L
4775	2	FLACCUS
4775	3	SATTELLIA
4775	4	CNATUS}
4776	1	{C • SATELIUS
4776	2	C • F • RUFUS}
4777	1	{C • ⟨G⟩ELLIO • C • F • APULO}
4778	1	{C • GELLIUS • C • F
4778	2	APULUS}
4779	1	{C • GELLIUS • C • F DEXTER}
4780	1	{C • PAPIRIUS • C • F
4780	2	PAMPHIL}
4781	1	VEL : PVNACE : VELUS : CUML[NIAL]
4782	1	CUMNIA : PUNACESA

4783	1	{A • RUPE◆◆A}
4784	1	{SARRONIA
4784	2	HOSPITA}
4785	1	{CAVIA
4785	2	O • F
4785	3	L • CRAINI A
4785	4	UXOR}
4786	1	{C • VER<G>I+
4786	2	+LIUS • A • F}
4787	1	ΘANIA • VIPIN<E>I • U<E>NU<N>[IA]
4787	2	LARΘAL
4788	1	{Q • POMPONIUS • C • F • LIB
4788	2	ASQA<O>}
4789	1	LARΘ ACLNIś
4790	1	ΘANICU • LUTNI+
4790	2	+ΘA • VETIś
4791	1	[ΘA]NICU • LUTNIΘA • VETIś
4792	1	EVANTRA
4792	2	LT
4793	1	EVANTRA LT
4794	1	APLUNI • LUNI • LEIX◆◆ [•] LAUTNI
4795	1	ΘANA
4795	2	HELI
4795	3	ALFNISA
4796	1	CAINEI
4796	2	ALFNEI
4796	3	HELIAL
4797	1	ΘANA
4797	2	PURNEI
4797	3	ALFNISA
4798	1	ΘANA
4798	2	PETRUI
4798	3	ALFNISA
4799	1	ΘANIA • PETRUI
4800	1	ARNΘ LATIN[I]
4800	2	PEΘNAL
4801	1	ΘANA : LATINI : CALSUSA
4802	1	AMNEI
4803	1	LΘ • ATAINI
4803	2	LARISAL
4803	3	RESTUMNAL
4804	1	VL • VELSI • VL • TREPUNI
4805	1	{L • VIBIUS • L • F • ARN}
4806	1	PUPI • NUM
4807	1	ΘANIA : śALINEI
4807	2	HERINIAL : CAR<V>
4808	1	LART • ALFNI • <V>
4809	1	ARΘ : TUMLTNI :
4809	2	TREPINAL
4810	1	LAR : AXUI :
4810	2	CARPNA
4810	3	TESA
4811	1	LARIS
4811	2	CUCU+
4811	3	+MA
4812	1	LARΘ<I>
4812	2	VIPI
4812	3	ESI
4813	1	LARΘI
4813	2	PRUCIU
4814	1	VL • SΘ • AN+
4814	2	+AINAL
4815	1	ΘANA
4815	2	śTENIA
4816	1	CERTU : LAUT+
4816	2	+NI :
4816	3	TLESNAś
4817	1	VEIANI PUPUS
4818	1	[V]EIANI : PUNPUSA
4819	1	AR : ZILNI : XURNAL :
4820	1	HA : VELNIA : LATAL
4821	1	AR • CUMERE
4821	2	[A]R • TUTNAL
4822	1	◆◆N◆ CUPSLNA • ARNΘAL
4823	1	ARNΘ : CAULE : VIPINAL
4824	1	ARIST<I>A
4825	1	LAR : CEZRTLE
4825	2	VIPINAL
4827	1	AΘ • PUMPU • LARΘAL
4827	2	CAMPES
4828	1	LAR<Z>A ΘUCERU SATNAL
4829	1	LARΘI : HERINI :
4830	1	ΘANA : ULINEI : VELUś◇◇◇◇ś : LATITEś §
4831	1	<L>AR<Θ> • PUPLI
4831	2	/PUPLI • TARNXNTIAś
4832	1	LΘ • AXARI • AULES
4833	1	LARΘI • ANCARIA
4833	2	LARΘAL
4834	1	ARΘ • CA+
4834	2	+E
4835	1	LA<R> : CA<E> : A<U>
4836	1	{A • LAUCINNA • LAR • F}
4837	1	{C • LUCRETI
4837	2	LART • F}
4838	1	ARNΘ PETRU
4838	2	HERINIś

4839	1	LAR AMNI
4840	1	{C • SABO
4840	2	L • F}
4841	1	VEL • SEP+
4841	2	+IE
4842	1	VELIA • SC+
4842	2	+ETANIA
4842	3	10
4843	1	{VAFRIA • GALLA
4843	2	ΘIONISIA<E> • <F>}
4844	1	{C • VESINIUS •
4844	2	HIC • SITUS •}
4844	3	LA • NUNE
4845	1	ΘAN • PUI<A>
4847	1	LARIS : CAE : LARISAL : SAΘNAL :
4848	1	PETRUI : LS : CAEŚ : SATNAL
4849	1	HASTI : CAINEI : CRES[P+
4849	2	+I]<A>
4850	1	AΘ : VARNA : HELUSNAL :
4851	1	ΘANIA : VARNEI : HELUSNAL : ŚEC : UMRANASA
4852	1	ΘANA • MEINEI • VARNAL
4852	2	/PRESNTESA
4853	1	ARΘ : LARCE : CARNAL •
4854	1	LARΘI : CARNEI : AΘL : LARCEŚ : PUIAL •
4855	1	VEL LARCE • VELU<A>◇◇
4856	1	ΘANIA : PATISLANI : VELUAL : ŚEX
4857	1	AΘ : LARCE : VETUAL
4858	1	ΘANIA • VETUI • LACE/
4859	1	LARΘI : VET LA
4860	1	AULE TRETRA
4861	1	AULE : TRETNA
4862	1	ΘANIA : LARCI : NAXRNAL :
4863	1	AR : LARCE : PULFNAL
4864	1	LARΘIA : LARC : FRAVNISA •
4865	1	VL • LARC<E> • A◇◇◇AL :
4866	1	FASTIA : FU+
4866	2	+NEI : FULNA+
4866	3	+LISA
4867	1	LΘ : SEIANTE : HANUSA : HELI+
4867	2	+AL : CLAN
4868	1	VELIA : SEIANTI
4868	2	HANUNIA : TITIAL
4869	1	VELI : SCIANTI : HANUNIA : TITIA
4870	1	VELIA : TITIA
4870	2	LAU<T>[NIΘ]A
4871	1	TITA : USTIUŚ
4872	1	VL : ANE : LARU[Ś]
4873	1	CELMNEI : LAUCINIESA
4874	1	LARZIU : SEΘRNAS : LAUTNI :
4875	1	/AL
4876	1	VL : ANE : VEIZIAL : VL : APRINΘU
4877	1	LARIS • AULE
4877	2	CAINEI
4878	1	VERCNEI
4878	2	VL : AU
4879	1	ΘANA : PERCNEI :
4880	1	VL : <T>ITE CAΘA : VPINAL
4881	1	ΘU : TITE ARNΘI : AU TIT AU
4882	1	ΘANIA • TITI • LATINIAL • ŚEC • HANUSLISA
4883	1	ΘA CICUI
4883	2	RUMAΘEŚ
4884	1	ΘANA : CENC<U>I :
4885	1	TANA
4885	2	LETARIA
4885	3	AULES
4885	4	RUMATES
4886	1	V LARCE
4886	2	VEL<U>Ś
4887	1	ΘANA : PTRUI
4888	1	ΘA SEP+
4888	2	+RSNEI
4889	1	◇A◇◇◇A◇◇PURNAL :
4890	1	VEMEI : LAMISA
4891	1	VL : TITANIA : VINEI
4892	1	VEL : APRTE
4893	1	AΘ : APURTE : <A>
4894	1	ARNZA : AP+
4894	2	+RTE : LA
4895	1	[Θ]ANA : SVESTNEI : APURTE[Ś]
4896	1	[F]<A>STI : <T>ITIA : AΘNUSA
4897	1	L • ANAINEI
4898	1	LARΘ • L/
4898	2	AIN<A>/
4899	1	LARΘI • A[NA]INIA
4900	1	<A>RN<Z>ILE • AFUNAŚ • LAUTNI
4901	1	A : VETUNI : AΘUNUNAL
4902	1	ΘANIA : HUSTANEI : ŚALIESA
4904	1	LA[R]Θ : MARCNA :
4905	1	AULE : PETRUNI : AΘ : CU<T>NALISA
4906	1	LARΘI • LAUTNI<T>A
4906	2	PETRNAS
4907	1	[L]ARΘI • PURNEI : RAPALNISA
4908	1	LΘ : TETINA : LATINIAL :
4909	1	ΘANIA : HERINI : TETINASA :
4910	1	AΘ : VETIE
4910	2	VIPINAL

4911 1 ARNZA : IURA◇◇◇◇TANAL : LR◇◇◇
4912 1 ΘANA • URINATI • TUTNASA
4913 1 LARΘI
4913 2 URINATI
4914 1 PUPLINE
4915 1 AUPULSUTINA ∘ AU ∘ CALISNAL
4916 1 A<RNΘ> :
4918 1 TITE : ECNATE : TURNS
4919 1 TINIA
4919 2 TINSCVIL
4920 1 TINIA : TI[NSCVIL]
4921 1 M[I] MAMARCES T[A]<R>XELNAS
4922 1 MI LARΘURUS TARXVETENAS
4923 1 MI MAMARCES VELΘIENAS
4924 1 AVELE PELEARAS MI
4925 1 MI [M]AMARCE[S] <R>A[N]A<T>I<E>L[AS]
4926 1 <M>I V<EN>EL<U>S SPURI<E>NA[S]
4927 1 MI VENILUS TREΘELIES
4928 1 <A>RANΘIA VIśE<N>[AS]
4929 1 MI M<AM>ARCE[S] <P>AP<A>LNAS
4930 1 NEM◇
4931 1 MI LARΘA RAMΘURNAS
4932 1 MI ARANΘIA HA[P]IRNAS
4933 1 MI VELELIAS ERIES
4934 1 MI MAMARCES APS◇◇◇◇
4935 1 MI KVI◇◇ECE◇◇◇◇
4936 1 MI V<EN>ELUS ES<V>[ANAS]
4937 1 LARISA LATINIES MAMACRES
4938 1 MI LARECES ΘUI◇◇◇◇
4939 1 MI RAMNUNAS śATANAS
4940 1 RANΘIA KALAPRENAS
4941 1 MI VELΘURUS LAIVEN[AS]
4942 1 MI MAMARCES śUΘIENAS
4943 1 MI AVELES VELVHERAS
4944 1 MI ARANΘIA ⊕LAVIENAS
4945 1 MI LARΘIIA CAMUS śUΘI HEΘU
4946 1 MI ARANΘIA RAMAITELAS
4947 1 MI ARANΘIA ΘANURSIE[S]
4947 2 §
4948 1 MI PUMPUS ΘURMEPNAS
4949 1 MI ARANΘIA TEQUNAS
4950 1 SPURIE RITUMENAS
4951 1 MI A<R>RANΘIA TUCMENAS
4952 1 MI AVELUS VHUL<U>ENAS RUTELNA[[S]]
4953 1 MI VENELUS ATES
4954 1 MI PIΘES TERMUNAS
4955 1 MI LARICE MULVENAS SUΘI
4956 1 NI LARISA LARECENAS KI
4958 1 MI VELΘURUS PERECELE<S>
4959 1 MI VELΘU[RU]<S V>AI<PN>AS
4960 1 MI <V>ENEL<U>S VE⫽
4961 1 M[I] <L>ARΘIA NU<V>⫽
4962 1 ◇◇◇◇E SATERNAS
4963 1 ◇◇◇◇SIΘI
4964 1 ⫽<IS>PU⫽
4965 1 MI LARΘIA <S>TRAMEN[AS]
4966 1 MI LARΘIA HULXENAS VELΘURUSCLES
4967 1 ◇◇VELERKACENAS
4969 1 ARANΘ[IA] ◇◇◇
4970 1 MI VELTURUS SKANESNAS
4971 1 ⫽RCES<⫽>
4972 1 ⫽<I>A<Uś>⫽
4973 1 ⫽ISNAS
4974 1 ⫽ELN⫽
4975 1 ARANΘI⫽
4976 1 ⫽<E>S
4977 1 MI <AR>[ANΘIA] ⫽
4978 1 MI ARAΘIA AR<A>ΘENAS
4979 1 MI LARISA PLAISINAS
4980 1 MI MAMARCES KAVIATES
4981 1 MI ΘUCERUS A<NX>ES
4981 2 §§
4982 1 MI LARΘIA AMANAS
4983 1 MI SPURIES AT<E>CENAS
4983 2 §§§§
4984 1 MI AVILES SASUNAS
4985 1 MI VELELIAS HIRMINAIA
4986 1 MI LAR<IC>ES TELAΘURAS śUΘI
4987 1 MI MAMARCES TVEΘELIES
4988 1 MI LAUXUSIES LATINIES
4989 1 MI MAMARCES TRIASNAS
4990 1 MI LARΘIA SRUPINAS
4991 1 ⫽VERCENAS
4992 1 MI VELΘURUS MUIELNAS
4993 1 MI ARANΘIAL <HERS>INA[S]
4994 1 <R>AMUΘA ESXUNAS
4995 1 CASNE
4996 1 LARΘI : HERSUS
4997 1 MI LARΘIA śUΘIENAS
4999 1 [L]<A>RISAL : ◆
5000 1 LARΘ CUPURES ARANΘIA
5001 1 ARNΘEAL CAICNAS ΘAMRES
5002 1 ⫽S
5002 2 ⫽<A>ΘE <⁝> R<A>⫽+
5002 3 +⫽◆ES : S<VA>⫽
5003 1 MI U<ś>ELES APENAS śUΘI

5004	1	M<I V>ELΘU<R>US HU<L>X<E>NAS KA<E>[S<~>]
5005	1	MI <A>VILES <V>HULVEN<A>S
5006	1	VENEL NEVER<N>AS
5007	1	PIΘES LENTENAS
5008	1	≠S HE<ΘU≠>
5009	1	MI VENE<L>[US] ≠
5010	1	MI MAMARCES VETUSA<L>
5011	1	≠S VERTES◆≠
5012	1	<≠L>ARICESALVE<Θ>◆≠
5013	1	MI UŚE<L>ES AP<EN>[AS] <≠>
5014	1	≠<Θ>UI
5015	1	<MI KA>[ES] ≠
5016	1	MI LARISAL SXAΘR<N>[IES]
5017	1	MI VELELI<A>[S] ≠
5018	1	LARISAL
5018	2	VELΘURA
5020	1	MI : VETUS : MURINAS
5021	1	MI VENELUS VINUCENAS
5022	1	MIKALAIRUΦTIUS
5023	1	MI VENELUS P≠
5024	1	◇◇ARANΘIACAP◇◇◇◇◇
5025	1	[<MI> L]<A>RΘI<A><◆> ≠
5026	1	[[<MI> MA]]MARCES SUTUS APENAS
5027	1	[[<MI> AVE]]LES PLAISENA<S>
5028	1	MI SPURIES A<X>I<LE>NAS
5029	1	ENTENAS LAR
5030	1	≠ALEIN≠
5031	1	≠CE <P>ANA≠
5032	1	◇◇◇◇E • PETAS • V◇◇◇◇
5033	1	VEL : HERCLES : VELUS :
5034	1	VEL : ARMNES : VIPE :
5034	2	S
5035	1	◇◇◇◇AIAS
5036	1	◇◇◇NISC◇◇◇
5037	1	MI LARECES ZUXUS MUTUS
5037	2	ŚUΘ<I>
5038	1	[[<MI>]] AVE<L>ES ΘI≠
5039	1	CAE : PETRUNIE : ACRIES
5040	1	ŚEΘRES MURCNAS
5041	1	ΘANIA : FNESCI : AR :
5042	1	LARΘ§PEISETI<E>S • TITES •
5043	1	MI LEΘAES VIRC • ENAS
5044	1	[<MI> MAMA]<R>CE<S> P<L>ASENA[[S]]
5045	1	MI VEN<E>L<U>S SANXUN[AS]
5045	2	CLEVSU[[S]]
5046	1	AKAS <L>ARICES
5047	1	[M]I VENELUS CENQUNAS
5049	1	MI VENELUS PRUSCENAS
5050	1	SERTUR : NEVRNIES
5051	1	CAIA CULTECEZ
5052	1	MI LARΘIA TEQ[UNAS] <≠>+
5052	2	+VΘU
5053	1	≠[H]<E>RMENAS MA
5054	1	ARANΘIA TEQU+
5054	2	+NAS
5055	1	LARECE TEQUNAS
5056	1	MAMARCES UNAS
5057	1	≠ΘI<A>L NU≠
5057	2	/≠UNA[S]
5058	1	ŚEΘRE TINS
5059	1	MI ARANΘIA SKANASNAS
5060	1	≠CAAIES
5061	1	<M>I LARΘIA PURZES • UŚELES
5062	1	MI AVE
5063	1	AVE
5064	1	LARΘ : FELZA : PE :
5066	1	VUVZI<E>S PLAV<I>S
5068	1	[<MI> VE]<N>ELU<S>≠
5069	1	MI LAR≠
5070	1	≠L <H>≠
5071	1	LARΘEAL CAICN<A>[S] <Θ>AMRIES CANA
5072	1	LARΘ : MELISNAS :
5073	1	V <•> VE<L>NAS <•> Ś
5074	1	ARNΘ : CEΘURNAS <:>
5074	2	LARΘEAL
5075	1	<AVLE> [: C]<EΘ>URNAS : AVLE<S :>
5076	1	TR <:> FALAΘRES <:>
5077	1	ŚEΘRA : VUISI
5079	1	ΘRAMA [:] MLI◆UNS
5080	1	ΘRESU : F◇SIΘ<R>ALS
5081	1	RE<◆>◆I<ŚME>ΘU<MF>S
5082	1	TR : ΘUN : ŚU<M>
5083	1	PAZU : MUL◆◇AN<E>
5084	1	KLUMIE : PARLIU
5085	1	TESINΘ : TAMIAΘURAS
5086	1	AKLXIS : MUIFU
5087	1	RUNX<L>VIS : PAPNAS
5088	1	ΘRESU : PENZNAS
5089	1	≠MAΘ
5089	2	≠TA
5090	1	EITA
5091	1	ΦERSIPNAI
5092	1	VEL : LEINIES : LARΘIAL : RUVA : ARNΘIALUM
5092	2	CLAN : VELUSUM : PRUMAΘŚ : AVILS : SEMΦŚ
5092	3	LUPUCE
5093	1	VEL <:> L<ECA>TE<S> ARNΘIAL • <RU>VA • LARΘIALI/

5093 1 /⟨ś⟩A[M] • CLAN : VELUSUM
5093 2 NEF⟨ś :⟩ MARN⟨I⟩U SPURANA ⟨∘⟩ EPRΘNE⟨C :⟩ TENVE/
5093 2 / ⟨∘⟩ MEXLUM • ⟨R⟩ASNEAS
5093 3 CLEVSINSL◇⟨Z⟩ILAXN⟨V⟩E ⟨∘⟩ PULUM ⟨∘⟩ RU⟨M⟩ITRIN/
5093 3 /⟨E :⟩ ΘI • MA◆CE • CLEL ⟨∘⟩ LU⟨R⟩
5094 1 ARNΘ • LEINIES • LARΘIAL • CLAN • VELUSUM
5094 2 NEFIś [∘] AILF◇ [∘] MARNUX • TEF • ESARI : RU[V/
5094 2 /A]
5094 3 L[ECATES ∘ VELUS ∘] AMCE
5095 1 KRANKRU
5096 1 KURPU
5097 1 ◇◇◇◇◇◇◇◇◇◇R ΘUVA • LARISAL [∘] ΘAS⟨C⟩⁄
5097 2 ◇◇◇◇◇◇◇◇◇◇CLAN [∘] VELUSUM [∘ NEFIś] ⁄
5097 3 ΘA⟨R⟩X : METIA◇◇◇◇◇◇◇◇◇◇⟨A⟩L⟨S⟩◆⟨⁄⟩
5097 4 ◇◇◇CM◇◇◇EZ◇◇◇◇◇◇◇◆LIAM⟨⁄⟩
5097 5 ◇◇◇PRUMSTE◇◇◇◇◇◇⟨R⟩ICE ∘ MEΘLUM
5097 6 ◇◇◇◇◇◇◇◇◇◇◇◇◇⟨L⟩ ∘ VACL ∘ LARΘ • CUSI
5097 7 ◇◇◇◇◇◇EN◇◇◇⟨A⟩SILM [•] TU⟨L⟩ [∘] L ∘ ⟨S⟩UPLU
5097 8 ◇◇◇◇◇◇◇◇◇◇◇◇◇STE⟨◇⟩ [∘] ATIM [∘] ⟨CANΘE⟩
5097 9 ◇◇◇◇◇◇◇◇◇◇◇◇◇ARSVI⟨E⟩
5098 1 ⁄⟨A⟩NI
5099 1 ⁄FAR⟨Θ⟩NAX[E] ⁄+
5099 2 +~+
5099 3 +~
5100 1 ◇◇◇VA
5100 2 LARΘ
5100 3 LE⟨I⟩N[IES]
5102 1 PRESNΘE
5103 1 ΘANUCVIL ⟨:⟩ CNZUS
5104 1 VEL : CN⟨EZ⟩US
5105 1 VEL : PANI⟨A⟩[T]⟨ES⟩
5106 1 ZAT ⟨:⟩ LAΘ : AI⟨Θ⟩AS
5107 1 LARΘ [: V]⟨E⟩
5107 2 RCNAS
5109 1 ⁄K⟨A⟩⁄
5110 1 LARIS : H[ESCA]NA[S]
5114 1 ◆EΘNACE ⟨∘⟩ HESCANAS
5115 1 VEL : HESCAN[AS]
5116 1 [L]ARΘ [[:]] ⟨H⟩ES[CANAS]
5117 1 ΘA[[N]]XVIL [[:]] S[C]ANSINA[S]
5118 1 ⟨P⟩ETIN⟨A⟩TE ⟨:⟩ HESCA⟨N⟩AS
5119 1 VEL : HESCNAS
5120 1 RAMΘA : VEIANI
5121 1 Θ⟨A⟩NIA LE⟨N⟩TN⟨EI⟩
5122 1 V⟨EL : HALT⟩NAS : LA ⟨:⟩
5123 1 ⟨H⟩ERSINEI ⟨:⟩ A
5124 1 LARΘ : ΘANSINAS
5125 1 RAMΘA LATINI
5126 1 CAE : VE⟨L⟩ΘRI [[:]] L :
5127 1 V : FLERES : VP
5128 1 [ΘAN]AXVIL NUZARNAI
5130 1 ⁄ [SE]⟨R⟩TURIE : ECNATNAS
5131 1 [FAS]⟨T⟩I ⟨:⟩ ALPNEI
5132 1 śEΘRA MUTUI
5133 1 RAMΘA : SESUMSNEI :
5134 1 CAE⟨A⟩ : CETISNAS
5135 1 LARIS CETISNAS
5136 1 ⁄PAN⁄+
5136 2 +⁄U ∘ śU⁄
5137 1 LARΘ AL⟨ZN⟩AS
5138 1 ⁄SENTINATE ⟨∘⟩ UNIAL
5139 1 śEΘR⟨A CLE⟩VSTI
5140 1 ◇◇ELZ⟨A⟩NAS ∘ L◇
5141 1 ⟨ΘA⟩ : VEICN⟨AI⟩
5142 1 CAE : FLERES : C
5143 1 VEL : FLERES : VELUS :
5144 1 AV ∘ SEIES ∘
5145 1 AVLE : PEPNAS : AVLES
5146 1 A ∘ IC⟨U⟩LNEI ⟨∘⟩ PA
5147 1 ATI
5148 1 ⁄⟨U⟩S ARNΘIAL ACL⁄
5149 1 RAMΘA : ALśINEI
5150 1 ΘANIA : TETI
5151 1 ◆EI⟨E⟩M
5151 2 /S⟨T⟩ELAΘU
5151 3 /⟨V⟩ASśUΘI
5151 4 /◆SRAL⟨A⟩
5151 5 /LAS◆śUA⟨L⟩
5152 1 ARESE
5152 2 /LΘIESAS
5152 3 /AIN◆
5152 4 /UIESA⟨R⟩I
5152 5 /EUAXAL
5153 1 VEL : CLEUSTES
5154 1 V : ACRATEZ : V
5155 1 TITE • S⟨E⟩[NTI]⟨NA⟩TE • ⟨PE⟩⟨◆⟩◆⟨A⟩S •
5156 1 F : CLEUSTI
5157 1 VEL : UCI[RINA]S
5158 1 ⁄⟨E⟩S CASNE LARΘ ⟨∘ A⟩⁄
5159 1 C ⟨∘⟩ HUZEZNAS [∘] A
5160 1 V⟨EL :⟩ C⟨A⟩⟨◇⟩◇◇◇◇◇ [LAR]⟨I⟩S+
5160 2 +⟨A⟩L
5161 1 ΘI : CEINEI
5163 1 CAEA : CAPSNEI
5164 1 LARΘ : VIPINIES • V⟨I⟩PE
5165 1 ⟨VE⟩L : TUNIES

5166 1 VIPE <: URA>ISIES
5167 1 <H>ESCNAS : L <:> L
5167 2 I <:> UCLNAS : V :
5167 3 ◆ <: ΘI :> ŚVISER
5167 4 <◇>◇◇◇◇<T>IVA
5168 1 TINIA <:> TINSCVIL
5168 2 S • A<S>IL <:> SACNI
5169 1 ~
5169 2 [T]<I>NSCVIL
5170 1 RANΘU • SEI • A • MURINAŚA
5171 1 ⫽Θ<V>IS <: ER>N<E>L<E⫽>
5172 1 LARIS TATNAS :
5173 1 ŚEΘRA <:> M<E>[L]<I>SN<E>[I]
5174 1 ŚEΘRA : VELΘRITI : AV :
5175 1 FAS[TIA] : TUI
5176 1 A SEIES : HA
5176 2 SACNIŚA
5177 1 PETRU ALEΘN
5177 2 AS
5178 1 RAMΘA : ARMNI
5179 1 <M>ERA : CILENS
5180 1 ΘULUT<E>R
5181 1 <U>ITANICES : HUŚU<R>
5182 1 ⫽A⫽
5183 1 ŚEΘRA : CLEUST<I>
5185 1 <HAVRE>NIE[S]
5185 2 ◇FLERES : C
5185 3 <E>CN <C>EAXV
5185 4 ◇◇◇◇<H>IN<Θ>I<E>
5186 1 [V]<E>LΘUR : <Θ>⫽
5187 1 VX • <A>PRΘNAS • VX
5188 1 VELUS • CATURUS : LARISAL
5189 1 V • CELEZ • V • REXLU
5190 1 [Θ]ANIA <:> MAR<CN>[EI]
5191 1 <NU>MESIA CELES
5192 1 L<U>VCE : PACNIES :
5193 1 Ś • PRUTI
5194 1 ⫽<I>ES : V
5196 1 ΘI : CARCNEI : L
5197 1 ⫽E<Z>◆<⫽>+
5197 2 +⫽<L>ETI<⫽>+
5197 3 +⫽RΘU<⫽>+
5197 4 +⫽<A>TR<⫽>
5198 1 SENTI NAVERIES
5199 1 VEL <•> RAΘUMSNAS <•> A •
5200 1 V : CETISNAS : L
5201 1 SMINΘE : ECNATNA :
5202 1 Θ <:> A<R>MNE [•] <L> [•] <S>E<PRS+
5202 2 +IA>
5203 1 FASTI : CAFATI
5204 1 Θ CEMTIUI • CAPRUNA •
5205 1 LI : CNEVIES : L
5206 1 Θ : RAΘUMSNAS : Θ :
5207 1 AV : RITNAS : AV
5208 1 VEL : SVEITUS
5209 1 Ś : <F>ARARI
5210 1 ΘANIA • FRENTINATI
5211 1 SΘ • VELŚU • <L>Θ • C • LΘ [•] <VE>[LŚU •] INPA/
5211 1 / • <Θ>APICU+
5211 2 +N
5211 3 LΘ C
5211 4 ΘAPINTAŚ • AΘ • VELŚU • LΘ • VELŚU
5211 5 LΘ C
5211 6 LΘ • C • LS • VELŚU • <A>Θ • ŚUPLU
5211 7 AΘ • ŚUPL<U> • L<S> • HASMUN<◆◆>
5211 8 SΘ • CLEUST<E> • <AΘ> • C<L>EUSTE • VL [•] RUNS/
5211 8 /+
5211 9 +<AU>
5211 10 ΘANCVIL • VELŚUI • C<EŚ> • ZERIŚ • IMŚ • SE
5211 11 MUTIN • APRENŚAI<Ś> • <I>NPA • ΘAPICUN
5211 12 ΘAPINTAIŚ • CEUŚN • <I>NPA • <Θ>APICUN • I
5211 13 LUU • ΘAPICUN • CEŚ • ZERIŚ
5211 14 TITI • S<E>TRIA • LAUTNITA
5212 1 LARΘI • SEUNEI • VISCESA
5212 2 ARNTA • RNTLE • RECSA
5213 1 <◇◇◇><U>◆◆LEŚ FELUSKEŚ TUŚNUT ◆◆◇◇◇
5213 2 <◇>◇◇PANA<L>AŚ MI NI MUL
5213 3 UVAN<E>KE H<IR>UM<I>◇ A<ΦER>S NAXS
5214 1 <H>USL HUFNI ΘUI
5215 1 L • ENI
5216 1 [[Z]]ILAΘ
5218 1 NULI<LX>A VEL
5218 2 VEL<U>Ś
5219 1 ΘNTSE HERINE
5220 1 ΘESTIA : VELΘURNAS
5220 2 NESNA
5221 1 ECA ŚUΘI LAΘI+
5221 2 +AL CILNIA
5223 1 ⫽<Ś>A R<AM>ΘA
5224 1 ⫽◆FRAS
5225 1 ECA ŚUΘI LARΘAL
5225 2 <R> • UŚPU
5225 3 L◆<◇>◇◇◆◆ LISAL
5227 1 AVLE PE<T>RUS
5227 2 CELUS
5228 1 <⫽>TRIAS<N>⫽

5229	1	CAL
5230	1	CE⟨T⟩S⟨E V⟩ELNE⟨Ś⟩
5231	1	ECA ŚU[ΘI] HANUΦNE
5232	1	{TVC}
5233	1	LARΘ • RANAZU CAE
5234	1	ZER[T]⟨U⟩[R]
5234	2	CECNAS
5235	1	VE⟨L⟩IA
5235	2	SATNEA
5236	1	ΘA : VENI : LA
5236	2	SE⟨T⟩RA
5237	1	CAUΘAS • TUΘIU • AVILS • 80 • EZ • XIMΘM • CASΘ/
5237	1	/IALΘ • LACΘ • HEVN • AV⟨IL • N⟩EŚL • MAN : /
5237	1	/MURINAŚIE • FALZAŚI :
5237	2	AISERAS • IN • ECS • MENE • MLAΘCEMARNI • TUΘI /
5237	2	/• TIU • XIMΘM • CASΘIALΘ • LACΘ :
5237	3	MARIŚL MENITLA • AFRS • CIALAΘ • XIMΘM • AVILSX/
5237	3	/ • ECA • CEPEN • TUΘIU • ΘUX • IXUTEVR • HE/
5237	3	/ŚNI • MULVENI • EΘ • ZUCI • AM • AR
5237	4	/MLAXΘANRA
5237	5	CALUSC • ECNIA •
5237	6	◆◆
5237	7	AVIL • MIMENICAC • MARCALURCAC • EΘ • TUΘIU • N/
5237	7	/ESL • MAN • RIVAX • LEŚCEM • TNUCASI • ŚURI/
5237	7	/S EIS TEIS • EVITIURAS • MULSLE MLAX
5237	8	TINS • LURSΘ • TEV
5237	9	ILAXE HUVIΘUN
5237	10	LURSΘ SAL
5237	11	AFRS • NACE • S
5238	1	ECA • ŚΘI •
5238	2	VUIZES • VEL • L
5239	1	[ECA ⟨:] Ś⟩UΘI : ΘANXVILUS : MAŚNIA⟨L⟩
5240	1	ECA : ⟨Ś⟩UΘI ⟨: HE⟩RINS : SATI⟨E⟩S ⟨:⟩ MANCA⟨S⟩
5241	1	ECA • ŚUΘI • LARΘAL ⟨•⟩ TARSALUS • SACNIU
5242	1	[EC]A • ŚUΘI • C⟨RE⟩ICI • Θ ⟨•
5242	2	ATRE⟩NU • PAR • PRI⟨L⟩◆
5243	1	[EC]⟨A⟩ [[•]] ŚUΘI • TETIA+
5243	2	+IAL • RAMΘAS •
5243	3	⟨L⟩AΘ⟨E⟩RIALX • RAV+
5243	4	+⟨N⟩ΘUS
5244	1	◆L⟨PN⟩ES • L [•] FICL⟨I⟩A⟨C⟩ [•] §⟨Ś⟩EΘR⟨A⟩
5245	1	[RA]⟨M⟩ΘA : PAPNI : ⟨ARM⟩NES : AP⟨U⟩⫽
5245	2	⟨◇⟩◇◇A : HATRENCU ⟨:⟩ SACN⟨IŚ⟩[A] ⫽
5246	1	ŚEΘRAS • AN • AMCE • TETNIES • LARΘA[L •] ARNΘA/
5246	1	/LIŚ⟨L⟩A • PUIA
5247	1	RAVN
5247	2	ΘU SEI
5247	3	TI⟨ΘI⟩
5247	4	A⟨TI⟩VU
5247	5	SACNI
5247	6	ŚA • AT⟨UR⟩
5247	7	Ś
5248	1	AIVAS
5249	1	CAŚNTRA
5250	1	LAR◆◆ SATIES • LARΘIAL • HELS • ATRŚ
5251	1	ΦUINIS
5252	1	NESTUR
5253	1	CELA : SALΘN
5256	1	AXMENRUN
5257	1	HINΘIAL : PATRUCLES
5258	1	VANΘ
5259	1	AXLE
5260	1	TRUIALS
5261	1	XARU
5262	1	AIVAS : T⟨LA⟩MUN
5262	2	US
5263	1	TRUIALS
5264	1	AIVAS : VILATAS
5265	1	TRUIALS
5266	1	CAILE VIPINA
5266	2	S
5267	1	MACSTRNA
5268	1	LARΘ : ULΘES
5269	1	LARIS • PAPAΘNAS : VELZNAX
5270	1	PESNA • ARCMSNAS : SVE⟨A⟩MAX
5271	1	RASCE
5272	1	VENΘICA⟨U⟩⟨◆⟩◆◆◆⟨◇⟩◇⟨P⟩LS⟨A⟩XS
5273	1	AVLE • VIPINAS
5274	1	MARCE • CAMITLNAS
5275	1	CNEVE
5275	2	TARXUNIES
5275	3	RUMAX
5276	1	VEL • SATIES
5277	1	ARNZA
5278	1	ΘANXVIL : VERATI : HEL⟨S⟩ [:] A⟨TR⟩Ś
5279	1	ΘAN⟨X⟩[VIL] ⫽
5280	1	SISΦE
5281	1	AMΦARE
5282	1	⫽ • ⟨SA⟩TIE◆SR◆◆⫽
5283	1	⫽⟨T⟩AR⟨NAI⟩⫽
5284	1	⟨ARNΘA⟩⫽
5285	1	TAR⟨N⟩AI ⟨: Θ⟩ANA [:] SAT⟨I⟩AL [:] SEC
5286	1	MURA • L [•] ⟨A⟩R
5287	1	⟨⫽⟩MURA⟨S A⟩⫽
5288	1	TUTES : A⟨R⟩[NΘ⟨~⟩]
5288	2	LAR⫽

5289 1 ANISTALI ∘ Θ ∘

5290 1 TARNAS • A ∘ V

5291 1 TARNAS : VEL • VELUS

5292 1 TARNAL ∘ RAMΘAS

5293 1 {M ∘ TA<R>NA ∘ M ∘ F}

5294 1 TARNAS ∘ MARCE ∘ VELUS

5295 1 T<ARNA>◆◆<⫽>

5296 1 TARNAS : M<◇>

5296 2 TARNAS ∘ VEL

5296 3 ARNΘAL

5297 1 ⫽ [VE]LUS<⫽>

5298 1 TARNAS ∘ LARΘAL • VELUŚLA

5298 2 /TITUTI : VELA

5299 1 LARΘ : TARNAS : VELUŚA

5300 1 TARNA : VEL ∘ LARΘAL

5301 1 [E]<C>[A ∘] ŚUΘI ∘ UNAS ∘

5301 2 <A>RNΘAL

5302 1 MARCE : TETNIES : VERU : SACNIU

5303 1 MI ŚU<ΘI> AV<L>ES <◆>◆+

5303 2 +◇◇◇◆<TU>[S]

5304 1 MI RUPŚTINAS

5305 1 RAMΘA<S :> A<T>IE<S>

5306 1 MI LARU◆ARTIAL ITUN UMTAŚ<XU>

5307 1 ⫽HELSC<⫽>

5308 1 ⫽TRUNAS RACVEΘA<⫽>

5309 1 TUTES ∘ ARNΘ ∘ LARΘAL

5310 1 TUTES ∘ MARCE ∘ LARΘAL

5311 1 MURAI ∘ Ś<E>ΘRA [[∘]] HELSC

5312 1 RAMΘA : VIŚNAI [:] <A>RNΘ<E>AL : T<ETN>[I]ES : /

5312 1 /PU<I>A

5313 1 AN : FARΘNAXE : ARNΘEALS : TETNIS : RAMΘESC : V/

5313 1 /IŚNAIAL

5313 2 Ś

5314 1 AN : FARΘNAXE : MARCES : TARNES : RAMΘESC : XAI/

5314 1 /REALS :

5314 2 /LARΘ <:> TETNIES

5314 3 /ΘANXVIL TARNAI

5315 1 TUTE : LARΘ : ANC : FARΘNAXE <:> TUTE : ARNΘALS/

5315 1 / LU<PU :> AVILS : ESA[LS] <:> CEZPALXALS

5315 2 HAΘLIALS : RAVNΘU : ZILXNU : CEZPZ : PURTŚVANA /

5315 2 /: ΘUNZ

5316 1 TU<T>ES • ŚEΘRE • LARΘAL ∘ CLAN ∘ PUMPLIALX ∘ V/

5316 1 /EL<A>S • ZILAX<N>UCI<X>

5316 2 ZILCTI ∘ PURTŚVAVCT<I> • LUPU • AVILS • MAXS • /

5316 2 /ZAΘRUMS

5317 1 <◇>◇<TE>S • ⫽

5318 1 TUTES • ARNΘ • LARΘAL

5319 1 ΘANICU⫽

5320 1 TARNAS • LARΘ • LARΘAL • SAT<IA>[L • A]<P>A • H/

5320 1 /ELŚ • ATRŚ

5321 1 ECA <:> ŚUΘIC : VELUS : EZPUS [:]

5321 2 /CLENSI : CERINE

5322 1 RUMLNAS : ŚEΘRE<S>

5323 1 CUTNEAL ΘN

5323 2 XVILUS

5324 1 <⫽>LARΘ⫽+

5324 2 +<⫽>TN PUMPU[S] ⫽+

5324 3 +<⫽>PUIA[M] AM[CE] ⫽

5325 1 ⫽AS⫽+

5325 2 +⫽PI<N>IE⫽

5326 1 LARΘIA

5326 2 /LAR<Θ>IAL ∘ ANIENAS ∘ ŚUΘI

5327 1 ARAΘ <: S>PURIANA <: Ś>[UΘ]<I>L HECE : CE : FAR/

5327 1 /ICEKA :

5328 1 ΦERSU

5329 1 LATIΘE

5330 1 PEITU

5331 1 TEVARAΘ

5332 1 TEVARAΘ

5333 1 APAS TANASAR

5334 1 TANASA<R>

5335 1 ΦERSU

5336 1 CIVESA<◆>◆AMATVESICALESECE : EURASVCLESVASFESΘI/

5336 1 /XVAXA

5337 1 VE◆◆◆◆ <A>NIIES

5338 1 PUNPU

5339 1 TETIIE

5340 1 ARAΘ VINACNA

5341 1 AVILEREC : IENIIES

5342 1 LARΘ MATVES

5343 1 LARIS FANURUS

5344 1 ARAUΘLEC : IENEIE<S>

5345 1 AEFLA

5346 1 VELΘUR

5347 1 LARIS LARΘIIA

5348 1 [L]A[RΘ] ⫽

5349 1 <N>UCRTELE

5350 1 <EI>CRECE

5351 1 AN<Θ>ASI⫽

5352 1 FIVAN⫽

5354 1 ARNΘ : VELXAS

5355 1 VEL<I>[A :] ⫽

5356 1 <X>[ARU<N>]

5357 1 LA<RΘI>ALE : HULXNIESI : MARCESIC : CALIAΘESI :/

5357 1 / MUNSLE : NACNVAIASI : ΘAMC<E> : LE◆⫽

5358 1 <◇◇>◇◇◇◇◇◇◇◇◇INAS : SACNI : ΘUI : <C>ESEΘCE

5360	1	⫽◆U<R>INA<S> : AN : ZILAΘ : AMCE : MEXL : RASNA/
5360	1	/L
5360	2	⫽<◇>◇◇◇◇◇◇◇◇◇ś : PURΘ : ZIIACE : UCNTM : HE<CC>/
5360	2	/E
5360	3	[R]AVNΘU
5360	4	[Θ]EFRINAI
5360	5	◆ <:> NACN◆<V>A
5361	1	⫽<I>ś<ΘI>◆◆◇◇<Θ>A◇Θ<NA><◆>◆<IC>E
5362	1	⫽<S> [:] <AR>N<Θ : LA>RΘAL
5362	2	~+
5362	3	+~
5363	1	CUCLU : ˘UΘUSTE
5364	1	AITA
5365	1	ΦERSIPNEI
5366	1	CE<R>UN
5367	1	EIVA<S> ◆⫽
5368	1	HINΘIAL TERIASALS
5369	1	[AX]MEMRU<N>
5370	1	⫽<MI>Θ⫽
5371	1	⫽MES◆<⫽>
5373	1	TUPISISPEś
5374	1	ΘESE
5375	1	TUXULXA
5376	1	◇◇◇<I> ∘ R<AM>AΘA ∘ VELUS ∘ VESTRCNIAL ∘ PUIA ∘/
5376	1	/
5376	2	[AM]<CE> ∘ LARΘAL [∘] <L>ARΘA[LIśL]A ∘ SVALCE ∘/
5376	2	/ 19
5378	1	RAVNΘUS : FELCIAL [:] FELCES : ARNΘAL : LARΘIAL/
5378	1	/ : VIPENAL
5378	2	śEΘRES : CUΘNAS : PUIA
5379	1	LARΘ : VELX<A>
5380	1	V<E>LI<A>
5380	2	S<EI>TIΘI
5381	1	VELXAI
5383	1	VELΘUR
5383	2	<VE>LXA
5384	1	RAVNΘU
5384	2	A<P>RΘNAI
5385	1	◇◇◇◇◇◇◇◇◇◇◇◇◇◇◇◇◇◇◇◇◇◇◇◇◇◇◇◇◇◇US : CLA◇◇◇◇◇◇◇◇◇/
5385	1	/◇CAI
5385	2	◇◇◇◇◇I<A>◇◇◇◇◇◇◇◇◇◇◇◇◇◇◇◇◇◇◇◇◇◇◇◇NUALU<C> [:] <F>/
5385	2	/ES◇◇◇◇◇◇◇◇◇◇◇<M>ULA
5385	3	◇◇ICEXA<RI> : PAPAC<E :> ARΘC<VE>LISVAś◇◇◇◇◇◇AI/
5385	3	/ : C◇◆◆RΘUTA◇<E>◇◇◆<◇>◇ΘAVI
5385	4	◇◇<U> ∘ CEXASIEΘUR : ERCEFAś <:> MANT : CANIRAX/
5385	4	/AΘCESNI<E>LΘA : S◇U◇E : ΘEAIX◆<◇>IC<U>
5385	5	C◆<M> : CEXANERI : TENΘ[A]<S : AC>RIA<L>SM : AR/
5385	5	/USIAS : CAR <∘> I◇◆CE◆◇Θ<A>L <:> ◆AR<N>ASAP/
5385	5	/A
5385	6	A<L>ATIE : ERCE : FIśE : <TETASA>S<I : H>AMΦETE/
5385	6	/ : CLESNES : ΘURS : U◇ΘU <:> CES◆◇◇
5385	7	ZILCI : <I><◇>◇◇<U>SI : H◇◇X<◇>◇◆IE<S>I◆<◇>
5386	1	LARΘ
5386	2	VELXA
5387	1	V<E>[LIA]
5387	2	<SEITIΘ>[I]
5388	1	<Z>[I]LCI : VEL[U]<S : H>UL
5388	2	XNIESI : LARΘ : VEL
5388	3	XAS : <V>EL[ΘU]<R>S <:> APRΘ<N>[AL]
5388	4	C : C<L>[A]N : SACNIśA : ΘU
5388	5	I : [EI]Θ : śUΘIΘ : ACAZR
5389	1	LARΘ : V<ELX>AS
5389	2	VELΘ<U>R[U]<S> : CLAN
5389	3	LARΘIAL<Iś>LA
5390	1	VEL : <VEL>[XA<S>]
5391	1	<A>RNΘ
5391	2	<∘ VE>LXA
5392	1	<RAV>NΘU :
5392	2	<A>PRΘNAI
5393	1	VELΘUR : V<ELX>A
5394	1	A<R>NΘ ∘ V<ELX>AS : [L]<AR>[IS]<A>[L : CLA]<N>
5394	2	VELUśLA
5395	1	<V>[E]<L>ΘUR : VELXAS <:> LARΘAL <:> SEITI
5395	2	<ΘIA>[L]<C : CLAN>
5396	1	[A]NINA<I>
5397	1	[VEL]<X>A[I]
5398	1	⫽I
5399	1	<V>EΘN<AI>
5400	1	LARΘI
5400	2	VELΘURUS
5400	3	SEX
5400	4	VELUśLA
5401	1	VELΘUR
5401	2	V<E>LXAS <Z>ILAX<NΘIS
5401	3	V>ELUś<A>
5401	4	ANINAIC
5402	1	RAVNΘU
5402	2	VEL<XAI>
5402	3	VELΘURUśA
5402	4	SEX
5402	5	LARΘIALIśLA
5403	1	ARNΘ [[<:>]] VELXAS : V<E>LUśA
5404	1	R<A>MΘA : C<AM>[NAI]
5404	2	~+
5404	3	+~
5405	1	LARIS : VELXAS

5405	2	VEL⟨U⟩śA
5405	3	⟨CLAN⟩
5406	1	VELXI • śEΘRA :
5406	2	V • RIL • 34
5407	1	E⟨I⟩Θ : FANU : ś⟨AΘ⟩EC : LAVTN : PUMPUS
5407	2	SCUNU§S : śUΘIT⟨I⟩ : IN : FLENZNA
5407	3	TEISNICA : CAL : IPA : MA◇ANI : TINERI
5407	4	⟨NU⟩TISU⟨ś⟩⟨◇⟩◇◆⟨N⟩AMUTNE : IPA : IR⟨◇⟩◇◇◇◇◆NIC/
5407	4	/LTE
5407	5	FLEśZNEVES◆◇◇⟨E⟩◇◇ : C◇⟨S :⟩ ◆⟨RΘI :⟩ ⟨◇⟩◇◇◇◇⟨A/
5407	5	/⟩TAN⟨I : C⟩◇◇◇ ⟨:⟩ E⟨R⟩CE : AΘIS
5407	6	⟨Θ⟩NAM ⟨:⟩ FLENZNA ⟨:⟩ TE◇◇◇◇◇◇◇◇◆CE◇◇◇◇◇◇◇◆ATA◇◇/
5407	6	/ : ENAC [:] ⟨C⟩ELI : ◆⟨◇◇⟩◇
5407	7	C⟨E⟩SA⟨S⟩IN : ΘUNX⟨UM⟩ : ENAC ⟨:⟩ X⟨IM⟩⟨◇⟩◇◇◇◇◇/
5407	7	/◇◇◇◇VER : CAL⟨◇◇◇⟩◇
5407	8	[A]RNΘAL : LA[RISA]LIśLA : X⟨U⟩◇◇◇◇◇⟨A⟩L ⟨:⟩ R[/
5407	8	/AM⟨A⟩Θ]AS : C[L]ENS
5407	9	SCUNA
5408	1	LARIS : PUMPUS
5408	2	ARNΘAL : CLAN
5408	3	CEXASE
5409	1	LAR⟨IS⟩ : PUMP⟨US⟩
5409	2	CE⟨XASE⟩
5410	1	LA⟨R⟩⟨◇⟩◇ [: PUMP]US ⟨:⟩ A⟨R⟩N⟨Θ⟩AL
5410	2	CLA⟨N⫽⟩
5410	3	ZILAΘ
5411	1	PI◇◇◇◇◇◇◇◇◇I
5411	2	VE◇AISINAL
5411	3	RIL⫽
5412	1	⟨H⟩ERCNA⟨I •⟩ ◇ [•] ⟨L⟩R
5412	2	RIL • 30
5413	1	{⟨L⟩ • ⟨TERC⟩ENNA • P ⟨•⟩ F • 4 [•] ⟨V⟩[IR]⫽
5413	2	F⟨L⟩AMEN • ANOS ⟨•⟩ 3 • ⟨IU⟩RE • P⟨ER⟩ITUS}
5414	1	{AURELIA • L • F • OPTUMA • FEMINA
5414	2	VIXSIT • AN • 45}
5415	1	⟨V⟩ENEL
5416	1	ΘANARSNA⟨S⟩
5417	1	ΘANAXVEL
5418	1	EIZENES : VEL : ARNΘAL : 65
5419	1	EIZENES :
5419	2	⟨śE⟩ΘRE :
5419	3	V⟨E⟩LUS :
5419	4	[AVIL]⟨S⟩ : 15
5420	1	⟨A⟩ : VESTRCNI
5421	1	LARΘ
5421	2	VESTARCNIES
5421	3	84
5422	1	LARIS : PARTIUNUS
5423	1	VELΘUR : PARTUNUS : LARISALIśA : CLAN : RAMΘAS /
5423	1	/: CUCLNIAL : ZILX : CEXANERI : TENΘAS : AVI/
5423	1	/L
5423	2	SVALΘAS : 82
5424	1	PARTUNUS • VEL • VELΘURUS •
5424	2	śATLNALC • RAMΘAS [•] CLAN • AVILS
5424	3	28 [•] LUPU
5425	1	LARΘI : SPANTUI : LARCES : SPANTUS : SEX : ARNΘ/
5425	1	/AL : PARTUNUS : PUIA :
5426	1	VELΘUR [•] LARISAL [•] CLAN [•] CUCLNIAL
5426	2	ΘANXVILUS [•] LUPU [•] AVILS [•] 25
5428	1	ARNΘ : PAIPNAS : TITE⟨S⟩
5429	1	⟨M⟩I MA MAMARCE SPURIIAZAS
5430	1	⟨LR⟩IS • PULENAS • LARCES • CLAN • LARΘAL • RA⟨/
5430	1	/T⟩ACS
5430	2	⟨V⟩ELΘURUS • NEFTS • PRU⟨MT⟩S • PU⟨LE⟩S • LARIS/
5430	2	/AL • CREICES
5430	3	ANCN • Z⟨I⟩X • NEΘśRA⟨C⟩ • ACASCE • CREALS • TA/
5430	3	/RXNALΘ • SPU
5430	4	R⟨EN⟩I • LUCAIRC⟨E⟩ • IPA ⟨•⟩ RUΘCVA • CAΘAS • /
5430	4	/HERMERI • SLICA⟨X⟩E⟨ś⟩
5430	5	APRINΘVALE ⟨•⟩ LUΘCVA • CAΘAS • PAXANAC • A⟨L⟩U/
5430	5	/MNAΘE • HERMU ⟨•⟩
5430	6	ME⟨LE⟩CRAPICCES • P⟨UT⟩S • XIM • CULSL • ⟨LEP⟩R/
5430	6	/NAL • PśL • VARXTI • C⟨E⟩RINE • PUL
5430	7	ALUMNAΘ • PUL • HERMU • HUZRNATRE • PśL • T⟨EN⟩/
5430	7	/◇◇◆◇◆◆◇◇◇⟨CI⟩ • MEΘLUMT • PUL ⟨•⟩
5430	8	HERMU • ΘUTUIΘI • MLUSNA • RANVIS • MLAMN⟨A⟩⟨◇◇/
5430	8	/⟩◇◇◇◇◇◇◇◇◇◇MNAΘURAS • PAR
5430	9	NIX • AMCE • LEśE • ⟨H⟩RMRIER •
5431	1	PULENAS • VELΘUR • LARISAL • ACNATRUALC • AVILS/
5431	1	/ [•] 75
5432	1	PULENAS • VEL • LARISAL [•] 75
5432	2	ACNATRUALC • ΘANXVILU⟨S⟩
5433	1	PINAIAL
5434	1	LAR⟨Θ⟩AL • SAPICES
5435	1	ECA : MUTAN⟨A :⟩ CU+
5435	2	+TUS : V⟨E⟩LUS
5436	1	⫽⟨N⟩AI : LARΘ : PALAZUS : PA⟨R⟩◆⫽
5437	1	TITES : VELUS :
5437	2	ARNΘALIśLA
5438	1	[E]C⟨A :⟩ śUΘI : ANES
5438	2	CUCLNIES
5439	1	⟨N⟩EMNTINAS • ś • ś
5439	2	SVALCE • AVIL • 52
5440	1	śUPUS ⟨•⟩
5440	2	ARNΘ ⟨•⟩
5440	3	⟨◇⟩◇◇◆A ⟨•⟩

5441 1 PALAZUS • A ∘ LR ∘ <P>UTZS • RIL ∘ 42
5441 2 MARUNUXVA◇ [∘] CE⫽
5442 1 ŚEΘRE • CUR<U>NAS
5442 2 V<E>LU<S> [∘ R]AM<Θ>A[S •] AVENAL<S>
5442 3 S<A>NŚAŚ ∘ <ŚUΘ>◇Θ◇ARCE
5442 4 ◆<N>UM<ΘE>NΘ◆◆C ∘ E<S>◆AŚLEP
5442 5 ZI<L>AXN<◇>◇ [•] <H>EL ∘ 21
5443 1 ⫽<N>AL+
5443 2 +⫽◆AM<Θ :> Ś
5444 1 <CAZNI>⫽
5444 2 AΘNU <∘> RIL ∘ 2<5><◇>
5444 3 /◆◆◆<N>IE<◇>◇◇+
5444 4 +◇<R>IL <∘ 2>0<◇◇>
5447 1 VEL : A<T>IES : VELΘURUS
5447 2 LEMNIŚA : CELATI : C<E>SU
5448 1 <V>E<LΘ>U<R> : <EZ>PUS <∘ LA>◆⫽
5448 2 <UCR>INIC : PUIAC <:> AT◆⫽
5449 1 <VE>[L :] <ARNΘAL • C>U<R>UNA<S :>
5449 2 <◇>◇◇◇◇◇◇◇◇◇<N>AL : <C>L<AN>T<EU>C<E>M
5449 3 <◇>◇◇◇◇◇◇◇◇◇<P>AT<E>VCE <:> IX ∘ A<N>
5450 1 ⫽TNI : RAMΘA : CRA<N>ES
5451 1 RAMΘA : HUZC<N>AI : ΘUI : CESU : ATI : NACNA : /
5451 1 /LARΘIAL : APIATRUS <:> ◆ ZIL E<T>ERAIS
5452 1 RAMΘA : ZERTNAI : ΘUI : CESU
5453 1 SCURNAS • M • A ∘ MARU ∘ M ∘ T ∘ Z ∘ P ∘ T ∘ RI/
5453 1 /L • 45
5454 1 FELCES
5455 1 FELCES
5456 1 APA ΘI : CAES
5456 2 L : ΘIVCLE
5456 3 S
5457 1 LARΘI
5457 2 UR<SM>[NAI]
5458 1 ΘUI ∘ CLΘI ∘ MUTNIAΘI
5458 2 VEL • VELUŚA • AVILS
5458 3 CIS ∘ ZAΘRMISC
5458 4 SEI<T>I<Θ>IALIŚA
5459 1 ARN<Θ> [∘] <A>PUNAS [∘] <VE>LUS • M<A>[X]
5459 2 <M>AX • CE<ZP>ALX • AVIL
5459 3 SVALCE
5460 1 ATI ∘ NACNA
5460 2 VELU<S>⫽
5461 1 PAPA
5461 2 V<EL⫽>
5462 1 <◇>◇◇◇ [A]PNA<S>
5463 1 ⫽ [V]EL • APNAS
5463 2 ⫽ [CLA]<N> • AVILS
5463 3 ~
5466 1 <⫽>◆L<U>I • MUT[NIAΘI] ⫽
5466 2 <⫽>LA<RΘIA>[L] ⫽
5466 3 <⫽>CEZP<A>[LX<ALS>] ⫽
5467 1 ⫽<E ∘ VE>⫽
5468 1 ⫽<I>AL : ◇◇◇◇◇⫽
5470 1 CA<M>NAS : LARΘ ∘ LARΘALŚ ∘ ATNALC • CLAN ∘ AN /
5470 1 /[•] ŚUΘI ∘ LAVTNI <∘> ZIVAS ∘ CERIX<U>
5470 2 TEŚAMSA ∘ ŚUΘIΘ <∘> ATRŚRC ∘ ESCUNA • CALTI ∘ Ś/
5470 2 /<U>ΘITI ∘ MUNΘ ZIVAS MURŚL ∘ 20
5471 1 LARΘ ∘ ARNΘ<A>L ∘ PLECUS : CLAN : RAMΘ<A>S<C :>/
5471 1 / APATRUAL : ESL<Z :>
5471 2 ZILAXNΘAS : AVILS : ΘU<N>E<M> : MUVALXLS : LUPU/
5471 2 / :
5472 1 ⫽ [L]<A>RISAL ∘ CRESPE ΘANX<VI>LUS ∘ PUMPNAL <∘/
5472 1 /> CLAN ∘ ZILA<Θ><◇>◇◇◇◇RASNAS ∘ MARUNUX
5472 2 ⫽N ∘ ZILC ∘ ΘUFI ∘ TENΘAS • MARUNUX ∘ P<AX>ANAT/
5472 2 /I ∘ RIL <∘ 6>3
5473 1 RAMΘA : APATRUI : LARΘAL : SEX ∘ LARΘIALC ∘ ALE/
5473 1 /ΘNAL ∘ <CAM>NAS
5473 2 A<RNΘ>AL : LARΘALIŚLA ∘ PUIA ∘ APA<T>RUIS ∘ PEP/
5473 2 /NESC •
5473 3 /[HU]<Z>CN<ESC ∘> VELZ<N>AL<C> [•] <◇>◇◇◇◇ AC<N/
5473 3 /A ∘> PUR<E>S ∘ <NE>SIΘ<V>AS <∘>
5473 4 AVILS CIS ∘ MUVALXL<S>
5474 1 PUMPUI : LARΘI : PUIA LARΘAL : CLEVSI
5474 2 NAS AVLEŚLA SEX : SENTINAL <:> ΘANX
5474 3 VILUS
5475 1 ALŚIN • L ∘ L ∘ RIL ∘ 34 ∘ ŚANTUAL
5476 1 ULZNEI : RAMΘA ∘ AR<Θ>A<L •> AL[E]TNAL [∘ ΘA]NA/
5476 1 /S
5476 2 SEΘR<E>Ś ∘ A[LŚI]<N>A[S ∘] LARΘALIŚLA [[∘ PUIA /
5476 2 /• AVILS]]
5476 3 SAŚ◇◇◇◇
5477 1 AL<Ś>IN⫽
5477 2 LA [∘ R ∘] 29
5478 1 ⫽AL [[•]] RI◇◇◇◇◇CLAN
5478 2 ⫽ACA⫽
5479 1 VELΘUR LARΘAL • CLAN
5479 2 PUMPUALCLAN • LARΘIAL
5479 3 AVILS • CEALXLS • LUPU
5480 1 LAR<Θ> • AVLES • CLAN
5480 2 AVILS [•] HUΘS ∘
5480 3 MUV<A>LXLS • LUPU
5481 1 LARΘ : LARΘIAL : AVILS : HUΘS : LU[P]<U>
5482 1 ALŚINAS • MA ∘ SVALCE [•] AVIL • 66
5483 1 ALŚINA ∘ A ∘ Ś ∘ R ∘ 30
5484 1 CLAPIΘI • VIPI • Θ
5485 1 SEMNIES • AR • <L>

5486	1	⫽ΘRAXA
5487	1	APRIES • AR • VΘ
5487	2	TRUTNU<Θ>
5488	1	APRIES • V • VΘ
5488	2	<R> • 69
5489	1	APRIES • VΘ • VΘ
5490	1	TETI • <ś>
5490	2	RAVE • <A>
5491	1	CA<M>NAS
5491	2	<M>⫽
5492	1	<P>A<T>R
5493	1	ANES ARNΘ VELΘURU
5493	2	C[L]A<N>
5493	3	LUPU AVILS 50
5494	1	[CE]ICNAS • <A>RNΘ
5495	1	CEICNAS : A<R>NΘ : ARNΘAL : AVILS : 29
5496	1	RAMΘAS • LAR<N>I
5497	1	LURC<NI
5497	2	ΘAN>S<IA
5497	3	L>
5498	1	VEL • ARNΘAL • N<E>◆⫽
5499	1	{SECUNDA
5499	2	LUCANIA
5499	3	A • F • U • A<◇>◇◇}
5500	1	{SEX • TITIUS
5500	2	TI • F • U • A •} 25
5501	1	ś • V
5502	1	<L>UC<ER> • LAΘE<RN>A
5502	2	<◇>SVALCE <•> AVIL
5502	3	26
5503	1	{CORO[NA]
5503	2	L • A <•} 4>0<◇◇>
5504	1	{<C>ORONIA <• M>⫽}
5505	1	{SEX • ABURI • L • F
5505	2	U • A •} 64
5506	1	CU<R>UN<A>S <•> <◇>◇◇+
5506	2	+~
5507	1	<C>ARSUI : RAMΘA
5507	2	[A]<V>ILS [:] <3>0 LU<PU>
5507	3	◆◆<N>IC<Aś> : LU<R>VENAS
5507	4	/Z<ILI :> UZ<A>R<ALE>
5507	5	Z<◆>◆◆<IS> [:] <E>RC<E>
5508	1	<NAS>TES
5508	2	<LA>RΘ : HUPNI
5509	1	<N>ASTES : L<AR>Θ<⫽>
5510	1	ARNΘ
5511	1	LARΘI [•] EINANEI • śEΘRES • SEC • RAMΘAS
5511	2	ECNATIAL • PUIA • LARΘL • CUCLNIES • VELΘURUśLA/
5511	2	/
5511	3	AVILS • HUΘS • CELXLS
5512	1	LARTIU CUC<L>NIES • LARΘAL • CLAN
5512	2	LARΘIALC EINANAL
5512	3	CAMΘI ETERAU
5514	1	LARCE AN⫽
5515	1	⫽◆<L> SETUMES
5516	1	ARNΘ : CR<EI>SMNA
5516	2	CALE : VELUS
5517	1	[AR]<N>TSUS : PETAS
5517	2	[LA]<R>ΘURUśA 2
5518	1	⫽ΘI <:> śEΘR⫽
5519	1	LI • EC • LA • AC
5520	1	⫽S <:> CUR : VEL<Θ>⫽
5521	1	⫽<R> : CUTNAS : ZILCTE : LUPU
5522	1	HAPENA <:> A
5523	1	PANZ<A>I
5524	1	MI APIRΘES PU
5525	1	RAMΘ<A> • MATULN<EI> • SEX • MARC<E>S • MATULN[/
5525	1	/AS] ⫽
5525	2	PU<I>AM • AMCE • śEΘRES • CEIS<IN>IES • CISUM •/
5525	2	/ TAME<R>U⫽
5525	3	LAF◆NASC • MATULNASC • CLALUM • CEUS • CI • CLE/
5525	3	/NAR • ś[A]
5525	4	A<N> [•] AVENCE • LUPUM • AVILS [•] <M>AXS • śE/
5525	4	/ALXLSC • EITVAPIA • ME<U><◇>
5526	1	LARΘ • CEISINIS • VELUS • CLAN • CIZI • ZILAXNC/
5526	1	/E
5526	2	MEIANI • MUNICLEΘ [•] MEΘLUM • NU<R>ΦZI • CANΘC/
5526	2	/E • CALUS<IN> [•] LUPU
5527	1	LARIS • VARNIE[S]
5528	1	ΘANEX[VI]L • LUVCII<E>S
5529	1	⫽ [VAR]NIES
5530	1	VELΘURA◇
5533	1	EΘ<H>AUNAVCVAUś<Iś>◆R<E>
5533	2	◇NA<◇◇◇◇◇◇◇◇◇◇◇◇◇◇◇◇>
5534	1	LARΘI<⫽>
5535	1	<⫽>CERNI⫽
5536	1	LARΘI⫽
5537	1	RAM<ΘA><◇>
5538	1	EΘ <ś>IΘUM◇◇E<I>MRU<V>MIANEIE
5539	1	<⫽>VENTI<⫽>
5541	1	<⫽>URSCE<⫽>
5542	1	U • IZENI
5542	2	RAMΘA [•] <L>
5542	3	LUPU • AVI[L]+
5542	4	+<S> • <2>3
5543	1	MA : MI : MARXARS SENTIES XESTES

5544	1	ECLΘI ŚU[ΘITI]
5544	2	LARΘ ZA⟨L⟩ΘU⟨⫽⟩
5544	3	ARILΘ : ALΘ
5545	1	⟨VE⟩L ⟨:⟩ MU⟨Ś⟩U ⟨:⟩ TITIAL
5546	1	⟨L⟩ARΘI • ⟨T⟩I⟨T⟩LNEI [•] MUS ⟨•⟩ USA
5547	1	A⟨Θ⟩ [•] ⟨MU⟩SU ⟨•⟩ ANAINAL
5548	1	CAINEI • TETNASA
5549	1	⫽⟨N⟩AS : VELUŚA
5549	2	⫽◆IS • SELVANSL :
5549	3	⫽⟨A⟩S • CVER : ΘVEΘLI
5549	4	⫽◇◇◇ : CLAN
5550	1	ALEΘNEI AULES PUIA
5551	1	SENTINAS • ŚEΘRES
5552	1	LA [•] RUNIE [[•]] Ś
5553	1	LAΘ • LUPEAS
5554	1	LARΘ : VELXAS : ΘUI : CESU
5555	1	VELU SVEINTU : SUSES :
5556	1	SCURNA+
5556	2	+L • ΘA • L+
5556	3	+U • RIL • 60
5557	1	VETES • Ś • A
5558	1	VIPENAS • L • LR •
5558	2	RIL • 42
5559	1	⟨⫽⟩NUNV⫽
5560	1	TUSNUS
5560	2	LARΘ
5561	1	AN⟨XA⟩R
5561	2	UI ⟨:⟩ Ś
5562	1	VELUŚA
5563	1	VELΘUR : AUZRINAS : LARΘAL
5563	2	/◆R˘˘A⟨U⟩ZI⟨N⟩AS LARΘAL
5564	1	⫽⟨Θ⟩NETEIESUINU◇EHUTUELUNIΘMU◆R
5564	2	⫽ENLUŚIΘNIA⟨U⟩NETNAXCEXAMARCE
5564	3	⫽UM⟨A⟩FR◆FU◇UI◆R⟨I⟩I◆IΘAMRI
5564	4	⫽⟨V⟩XVSZCŚLS◇ASIRΘ⟨A⟩UNARUNA
5564	5	⫽NAΘICVLSC◆FNA⟨E⟩NE⟨C⟩N◆UXA
5564	6	⫽ARIMCIΘI⟨SCU⟩Ś◆FICASU◆ANLAM
5564	7	⫽P⟨E⟩ΦRA◇◇◇◇◇◇◇◇◇◇◇◇◇FURNUTIAU
5564	8	⫽◇◇◇◇◇◇◇◇◇◇◇◇◇◇◇◇◇◇◇◇◇⟨N⟩ICANA⟨R⟩⟨◇◇⟩◇
5564	9	⫽◇◇◇◇◇◇◇◇◇◇◇◇◇◇◇◇◇◇◇◇◇◇ACU⟨X⟨◇⟩◇◇+
5564	10	+⟨~⟩⟩
5565	1	⫽CE : VEL : ΦRU⫽+
5565	2	+~
5566	1	S◇◇◇◇◇◇◇◇ : ẠRNΘ • VELUS : CLAN
5566	2	◇◇◇◇NAL ΘANXVILUS • MA◇◇◇
5566	3	[Z]⟨I⟩LAΘ : LUPUCE • Ś⟨U⟩RNU◇◇◇◇◇◇
5567	1	TREPI : ΘANXVIL • VIPENA⟨S⟩ • ARNΘAL ARNΘIALI⟨Ś/
5567	1	/⟩LA • PUIA
5568	1	RAMΘ⟨A •⟩ VI⟨PI⟩A
5568	2	◇ • SVAL⟨CE⟩ AVIL
5568	3	◇◆⟨1⟩0 ⟨•⟩ ◇CEVIS • VA
5568	4	⟨◇⟩◇◇◇⟨CE •⟩
5569	1	RUVF
5569	2	NI • RAMΘAS •
5569	3	R • SVA • AVIL • 60
5570	1	RAMΘAS
5570	2	CREIC[IA]L
5571	1	SPU⟨RI⟩NEI • ΘA+
5571	2	+NA • RIL • 84
5572	1	LUVCTI • VE+
5572	2	+LA • Ś • L • A • §§§§
5573	1	LUVCES • Ś •
5573	2	LR • RIL • 2+
5573	3	+3
5574	1	VILASINEI • R⟨A⟩
5574	2	CISVITE⟨Ś⟩A •
5574	3	SVALCE • AVI[L]
5574	4	50⟨◇⟩◇
5575	1	LICNI •
5575	2	ΘANA •
5576	1	VELFREI
5576	2	LAR⟨Θ⟩I
5577	1	MAMARCES KA◆◇+
5577	2	+RNAS
5578	1	FLENTR⟨AL⟩ Ś
5578	2	EΘRAS
5579	1	⟨P⟩ALAZU⟨S⟩ • ⟨LR⟩
5579	2	◇◇◆RMEAL
5580	1	AVLE
5580	2	AZNIE
5580	3	/PUMPUNIAL
5580	4	RAMΘA
5580	5	/CUSINEI
5580	6	RAMΘA
5581	1	⟨◇⟩◇◇◇◆⟨R⟩US • Ś • LARCES
5581	2	[S]⟨V⟩ALCE • AVILS • 52
5582	1	◇◇◇◆E • V • ŚE [•] ◆◆⟨◇◇⟩
5583	1	ANI • ŚEΘR⟨A⟩
5583	2	L • SEC • RIL • ⟨8⟩
5584	1	CACNI ES
5584	2	VELΘ URUS
5585	1	⟨Ś⟩ • CE⟨I⟩SINIES
5585	2	⟨M⟩ASU • S • A • ⟨3⟩
5586	1	CITE • AN⟨E⟩
5587	1	A • CNEVNAS ⟨•⟩
5587	2	VΘ • RIL • 26

5588	1	[V]IPENAS <:> VIPES
5589	1	MATA
5589	2	LES ∘ A
5590	1	M◆◆CNI
5590	2	<L>ARΘI
5591	1	PEINEI • RAVN
5591	2	<ΘU> • RIL • <6>3
5592	1	STATIE ∘ L ∘ L
5592	2	SV ∘ A ∘ 48
5593	1	{L • STATE
5593	2	L • F • ANNO
5593	3	[U]<I>XIT •} 60
5594	1	VEΘ • <T>ITE
5594	2	<◇>LUP • A ∘ 32
5595	1	TM [∘] PR
5596	1	FELCES ∘ ś
5596	2	ULXU
5597	1	LA<R>ΘAL [C]AES LEΘANAL
5598	1	CVLSUNI
5598	2	RAMΘA
5599	1	PAPRSIN
5599	2	L<A>RΘ ∘ AR
5600	1	<◇>TITIE ∘ <A> [∘] <R>◇
5603	1	⫽<śΘUKT>IH ∘ N<E>HUNT ∘ AISA<R>U ∘ UST<E>N ∘ FR/
5603	1	/A<TE>M<ER>KI ∘ FUST ∘ RAN<V>Θ⫽
5604	1	⫽KAMUSIAΘRIHTENTXA ∘ <P>I⫽
5605	1	<⫽>STANI <P>U<R>UHEM : <V>IKAΘXERMU<P>I◆ERKARU /
5605	1	/: N⫽
5606	1	<⫽>MARU : SH<E>NIM<E>MTIT<E> : XSIMEULE<P>I<K>E/
5606	1	/ : IA<RZ>ISMALVI : QAN<R>IΘE<RI>⫽
5606	2	/MIAMEśTIT<E> : ◇◇◇<U>XSIEMULENIKE
5606	3	/IAR<Z>ISśALVI
5606	4	QAN<R>IΘERINI
7002	1	~
7002	2	◇◇◇◇◇◇◇◇◇◇◇◇◇ <V>ACIL ◆<UXU> <◆>◆◆◆◆◆
7002	3	<A>I SA[V]CNES SATIRIASA<XIIA> ◆ ◇◇◇◇◇◇◇◇◇◇◇◇◇◇◇/
7002	3	/◇◇ ◆
7002	4	◇◇◇◇◇◇◇◇◇◇ ◆<ERIΘUΘCU> VACIL śIPIR śURI LEΘAMS<U/
7002	4	/>L CI TARTIRIA
7002	5	CIM CLEVA ACASRI HALX TEI VACIL ICE<U>śUNI SAVL/
7002	5	/ASIE◆◆◆◆◆◆◆◆◆◆ [M+
7002	6	+UL]<U>RIZILE PICASRI SAVLASIEIS VACIL LUNAśIE /
7002	6	/FACA IXNAC FULI+
7002	7	+NUśNES VACIL SAVCNES ITNA MULIRIZILE PICAS <ś>/
7002	7	/IIAN<E> VACIL L+
7002	8	+EΘAMSUL SCUVUNE MARZAC SACA :
7002	9	I<ś>VEI TULE ILUCVE A<P>IRASE LEΘAMSUL ILUCU CU/
7002	9	/IESXU PERPRI CIPEN <A>PIRES
7002	10	RACVANIES HUΘ ZUSLE RIΘNA<I> TUL TEI SNUZA<I>NT/
7002	10	/EH<A>MAIΘI C<U>VEIS C<A>ΘNIS F[A]<N>+
7002	11	+I<R>[I] MARZAINTEHAMAIΘI <I>TAL SACRI UTUS EC</
7002	11	/U>NZAIITI ALXU SCUVSE RIΘNAI TU+
7002	12	+L TEI CI ZUSIEACUNSIRICIMA NUNΘERI EΘ IśUMA ZU/
7002	12	/SLEVAI APIRE NUNΘER+
7002	13	+I AVΘLEΘA<I>UM VACIL IA LEΘAMSUL NUNΘERI VACIL/
7002	13	/ IA RIΘNAI TAEΘ AΘENE+
7002	14	+I CA PERPRI CELU TULE APIRASE UNIAL<Θ>I <TURZA/
7002	14	/> ESX<A>ΘCE EI Iś<UM UN>IALΘ ARA
7002	15	EPNICEI NUNΘ<C>UCIIEI TU<RZA>I RI<Θ>[NA]<I T>AE/
7002	15	/ITI I<A> HALX APER TULE AΦES ILUCU VACIL ZU/
7002	15	/XN+
7002	16	+E ELFA RIΘNAI TUL TR<A>I<SVAN>EC C<A>LUS ZUSLE/
7002	16	/<VA> ATU◆◆NE<IN P>AVINAIΘ ACAS AΦ+
7002	17	+ES CI TA<R>T<I>RIA CI <TU>RZA <RIΘN>AI TULA SN/
7002	17	/<E>NAZ<I>ULAS T<R>A<V>AIUSER HIVUS NI<Θ>USC/
7002	17	/ RI+
7002	18	+ΘNAI TULA HIVUS TRAVAIUS<ER S>NE[NA]<ZIU>[L]<A/
7002	18	/>S
7002	19	IśVEI TULE ILUC<V>E A<PIRASE> LARUNS ILUCU HUX /
7002	19	/ś<A>NTI <H>URI ALXU ESXAΘ <S>AN<ULIS> MULU+
7002	20	+RIZILE ZIZR<II>N P<UIIAN ACASRI> T<INIA>N TULE/
7002	20	/ LEΘAMSUL IL<U>CU PERPRI śANTI ARVUS
7002	21	TA AIUS NUNΘERI
7002	22	ACALVE APER TULES AIUZIE LEΘAMSUL IL<UC>U PERPR/
7002	22	/I śANTI MAV<I>LU TULEITI+
7002	23	+<R> śVE<L> FA<L>A<U HU>◆ <HUSILI> TULE VE<LΘUR/
7002	23	/T><◆>◆◆◆◆C LA<V>T<UN> IC<NI> SERIL TURZ<A> /
7002	23	/ESXAΘCE : PA
7002	24	CUSNA<ś>I<E> ΘANURARI TU<RZA E>SXAΘ[CE] ◆<IS> </
7002	24	/◆> <LAV>TUN ICNI ZUSLE <ś>IXACIIUL ESES SAL/
7002	24	/XE+
7002	25	+I CALAIEIC <L>E<śI>◆◆◆STI<T>AI<Z>EI ZAL <R>APA/
7002	25	/ Z<AL> ◆<A>◆◆<VIAI A><◆>◆ <LAV>TU<N> [IC]<N/
7002	25	/>I <S>E<RIL> TURZA E+
7002	26	+SXAΘCE LAXUΘ NUNΘE<RI> ◆EA<C>◆ A[C]<A>S<RI LA>/
7002	26	/XΘ T<U>RZA<IS> ESX<A>[Θ]◆◆<E>CL◆◆U <ACAS> E/
7002	26	/Θ ZUSLEVA A+
7002	27	+<S>TI<T>IIZEI ACAS<R>I PA<CU> <◆>◆◆◆◆<ś>◆◆<ΘU>/
7002	27	/◆LAΘIUM<IAI> Z<USLE>I ś<I>XAIEI T<ART>IRIIA/
7002	27	/I FA<NU>SEI P<AP>ΘIAI RA+
7002	28	+<I>UCEXINIAI T<E>I TURZA ESXAΘCE <E>◆◆◆LS
7002	29	PAR <ALś>I ILUCVE IśVEI TULE TI<N>UNUS SEΘUMSA</
7002	29	/LC> ILUCU PERPRI CIPEN TARTIRIA V<AC>I <F>+
7002	30	+ULINUś<N>◇◇◇◇<V>◇◇◇◇+
7002	31	+E TULA NATINU<S>NAL ILUCU <I>TUNA FULINUśNAI Θ/
7002	31	/ENU<NTE> ΘU◇◇◇◇◇◇◇

7002	32	MACVILULULE PAPUI ⟨A⟩[PIR]ASE ILU⟨C⟩◇◇◇◇◇◇◇◇◇◇⟨Θ/
7002	32	/⟩A⟨SXR⟩A TURZ⟨A E⟩SXA[ΘCE] ◆◇◇ AE⟨S R⟩APA
7002	33	FU◇◇◇◇◇◇◆◆◇◇◇◇◇◇◆UM ◆UR◇◇◇◇◇◇⟨L⟩◆◆◆⟨IIE⟩ ◇◇◇◇◇◇◇◇ /
7002	33	/⟨TI⟩ś ⟨E⟩RSI HEFINA ⟨R⟩APA
7002	34	RITA PAPAΘI ⟨U⟩ ◇◇◇◇◇◇◇◇ [T]URZA E[SXAΘCE] ◇◇◇◇◇/
7002	34	/◇◇⟨I⟩◆◆⟨CE⟩
7002	35	TA◆◆◇◇◇◇◇◇◇◇◇◇◇⟨SAΘ⟩IX RAXU⟨Θ T⟩AR+
7002	36	+VUΘCISASIN⟨EZIA⟩ ◇◇◇◇◇◇◇◇◇◇◇◇◇◇◇◇◇◇◇◇◇◇◇⟨Θ⟩◇◇◇◇◇◇◇/
7002	36	/◇
7002	37	ZAL ΘIRIE⟨A⟩ ◇◇◇◇◇◇◇◇◇◇◇◇◇◇◇◇◇◇◇◇◇◇◇◇◇◇◇◇◇◇◇◇◇◇◇◇◇◇◇/
7002	37	/◇◇◇◇◇◇◇◆TA+
7002	38	+RTI[RIA] ◇◇◇/
7002	38	/◇◇◇⟨A⟩◆⟨I⟩S⟨ELA⟩S CERUR⟨A⟩+
7002	39	+ZL LU◆◆⟨NI⟩ ◇◇◇◇◇◇◇◇◇◇◇◇◇◇◇◇◇◇◇◇◇◇◇◇◇◇◇◇◇◇◇◇◇◇◇◇◇◇◇/
7002	39	/◇◇◇◇◇◇◇◆I
7002	40	◆◆◇◇◇◆◆◆⟨A/
7002	40	/S⟩ ◇◇◇◇◇◇◇L◇
7002	41	IśV⟨EI⟩ T⟨U⟩[LE] ◇◇◇◇◇◇◇◇◇◇◇◇◇◇◇◇◇◇◇◇◇◇◇◇◇◇◇◇◇◇◇◇◇◇◇/
7002	41	/◇◇◇◇◇◇◇◇◇◇◇⟨HA⟩◆⟨A⟩
7002	42	X H⟨A⟩◇◇◇◆/
7002	42	/◆◆◆◆ IA
7002	43	APER ⟨TUL⟩[E] ◇◇◇◇◇◇◇◇◇◇◇◇◇◇◇◇◇◇◇◇◇◇◇◇◇◇◇◇◇◇◇◇◇◇◇◇◇◇/
7002	43	/◇◇◇◇◇◇◇◇◆◆I⟨ś⟩E
7002	44	⟨RAI⟩◆◇◇⟨/
7002	44	/AIś⟩◆⟨E⟩+
7002	45	+ś ⟨TUL⟩⟨◆⟩⟨T⟩◆ ◇◇◇◇◇◇◇◇◇◇◇◇◇◇◇◇◇◇◇◇◇◇◇◇◇◇◇◇◇◇◇◇◇◇◇◇/
7002	45	/◇◇◇◇◇◇◇◇◇◇◆⟨E⟩ FANI+
7002	46	+RI ⟨R⟩IIA ◇◇/
7002	46	/◇◇◇◇◇◆⟨PRA⟩I
7002	47	⟨P⟩◆◆⟨M⟩◇◇/
7002	47	/◇⟨L⟩◆◆
7002	48	VAC[IL] ⟨Z⟩◆◇◇◇/
7002	48	/◇◇◇◇◇◇◆URI
7002	49	⟨NEI⟩ ◆◆◆◇◇◇/
7002	49	/◇◇RIΘ⟨N⟩+
7002	50	+AI T⟨UL⟩◆◇◇◇/
7002	50	/◇◇◇ ⟨SVER NUNΘ⟩
7002	51	◆⟨T⟩◆◆◆◆⟨M⟩◇◇/
7002	51	/◇◇◇◇◇◆US TULE
7002	52	ESX◆◇◇⟨I/
7002	52	/AX⟩◆◆◆⟨EXI⟩
7002	53	T⟨UN⟩◆◆⟨U⟩◇◇/
7002	53	/◇◇◇◇◆◆◆◆◆◆◆⟨M⟩A+
7002	54	+X⟨V⟩I◆◆X⟨A⟩◇◇◇/
7002	54	/◇◇◇◇◇⟨LATR
7002	55	ES⟩◆◇◇⟨ET/
7002	55	/U ESIVEIEI⟩+
7002	56	+SLITSUT⟨H⟩◆⟨UI⟩◆◇◇◇◇◇◇◇◇◇◇◇◇◇◇◇◇◇◇◇◇◇◇◇
7002	57	IśVE⟨I TUL⟩[E] ◇◇◇◇◇◇◇◇◇◇◇◇◇◇◇◇◇◇◇◇◇◇◇◇◇◇◇◇◇◇◇◇◇◇◇◇◇/
7002	57	/◇◇◇◇◇◇◇◇◇EL⟨Θ⟩A⟨I⟩TEC⟨Θ⟩A+
7002	58	+⟨M⟩ CUITI◆◆⟨TIN⟩◆◇◇◇◇◇◇◇◇◇◇◇◇◇◇◇◇◇◇◇◇◇◇◇◇◇◇◇◇◇◇◇◇◇/
7002	58	/◇◇◇◇◇◇◇◇◇◇◇◇ [TUR]⟨ZA⟩⟨◆⟩ ES+
7002	59	+XAΘ⟨CE⟩◇◇◇/
7002	59	/◇◆US ⟨A⟩◆⟨A⟩S CE⟨LUTU⟩
7002	60	APER TUL◆◆◇◇◇/
7002	60	/◇◇◇⟨S⟩◆ALE
7002	61	CE◆◆E◆◆⟨LC⟩◆◆◇◇◇◇◇◇◇◇◇◇◇◇◇◇◇◇◇◇◇◇◇◇◇◇◇◇◇◇◇◇◇◇◇◇◇◇/
7002	61	/◇◇◇◇◇◇◇◆⟨RI⟩T⟨AI⟩◆◆◆⟨ACLXA⟩
7002	62	NISC LAVTUNU⟨I⟩ I⟨C⟩[NI] ◇◇◇◇◇◇◇◇◇◇◇◇◇◇◇◇◇◇◆◆◆Z⟨A⟩/
7002	62	/◆⟨S H⟩◆◆
7002	63	◇◇◇◇◆◆◆⟨UR⟩IS ZIXUNCE
7003	1	MI CULIXNA V◇◇URA VENELUS
7004	1	MI MAMERCE ASKLAIE
7005	1	LIMURCESTA PRUXUM
7006	1	VENER TUSNUS
7006	2	/MI VENERUS LIMRCEśA ⟨CLUN⟩
7006	3	LIMURCESTA ⟨NTLNAS⫽⟩
7007	1	CUPE VELIEśA
7008	1	MI CUPESTA
7009	1	MAIFLNASTA MI
7010	1	MI VENELUS • NUMCLAIES
7011	1	MI PUTIZA PURIIAS
7011	2	/MI PUTIZA PU[RIIAS]
7012	1	MINIPI CAPI MI XULIXNA CUPES
7012	2	/ALΘRNAS EI
7013	1	ΘUPES FULUśLA MI EI MINPI CAPI MI NUNAR ΘEVRUCL/
7013	1	/NAS
7013	2	/ACESX
7014	1	CNAIVE CAISIES ALPNU PUZU
7015	1	MI MA⟨C⟩APIIANES
7016	1	CAISIEśA MI
7017	1	TARUśULA MI
7018	1	NIPE VELIIES
7019	1	CUPESCARPUNIES MI
7020	1	CUPE LRIśA H⟨VUIU⟩ΘUTUMLE⟨RśII⟩E 22 ⁝ A
7020	2	/ACVE
7024	1	NI ARAZIIA LARANIIA
7025	1	TULATETULASURATE
7030	1	[M]I TAFINA LAZIA VILIANAS
7030	2	M
7034	1	MINI MULUVANICE MAMARCE ⁝ APUNIIE VENALA
7035	1	MINI MULUV[AN]ECE AVILE VIPIIENNAS
7036	1	MINE MULVANICE KARCUNA TULUMNEś
7037	1	⟨MINI⟩ NULUVANIC⟨E L⟩ARIś LEΘAIE⟨ś⟩
7038	1	VELΘUR TULUMNEś ⟨P⟩ESNU ZINA⟨I⟩E MENE MUL[⟨U⟩VA/
7038	1	/NICE] ⫽

7039 1 ITAN MULVANICE <Θ>/
7040 1 [MINI MUL<U>VA]NICE VENALIAś LARINAś EN MIPI CA/
7040 1 /PI N/
7041 1 [MINI MUL<U>]VANICE ◇◇◇◇ [TU]RICE HVULUVES
7042 1 MI MLA[X] MLAKAś
7042 2 /MINI ΘANIRśIIE TURICE HVULUVES
7043 1 <MI>NI ALICE VELΘUR VE/
7044 1 <M>I RA<H>ΘP<I>◆◆◆EA MAVU<NICE>
7045 1 MI Θ◇◇◆NIIES : ARIT<I>MI PI TURAN PI M◆◇◇◇◇◇◇NU/
7045 1 /N<A>/
7050 1 A<T>ICVENTINASA<SK>AITA/
7051 1 VEL : MATUNAS • LARISALISA
7051 2 AN : CN śUΘI • CERXUN<C>E
7056 1 MINI CEΘUMA MI MAΘUMA R<AM>LIśIAIΘIPURENAIE ΘEE/
7056 1 /RAIś<C>EEPANA MIN<E>ΘUNAśTAVHELEQU
7057 1 MINI MULVANICE MAMARCE : VELXANAS
7058 1 MINI KAISIE ΘANNURSIANNAś MULVANNICE
7060 1 MI <V>ENELUSI AX<E>S<I M>ULUEMKNIE VRTUN
7062 1 MI MLAX MLAKA[<S>] PRUXUM
7063 1 MI QUTUM KARKANAS
7064 1 MI KARKANAS ΘAHVNA
7065 1 CENA
7065 2 /MI KALATU<R>US ΦAPENAS CENECUHEΘIE
7065 3 /ZE
7066 1 MI ARNΘ : VES <:> TRAES : MLAXAS
7067 1 AVILESCA APAS
7068 1 PUL<I> MARCES APAS
7069 1 ZICUC
7069 2 /MI <Z>UΘIN<A>
7070 1 MI ATIIAL PLAVTANAS
7071 1 RAMAΘAS MI TUTINAS
7072 1 LI◆UNA • LARΘI • MARCEI • CURIEAS :
7072 2 CLUΘI • <IU>CIE
7073 1 ◆N HUΘTE
7073 2 ANAES
7074 1 MI ΘESAΘEI
7074 2 /MI VELELIA
7074 3 /MI AMNU ARCE
7074 4 /TRUIA
7076 1 MI <V>ENEL<S>
7077 1 M<I> FLER/
7149 1 CN • TURCE • MURILA • HERCNAS : ΘUFLΘAS • CVER
7151 1 MINI ANΘAIA V MINI VERTUN
7151 2 /MINI ANΘIAIA
7151 3 /MI APIRΘE MLAX ◆IΘ
7152 1 M<◇>A<◆>MN<U>MANEśAΦUXUśAU<M>N<UI>ELEΘA<I>◆EML◆/
7152 1 /T◆◆ERI
7153 1 MI MULU KAVIIESI
7154 1 MI LARΘA śARśINAIA
7155 1 AXAPRI RUTILE HIPUCRATES
7156 1 ITUN TURUCE VENEL A<T>ELINAS TINAS CLINIIARAS
7157 1 EI • MUX • ARA • AN • EI • SEΘASRI
7158 1 TA śUΘI
7158 2 AVLES • ΘAN+
7158 3 +SINAS
7159 1 ELNEI : RAMΘA CLΘ śUΘIΘ
7159 2 SACNIśA ΘUI E<U>TSTETA
7159 3 AVLES VELUS ΘANSINAS
7159 4 ATI ΘUTA
7161 1 MI ATIIA
7162 1 ECA śUΘI VE<L[ΘUR>US]
7162 2 ARNΘIAL CAVEN<A>S
7163 1 MI VERFAR<śII><◇>NAIA
7163 2 /MI RAMΘAS
7165 1 ARNΘ : XURCLES : LARΘAL : CLAN : RAMΘAS : PEVTN/
7165 1 /IAL : ZILC : PARXIS : AMCE
7165 2 MARUNUX : SPURANA • CEPEN : TENU : AVILS : MAXS/
7165 2 / SEMΦALXLS LUPU
7166 1 LARΘ : XURXLES : ARNΘAL XURXLES : ΘANXVILUSC : /
7166 1 /CRACIAL
7166 2 CLAN : AVILS : CIEMZAΘRMS : LUPU
7167 1 ECA śUΘI NEśL • TETNIE</>
7168 1 [ECA śUΘ]I NEISL/
7169 1 ALEΘNAS • V • V • ΘELU • ZILAΘ • PARXIS •
7169 2 ZILAΘ • ETERAV • CLENAR • CI • ACNANASA
7169 3 <ELSśI> • ZILAXNU • <Θ>ELUśA • RIL • 29
7169 4 PAPALSER • ACNANASA • 6 • MANIM • ARCE
7169 5 <R>IL 66
7170 1 ARNΘ • ALEΘN+
7170 2 +AS • <A>R • CLAN • RIL •
7170 3 43 • EITVA • TA+
7170 4 +MERA • śARVENAS •
7170 5 CLENAR • ZAL • ARCE •
7170 6 ACNANASA • ZILC • MAR+
7170 7 +UNUXVA • TENΘAS • EΘ<L> •
7170 8 MATU • MANIMERI
7172 1 LARΘ • ALEΘNAS • ARNΘAL • RUVFIALC • CLAN
7172 2 AVILS • 60 • LUPUCE • MUNISVLEΘ • CALUSURASI
7172 3 /TAMERA ZELA<R>V<ENAS> LURI • MIAX◆◆ •
7173 1 CLENśI • MULEΘ SVALASI • ZILAXNUCE • LUPUCE • M/
7173 1 /UNISU<L>EΘ CALU
7173 2 /AVILS 70 LUP<U>
7173 3 /<A>[RNΘ] <A>LEΘN<AS> : śEΘR<Eś>A : NEśS • SA<C/
7173 3 /N>/
7174 1 [AL]<EΘ>NAS : ARNΘ : LARISAL : ZILAΘ : TARXNALΘ/
7174 1 /I : A<M>CE

7175	1	[A]LEΘNAS [•] <A> • V • ZILX • <MA>RUNUXVA Z<A>/
7175	1	/◆◆◇◇◇◇◆ΘZ • ZINCE • ◇◆◆◆◆◇◇<C>⫽
7176	1	NERINAI • RAVNΘU • AVI<L>S RIL • 58 • AT[I] CRA/
7176	1	/VZAΘURAS
7176	2	VELΘURS LRΘALC
7177	1	ECA • ŚUTNA ARNΘAL ΘVEΘLIES
7177	2	VELΘURUŚLA
7178	1	ECA : ŚUΘI • NEŚL : PAN⫽
7179	1	ECA : MUTNA : ARNΘAL : VIPINANAS : ŚEΘREŚLA
7181	1	VIPINANAS • VEL : CLA+
7181	2	+NTE • ULTNAS : LAΘAL CLAN
7181	3	AVILS : 20 : TIVRS : ŚAS
7182	1	<LARΘ>
7182	2	/<V>IPINANAS • VE<LΘUR> • <VE>LΘURU<S> [•] ◇ 11/
7182	2	/ • ZILAXCE
7183	1	ECA : MUTNA : VELΘURUS : STALANES
7183	2	LARISALIŚLA
7184	1	ECA : MUTNA : RAMΘAS : MANIA
7185	1	CA MUTNA VELUS
7185	2	STATLANES LAR<I>+
7185	3	+SAL
7186	1	<CA MUTA+
7186	2	+NA ΘANXV>[ILUS] ⫽
7187	1	LARΘAL : STATLANES : VELUŚLA
7189	1	RAMΘA : <M>IXLNEI :
7189	2	<ST>A<L>ANES : VELUS
7189	3	CIA<NIL> : PUIA
7190	1	STATLANES • LARΘ • VELUS : LUPU • AVILS • 36 MA/
7190	1	/RU • PAXAΘURAS : CAΘSC LUPU
7191	1	LARISAL LARI+
7191	2	+SALIŚLA
7191	3	ΘANXVILUS
7191	4	CALISNIAL
7191	5	CLAN AVILS
7191	6	HUΘ<IZ>ARS
7192	1	ZILTNA<I>
7192	2	RAMΘA
7192	3	AVILS : ΘU+
7192	4	+NEM : ZA+
7192	5	+ΘRUMS
7192	6	A◆N◆◆◆
7193	1	LARΘI • CEISI • CEISES • VELUS • VELISNAS • RAV/
7193	1	/NΘUS • SEX
7193	2	AVILS • ŚAS • AMCE • UPLES
7194	1	ATNAS : VEL <:> LARΘAL • <CL>AN • SVALCE • AVIL/
7194	1	/ 63 : ZI[L]<A>Θ MARUXVA • <T>ARILS • CEPTA /
7194	1	/• ΦEXUCU
7195	1	◇◇◇◇<S> • ARNΘ • LARISA<L> [•] <CLAN> [•] <ΘANX/
7195	1	/>VILUSC • PEŚL<IALX>◇◇◇◇◇◇◇◇ <Θ>URA◇◇◆◆◆◆<N/
7195	1	/>ΘASA
7195	2	EISNEVC • EPRΘNEVC • MACSTREVC • T<EN>◇◇◇EZNXVA/
7195	2	/LC • TAMERA • ZERLARVE<NAS Θ>UI ZIVAS AVILS/
7195	2	/ 36 • LUPU
7196	1	RUVFIES : ACIL
7197	1	MAX
7197	2	/ZAL
7197	3	/ΘU
7197	4	/HUΘ
7197	5	/CI
7197	6	/ŚA
7198	1	ECA : SUΘI : NE<A>ZNAS : ARNΘAL : NE<Ś>[L] <⫽>
7199	1	NUNAVASIEIŚIARIS<VIAIA> VINEIAI<A> V<I>P<I>IAIP/
7199	1	/ASE◆◆◆◆ <◆>◆◆T<AQ>AIA TARIP<RHUE>VIAITL<I>N/
7199	1	/UVASNIŚAŚINIA<S>E MINI <Q>APIŚARANASTIAI
7210	1	LARISAL HA<V>RENIES ŚUΘINA
7211	1	ΘANIAS : CEINEAL : ŚUΘINA
7212	1	ŚUΘINA
7213	1	TURIS : MI : UNE : AME
7214	1	LUVCANIE<SS>CA
7214	2	/◆
7215	1	ΘANCESCA • NUMNAL • ACIL
7216	1	LARΘ • METIES • ŚUΘINA
7219	1	CEIΘURNEAL ŚUΘINA
7255	1	[LA]RΘ • ZERTNAS • ZIL<TC>ΘI • ET<E>R<I>
7256	1	LARΘ PAIΘUNAS
7256	2	PREZU TURUCE
7257	1	MI PEΘNS <AE> TITI VUCINAS TURCE
7261	1	ŚUΘINA
7262	1	LUAŚ
7263	1	ŚUΘINA
7263	2	/VELUS LECNIES
7264	1	MI SUΘINA
7265	1	MII A<R>ANΘ
7266	1	MI ATIAL
7267	1	MINE MULVUNUKE LARIS NUMENAŚ
7268	1	MINE MULVUNUKE LRIS NUMENAS
7269	1	TINSET
7269	2	/TNE
7269	3	/TIN
7270	1	TINIA CALU<S>NA
7271	1	SU<ΘI>KUSSUA
7272	1	APLUEPARUŚIS
7273	1	ŚUΘINA LARCNAS
7276	1	ECLΘI RAMΘA CAINEI
7277	1	TINIA
7277	2	/ARVNΘE

7277 3 /ARTA
7278 1 MI ARAΘIALE ZIXUXE
7279 1 VEL : SECNES
7279 2 VELUS : CLAN
7279 3 AVILS : ESLE[M
7279 4 Z]AΘRUMS
7280 1 ⫽ZILXNCE AVIL • S<V>[ALCE] ⫽
7281 1 LARΘIAL VIPIAL
7281 2 MUTNA
7282 1 MI TITASI CVER MENAXE
7283 1 MI KAIZU
7284 1 MI CANA
7285 1 ECA : SUΘI CEICNA◆
7286 1 <⫽ V>IPIΘENES ∘ ARNΘAL ∘ SVALCE A<VIL> 72
7290 1 ŚTASINU HERMA TINS CEXE
7290 2 /ERUS
7290 3 /LUSXNEI
7291 1 ΘANIA LUCINI ŚUΘINA
7292 1 LUVCNAL
7292 2 ŚUΘINA
7316 1 TAΘA ∘ VELUISLA : ATRENC <⫽>
7323 1 LARΘ TUTES ANC FARΘNAXE VELUIS
7323 2 TUTEIS ΘANXVILUISC
7323 3 TURIALSC
7327 1 IŚIMINΘIIPI<T>INIE ŚUΘI<Θ>IT • VLAΘI
7327 2 /<⫽>LCLΘI
7328 1 VIPIA ALŚINAI TURCE
7328 2 VERŚENAS CA<N>A
7329 1 AXLE<I> TRUIE<S>◆ΘESΘUFARCE
7330 1 HINΘIAL
7330 2 TERASIAŚ
7331 1 HEΦMAŚUVEITEŚALEVAR<E>ARAVAPEISNISLAREKASIAIS<◆/
7331 1 />◆ EMAL : ◇◇◇◇◇◇◇◇ U<Θ>IKEMALUVEKAVISIAZILI/
7331 1 / ZIXINA EIN SU<Θ>UEAS
7332 1 MI RAMUΘAS KANSINAIA
7333 1 HIULS
7334 1 ECA : ERSCE : NAC : AXRUM : FLERΘRCE
7335 1 HINΘIA
7335 2 TURMU+
7335 3 +CAS
7336 1 FUFLUNSUL PAXIES VELC<L>ΘI
7337 1 MI APAS
7338 1 MI MAMERCE<S> : ARTESI
7339 1 ΘEZI
7340 1 CA ΘESAN
7341 1 MI LARECEŚ ŚUPELN<A>Ś <Θ>AFNA
7342 1 AU AFLES : ACIL
7343 1 IP : SIUNE
7344 1 MI PUTERE S<I>AS KAISIES
7345 1 FERIIANEZINACENTENAS
7346 1 MI AVINES
7347 1 STATNESI
7348 1 APUNIES MI
7351 1 SUTI <NESL⫽>
7356 1 ŚUΘINA
7357 1 PUPLUNA
7358 1 MI : PUPLUNA : LES :
7360 1 AISIU HIMIU
7361 1 MI LARTLIZI
7362 1 MI : LARZA : SUP<LUS>
7366 1 NACEME URU IΘAL ΘILEN IΘAL IXEME MESNAMERTANŚIN/
7366 1 /A MULU
7367 1 VATL
7368 1 CELS CLAN
7369 1 ΘU<PITU>◇LA
7370 1 METRU ∘ MENECE
7372 1 MI LARΘAL CLAITEŚ ∘
7373 1 KAAMUKAVIAŚ<◆◆◆>
7373 2 /KA◆
7375 1 LARCEŚ◇◆◆ ΘAPNA
7377 1 H<A>R
7378 1 PUPLUNA
7379 1 XA FUFLUNA VETALU
7392 1 LARΘI ATI LARΘAL CAIAL
7399 1 ECA : SREN :
7399 2 <T>VA : IXNA+
7399 3 +C : HERCLE :
7399 4 UNIAL : CL+
7399 5 +AN : ΘRA : SCE
7405 1 NATIS
7406 1 VELAΘRI
7407 1 MI LARΘIA ΘARNIEŚ ◇◇◇◇◇◇◇◇◇◇◇◇◇◇◇◇ UXULN<I> MU/
7407 1 /LU<V>UNUKE
7408 1 MENU TURU VEPET◇◇◇◇Ś
7409 1 PUPLUNA
7410 1 MI
7410 2 ΘANIAŚ
7410 3 NUVINAL
7410 4 CAPRA
7425 1 MI ELS : A◆◇◇◇◇◇◇◇◆RNAŚ REXU
7426 1 LARΘI SARZLX : LES<UN>I<LA>NCE
7426 2 MU<C>EZI : CEMA<R>ZL<E>RACZLE
7429 1 MINI MULUVANICE <V>HLAKUNAIE VENEL
7430 1 VELAΘRI
7435 1 TU<PL>TI<A>
7436 1 A ∘ CAINI STRUME :

7436	2	MANΘ : APA
7441	1	~
7441	2	NUVLAIUŚ ⫽
7441	3	NANUŚ ⫽
7441	4	LUT [:] ŚACRN⫽
7441	5	IŚ : ARSVA ⫽
7441	6	ŚAC⟨N⟩ITLE ⫽+
7441	7	+NIAI : AINE ⫽+
7441	8	+RI : CTZVI : CIA⫽+
7441	9	+NA [:] ALSTER ⫽ SANTIVI⟨MA⟩ ⫽
7441	10	ΘNA◇ES⫽
7441	11	~
7446	1	ETUŚNUI
7446	2	CIARΘLA
7447	1	ΘA CENCNEI
7447	2	ΘUPLΘA+
7447	3	+L CAUZNA
7447	4	ŚUVLUŚI ∘ LAPI⟨Ś ME⟩NAXZI
7451	1	MI HUPNINA A⟨R⟩UNΘIAL ŚAL⟨XI⟩+
7451	2	+EŚ
7452	1	MI FEL⟨I⟩ŚI 12 11
7457	1	MI VENILIMEPIEPARŚE E N
7458	1	ΘANA HELEI ⟨L⟩AUTERIŚ
7459	1	PUP[LUNA]
7463	1	LARΘ : TETNIA : ARNΘALISA : ETRNIS
7468	1	LARΘ : CAE : CAPESAR
7469	1	LARΘI ⟨P⟩ETRUI LARΘIAL ∘ SENTINATEŚ PUIA : AME
7474	1	⟨P⟩IR⟨H⟩EUNRUA+
7474	2	+◇MIELUHAEX+
7474	3	+ΦAIMLASIRA+
7474	4	+EXAS
7475	1	ŚUΘINA
7476	1	MI MARISL HARΘ SIANŚL : L◇EIMI
7477	1	MI VEΘURUS : AFUŚ TETUMINAŚ
7478	1	⫽⟨N⟩ESNISNASM⟨L⟩KASMEKA⟨N⟩⫽
7478	2	⫽◆◆⟨L⟩ HIRINIIARA⟨I⟩S MUΘU⟨N⟩◆⫽
7478	3	⫽⟨EΘ⟩◆⟨AU⟩LAR⟨II⟩ARAIKAITEΘIΘUVS
7478	4	◆⟨KAΘ⟩AKAMAR ⟨•⟩ NI ŚURISICE MUΘ
7478	5	⫽⟨IN⟩KAMUNEISVANKA
7479	1	MI UNEIŚAŚ
7482	1	MINI SPURIAZA MULUVANIKE KURITIA⟨N⟩AŚ
7483	1	[MI ~]KINAŚ KURTINAŚ EN MINI[PI] K⟨API⟩ MIRNUNE/
7483	1	/I
7484	1	MI MUKIŚ PAPANAI
7484	2	/A
7485	1	LA◆ΘNA : RITE : CLANICIANISΘ : ŚHS◆ATE : CLUNSI/
7485	1	/A◆ : PANΘSIL
7486	1	ŚENULI⟨S⟩
7486	2	RITE
7487	1	MI ŚPURAL
7488	1	⟨T⟩A : ΘAFNA : RAΘIU : CLEUSINŚL : ΘU
7489	1	MI ARAΘIA VELAVEŚNAŚ ZAMAΘIMA⟨NU⟩RKEM⟨FE⟩VE⟨I⟩N/
7489	1	/⟨K⟩ETURSIKI⟨N⟩A
7490	1	HAR⟨A⟩
7491	1	HURTU
7492	1	AŚΘ
7492	2	/TUS⟨N⟩[U]T[NIE]
7493	1	MI KA+
7493	2	+TE+
7493	3	+KRIL
7495	1	K⟨L⟩ENASE ∘ CITIA
7505	1	⟨⫽⟩ CVER TURCE
7522	1	MELETEM
7526	1	[V]RAΘ
7526	2	/TUSNUTNIE
7527	1	VRAΘ
7527	2	/TUSNUTNIE
7530	1	TULAR ALFIL
7565	1	PEIΘESA
7617	1	MI KUIKNA
7622	1	ECA KAUΘAŚ : AXUIAŚ : VERSIE
7622	2	/AVLE NUMNAŚ TURKE
7625	1	MI ⟨V⟩ELŚATI ALCE
7630	1	TUŚΘI ⟨Θ⟩UI ⟨H⟩UPNINEΘI
7630	2	ARNT MEFANATEŚ
7630	3	VELIAK ⟨H⟩APISNEI
7631	1	TUŚTI : ΘUI
7633	1	⫽CNA LARCANA
7633	2	⫽ASTI LAREZU
7633	3	⫽◆A LAREZUL
7633	4	⫽ŚATNIAL
7645	1	⟨V⟩◇◇⟨R M⟩I SCATNASVEXNAŚVEXSNARΘA
7650	1	⟨T⟩UR⟨M⟩Ś ∘ ⟨A⟩R APUNIA◆ ∘ APUNI ∘ RAFIS ∘ TRIS/
7650	1	/NA◆
7655	1	TUSTI ΘUI
7665	1	TARXIS
7665	2	/⫽ALIEΘI : FRAST TEZIS : LUΘ⫽
7666	1	MLAX
7667	1	AREUIZIES
7667	2	/CRIUEPEUE
7673	1	EKUΘUΘ⟨UAU⟩TREXUVAZELEŚULZIRULEΘΘESUVAPURTISURA /
7673	1	/PREUNE TURARE⟨K⟩ETI
7676	1	TULAR ∘ ŚPUR+
7676	2	+AL ∘ HIL ∘ PURA+
7676	3	+TUM ∘ VIPSL ∘
7676	4	VX ∘ TATR ⟨⫽⟩

7680	1	VISUL
7680	2	/IU
7680	3	/AE
7686	1	MI VELAŚNAŚ
7687	1	MI VELANA
7688	1	MI LARCA <ŚP V>ISULIŚ
7690	1	L<A>UTNITA : FASTI <VE
7690	2	V>L CARE
7690	3	<A>ULE VETRU ERUCAL
7691	1	SNENAΘ TURNS
7692	1	<T>ULAR
7692	2	LARNS
7692	3	/<T>ULAR
7692	4	LARNA
7694	1	<MI> SPURAL
7695	1	MI MALENA LARΘIA PURUHENAS
7696	1	TN TURCE • RAMΘA UFTA
7696	2	TAVI • SELVAN
7697	1	{[L • CA]<F>ATIUS • L • F • STE • HARUSPE[X]
7697	2	FULGURIATOR} CAFATES • LR • LR • NETŚVIS • TRUT/
7697	2	/NVT • FRONTAC •
7698	1	[MI] <S>UΘI VELU[Ś] <K>AIKNAŚ
7699	1	[MI] SUΘ[I VELUŚ KA]IKNAŚ ARNΘIAL ZI ◇L◇UTU VEN/
7699	1	/ELU◇◇
7700	1	MI [SU]TI ΘANXVILUŚ : TITALUŚ
7701	1	MI VETUŚ [K]AΘLEŚ SUΘI
7704	1	ŚUΘINA
7705	1	<M>I TITLES
7706	1	MI LAVTUNIEŚ
7707	1	[AR]NΘ VEIANE SP<U>◇◇
7707	2	LARIZA MA TURUNKE
7708	1	ANΘI<AM>+
7708	2	+VESIŚ+
7708	3	+TNEŚ+
7708	4	+A<VEI>
7709	1	ΘUCER HERMENAS TURUCE
7710	1	NI KLUTIKUNAŚ
7711	1	<V>ENUS PULIUŚ MI
7712	1	MI FAŚENA TATAŚ TULALUŚ
7713	1	MI LARZL SEKSUALUŚ
7714	1	TEN LARZL PERCIUŚ
7715	1	PARLA ATRUŚ
7716	1	MI VENELUS KAR◇◇◇◇
7717	1	KAVINTA MI
7718	1	KI AISER • TINIA • TIǂ
7718	2	/ǂSILVANVǂ
7720	1	TRSKMETR
7720	2	76 S
7721	1	MI SUΘI LARΘIAL MUΘIKUŚ
7722	1	MI SU[ΘI] ǂ
7722	2	LUXUM ǂ
7722	3	KEMǂ
7723	1	~
7723	2	ǂ [A]<V>IL 40ǂ
7723	3	ǂ • LEINǂ
7724	1	MI <R>UI<M>ELKARΘAZIE ⁝ ◆◆◆◆◇◇◇◇NA
7731	1	ECA : MUTNA : VELUS ◇◇◇AS : ARNΘAL : ◇◇ARCESLA
7732	1	ǂ<U>RUNAS • VEL<ΘUR>[US
7732	2	Θ]ANX[VILU]S : PE<TRU>NIALS • SPURAL • M<A>RVAS/
7732	2	/ǂ
7733	1	MI : ΘANRŚ
7735	1	FLERES TLENACES CVER
7736	1	<IN> • TURCE : VEL • SVEITUS
7737	1	MI : FLEREŚ : S<V>ULARE : ARITIMI :
7737	2	FASTI : RUIFRIŚ : TRCE : CLEN : CEXA
7738	1	ECN : TURCE
7738	2	FLE<R>EŚ
7738	3	/VATLMI
7738	4	ARΘ : CAINIŚ
7740	1	TITE : ALPNAS : TURCE : AISERAS : ΘUFLΘICLA : T/
7740	1	/RUTVECIE
7741	1	<SUΘN>[A]
7742	1	TEMREŚ
7742	2	ALPAN
7742	3	TINIAŚ
7743	1	[M]<A>MARCE VE<◆>◆◆NŚNAŚ • TURUCE
7744	1	MI FEP : MI TIMXA NAEPIRM : PEPANL LIUNA EMFEPA/
7744	1	/ME ŚUΘINA
7745	1	ŚUΘINA
7746	1	MI • SUΘIL : VELΘURIΘURA : TURCE • AU • VELΘURI/
7746	1	/ : FNIŚCIAL •
7747	1	<LURŚLALATVA+
7747	2	+VATLIMIFAŚTA>
7748	1	MI TIIURŚ KAΘUNIIAŚUL
7749	1	MI TANCVILUS FULNIAL
7750	1	MI SUΘINA
7751	1	ŚUΘINA
7752	1	TITE CALE : ATIAL : TURCE
7752	2	MALSTRIA : C<V>ER
7753	1	TINSCVIL AVIAL
7754	1	T<UR>AN ATI
7755	1	ΘEVRUMINES
7758	1	MI RIΘCEA SUT+
7758	2	+<V>E MI STES • NAT<A>PTECE
7758	3	<AU>NEUPTALI
7758	4	CALI • Θ

7759	1	MI MULU LARILEZILI MLAX
7760	1	MINI TURUCE LARΘ ⁝ APUNAS VELEΘNALAS
7761	1	MI LARΘAIA TELICLES LEXTUMUZA
7762	1	MLAKAS ⁝ SE • LA ⁝ ASKA MI ELEIVANA
7764	1	MINI URΘANIKE ARANΘUR
7765	1	MI REPESUNAS AVILES
7766	1	MI ΘANAKVILUŚ SUCISNAIA
7766	2	/AŚU
7767	1	MI QUTUNAS
7768	1	MI ΘES⟨U⟩SALXAS
7769	1	MI LICINEŚI MULU HIRSUNAIEŚI
7770	1	MI LARISA AXS
7771	1	MI ⟨E⟩ŚMI LARΘIA ⟨SUR⟩
7772	1	MI LARΘIASTINIAŚ
7773	1	MARCE • SVINCINAS • ALPAN • PUTS
7774	1	KAPE MUKAΘESA • KAPES⟨◇⟩SLI
7775	1	MIICANU
7776	1	VL : VITECAΘA : VIVIPINAL
7777	1	AP⟨PIU⟩S
7777	2	AL⟨C⟩E
7778	1	MI PAPAŚ◇◇A
7779	1	APCAR
7780	1	NUM
7781	1	VAXSTLS
7782	1	LEU
7783	1	URSTE : URST : P⟨U⟩L+
7783	2	+ACS : PRIUMNE : XAR+
7783	3	+CLUNISTA
7784	1	STREVC
7785	1	ΘEZI
7786	1	ΘEZLE
7787	1	VELSU
7789	1	PUPLUNA
7790	1	EXEΘ
7791	1	NEΘV
7792	1	METL
7793	1	CUR⟨T⟩
7794	1	XA VETALU FUFLUNA
7795	1	VATL⟨UI⟩
7797	1	VERCNAS
7798	1	PEIΘESA
7800	1	VELAΘRI
8001	1	EITAM
8012	1	{STATUO}
8013	1	{STA}
8017	1	ARN
8018	1	L⟨Θ⟩ : CR
8018	2	§§§§§§§
8029	1	ANAE ◇AU⟨V⟩CIES
8031	1	⟨V⟩LTVI ⁝
8032	1	AIE⟨A⟩
8033	1	AC
8052	1	{STA}
8073	1	⟨ΘURE⟩ UEΘIU •
8078	1	{Q HALO
8078	2	TETTIUS ATRONIUS}
8164	1	{UOL⟨U⟩IA}
8176	1	⫽UELZU
8176	2	⫽EO : FE
8177	1	CALIN⫽
8177	2	REZO
8178	1	{UDORI • BONUS ES •}
8181	1	ULTIES
8181	2	/{ANNI}
8206	1	UEL ⟨•⟩ U⟨IS⟩NI • OLNA
8211	1	TUCONU
8212	1	UOL⟨U⟩◇◇
8263	1	A⟨Θ⟩ : C⫽
8334	1	{L • UECILIO • UO • F • E⟨T⟩
8334	2	PO◆AE • ABELESE
8334	3	LECTU • I • ĐATU[⟨S
8334	4	C •⟩] UECILIO • L • F • ET ⟨•⟩ PLENESE
8334	5	⟨LE⟩CTU • I • AMPLIUS • NIHIL
8334	6	INUITEIS • L • C • LEUIEIS • L • F
8334	7	ET • QUEI • EOS • PARENTA⟨R⟩ET
8334	8	NE • ANTEPONAT}
8339	1	{CAUI : TERTINEI : POSTICNU}
8340	1	{MENERUA • SACRU
8340	2	◆A • COTENA • LA • F • P⟨R⟩ETOĐ • ĐE
8340	3	ZENATUO • SENTENTIAĐ • UOOTUM
8340	4	ĐEĐET • CUANĐO • ĐATU • RECTEĐ
8340	5	CUNCAPTUM}
8341	1	{GONLEGIUM • QUOD • EST • ACIPTUM • AETATEI ⟨•⟩/
8341	1	/ AGEĐ⟨◇◇⟩
8341	2	OPIPARUM • ⟨AĐ⟩ • UEITAM • QUOLUNĐAM • FESTOSQ⟨/
8341	2	/U⟩[E •] ⟨Đ⟩IES
8341	3	QUEI • SOUEIS◆AST⟨UT⟩I◆⟨IS⟩ • OPIĐQUE • UOLGANI/
8341	3	/
8341	4	GONĐE⟨C⟩ORANT • SAI◆◇◆UME • COMUIUIA • LOIĐOSQU/
8341	4	/E
8341	5	QUQUEI • HUC • ĐEĐERU◆◇◇NPERAT • ORIBUS • SUMME/
8341	5	/IS
8341	6	UTEI • SESEĐ • LUBEN◆◇◇◇◆NE IOUENT • OPTANTIS}
8341	7	/{⟨I⟩OUEI • IUNONEI • MINERUAI
8341	8	FALESCE • QUEI • IN • SARĐINIA • SUNT
8341	9	ĐONUM • ĐEĐERUNT ⟨•⟩ MAGISTREIS

8341	10	L • LATRIUS • K • F • C • SAL<U>◇<N>A • UOLTAI /
8341	10	/• F
8341	11	COIRAUERONT}
8342	1	{◇◇◇ILIO • C◇◇◇}
8343	1	{<◇◇◇> • HIRMIO • M<◆>CE • TERTINEO • C • F • P/
8343	1	/RE◆<◇◇◇>}
8344	1	{UIPIA : ZERTENEA : LOFERTA
8344	2	MARCI : ACARCELINI
8344	3	MATE : HE : CUPA}
8345	1	{CA<U>◇◇ [•] UECIN◇<A> • UOTI<LIA>
8345	2	MA<C>I • ACACELINI <•> U<X>O}
8345	3	/{MARCIO : ACARCELINIO
8345	4	CAUIA : UECINEA
8345	5	H<EC> CUPAT}
8346	1	{TITO [:] ACAR<C>ELIN<I>O <:>
8346	2	MA : FI • POP • PETRUNES • CE • <F>
8346	3	◇E CU<◇>◇◇}
8347	1	{UO<L>TIO • UECINEO
8347	2	MA<X>OMO
8347	3	IUNEO • HE : CUPAT
8347	4	CAR<C>ONIA}
8348	1	{CA • UECINE<O> [•] UOLTI •
8348	2	HEI • <CU>PAT [•] MEANIA}
8348	3	/{CA • UECINEO
8348	4	CA • MANIA}
8349	1	{<◇◇◇>◆ARCIO}
8349	2	/{CELUSA : TIPERILIA : TE <F>}
8350	1	{POL<A> MARCIA : SUS◇◇}
8351	1	{<L> • C<L>IP<IA>◆<◇◇>}
8352	1	{C • CLIPEA◆<◇>◇
8352	2	M • F • HARA<C>◆<A> SOREX • Q • <CUE>
8352	3	HEIC
8352	4	CUBAT
8352	5	PLENES • Q • F}
8353	1	{◆<◇◇◇>
8353	2	ANCO M<A> HARISP
8353	3	SOR §§ C<E>NS<O><◇>}
8353	4	/{M • C<L>◇<P>EARIO • ◆
8353	5	<◇◇◇>
8353	6	<◇◇◇>OR}
8354	1	LA
8356	1	{H}
8357	1	SESTO <•>
8357	2	F<U>LCZEO
8359	1	{C<A>IO ◆OLCU<ZI>O
8359	2	<CET>I<O>
8359	3	POPLI<A>
8359	4	U<E>LC<EI> F
8359	5	<E>}
8360	1	{CE<S>IO FOLCU<I>O}
8361	1	<CE HOL>CO<S>IO
8361	2	<L>O<U T>I<T>OI
8362	1	{TITO • MARHIO •
8362	2	UOLTILIO}
8363	1	{CAUIA
8363	2	UETULIA}
8364	1	{CAUIO
8364	2	UETULIO}
8370	1	{CAUI<O> • LATRIO}
8371	1	{<C>AUIA
8371	2	<•> HAΘENIA}
8372	1	{ST • ACO
8372	2	LEUIA}
8373	1	{◆<U> • UE<T
8373	2	T> • F}
8374	1	{M • NERONI
8374	2	A • F • ET • HLAU
8374	3	ELEA • M • F •}
8375	1	{<•> ⌣⌣CUBA
8375	2	<• N>TE}
8376	1	RO •
8377	1	<T> • NE
8378	1	{CAUIO : NOMES
8378	2	INA : MAXOMO
8378	3	ZERUATRONIA}
8379	1	LARΘ VELARNIES
8380	1	LA<R>Θ VELA<R>NIES
8381	1	{<⁄>ANS • L • R<U>FI⁄}
8381	2	/10
8381	3	/10
8381	4	/{LOCIAE <TI>TOI}
8381	5	/5
8381	6	/{A}
8381	7	/55
8382	1	LARISA ZUXUS
8383	1	A
8383	2	/A
8383	3	/AII
8383	4	/AN
8383	5	/E
8383	6	/V
8383	7	/NI
8383	8	/P
8384	1	{ARUTE MACENA}
8384	2	MORENE<Z>
8385	1	{POPLIA

8385	2	ZUCONIA}
8386	1	{CNA : CITIAI
8386	2	LARISE : MAR}
8387	1	{POPLIA : CALITENES
8387	2	ARONTO : CESIES
8387	3	LARTIO : UXOR}
8388	1	UELTUR • TETENA
8388	2	ARUTO
8389	1	LARΘ ⟨:⟩ CEISES
8389	2	⟨C⟩ELUSA
8390	1	LARΘ
8390	2	UR⟨X⟩OSNA⟨S⟩
8392	1	ARUZ : CESVE : ARUTO
8393	1	{UENEL⟨T⟩ES : SAPNONIA}
8394	1	{ULI}
8395	1	{LICINIO}
8397	1	{CAUIO : OUFILIO
8397	2	UOLTEO}
8398	1	{⟨C⟩EISIO ⟨:⟩ OUFILIO
8398	2	UOLDEO}
8399	1	C⟨E⟩SI⟨F⟩ : FERE
8400	1	{HERMANA}
8401	1	{⟨T⟩ANA
8401	2	⟨L⟩ARTIA}
8402	1	UELTUR
8402	2	ORTECES⟨E⟩
8403	1	{M • ACO
8403	2	RUTI⟨L •⟩ CE}
8403	3	/{NIO • IA • ◆
8403	4	ILIA • C⟨E⟩◆}
8404	1	{C • NERONI}
8406	1	RO⟨◆◆⟩◆
8407	1	• ⟨E⟩R◇
8408	1	◆⟨F⟩
8411	1	⟨⫽⟩◆ALIKEAP⟨U⟩MIN⟨I⟩KARA
8413	1	MIALIQU : A⟨U⟩VILESIAL⟨ES :⟩ PURAΘE⟨VN⟩ALΘIA : /
8413	1	/INPEIN : MLERUSI : ATERI : MLAXUTA : ZIXUXE/
8413	1	/ : MLAXTA : ANA : ZINACE
8415	1	MIQUNTUNLEM⟨AU⟩SNASRANAZUZINACE
8415	2	/ERUNALETASERUE⟨P⟩NINA⟨R⟩TALET⟨A⟩M⟨VI⟩UPESITATA/
8415	2	/TUΘ⟨A⟩CET⟨U⟩⟨◇⟩◇◇◇◇◇◆⟨A⟩ΘIN⟨E⟩
8416	1	MISAZA
8417	1	H⟨E⟩R
8418	1	⟨H⟩ER
8419	1	LAZIVEIANES
8420	1	LAZIVEIANES
8421	1	LAZIVEIANES
8422	1	LAZIVEIANES
8423	1	LAZIVEIA⟨N⟩ES
8426	1	MIMULULARICESIP◆⟨◇⟩◇◆◆⟨ML⟩◆⟨PI⟩◇◆⟨SVU⟩NAIESICLI/
8426	1	/NSIVELΘURUSILAR◇SRUVRIES
8428	1	⟨⫽⟩NΘIA
8429	1	⟨⫽⟩ARE ⟨•⟩ ◆
8429	2	⟨UI⟩N⟨U⟩
8430	1	⟨⫽⟩NA : U⟨P⟩RECIANO
8431	1	UPRECIAN⟨O⟩
8432	1	UM⟨R⟩IE
8433	1	F
8434	1	100
8435	1	10
8435	2	UOLTAI
8436	1	UOLTAI
8437	1	⟨100⟩
8437	2	UOLTAI
8438	1	U⟨O⟩LTAI
8439	1	LARISE
8439	2	UICINA
8440	1	LARIS⟨E⟩
8440	2	UI⟨C⟩INA
8441	1	LA
8442	1	⟨LA⟩
8443	1	L⟨A⟩
8444	1	1
8445	1	V
8446	1	10
8447	1	10
8448	1	10
8449	1	C • PSCNI
8450	1	⟨P •⟩ U⟨O⟩MANIO
8454	1	AT • FER⟨T⟩RI⟨O⟩
8455	1	F • P⟨AC⟩IOS
8456	1	{CLAUDIA • C • F
8456	2	A • ◘ • 3 • EI◘US • SEXT}
8457	1	TIF
8458	1	APA
8459	1	TR • P⟨E⟩
8460	1	⟨C⟩A • E◆⟨L⟩SA
8461	1	AU CAU
8461	2	PANUR
8462	1	SETORIO
8463	1	{P • IUNI⟨O⟩}
8464	1	UEIUATIA
9001	1	~+
9001	2	+~
9001	3	◇◇◇◇◇◇◇◇◇◇◇◇◇◇◇◇◇◇◇◇⟨RI • T⟩EI • A⟨F⟩ § ⟨U⟩N
9001	4	◇◇◇◇◇◇◇◇◇◇◇◇◇◇◇◇◇◇◇◇ VERSUM • ⟨S⟩PAN⟨Z⟩A

9001	5	◇◇◇◇◇◇◇◇◇◇◇◇◇◇◇◇◇◇◇◇◇◆ E<T>RAŚA
9001	6	◇◇◇◇◇◇◇◇◇◇◇◇◇◇◇◇◇◇◇◇◇◆ <X>RI • CN • ΘUNT
9001	7	◇◇◇◇◇◇◇◇◇◇◇◇◇◇◇◇◇◇◇◇◇ <UXTIΘUR>
9001	8	~+
9001	9	+~
9001	10	/~+
9001	11	+~
9001	12	◇◇◇◇◇◇◇◇◇◇◇◇◇◇◇◇◇◆◇◇◇◇◇◇◇◇◇◇◇◇◇
9001	13	◇◇◇◇◇◇◇◇◇◇◇◇◇◇◇◇◇◇NC◇◇◇◇◇◇◇◇◇◇◇◇
9001	14	◇◇◇◇◇◇◇◇◇◇◇◇ [ŚACNICŚTREŚ] <•> CILΘŚ
9001	15	[ŚPURESTREŚ<C> • ENAŚ • ŚV]EL[ŚT]R<E>Ś<C> ◆ <• /
9001	15	/SV>EC • AN
9001	16	[CŚ • MENE • UTINCE • ZIXN]E • Ś[ETI]<R>UNE<C> /
9001	16	/• EΘRSE
9001	17	[TIN]<Ś>I • TI<U>RIM • A<V>ILŚ XIŚ CI<SU>[M P]</
9001	17	/U>TE • TUL
9001	18	[ΘA]<NS>UR <• HA>ΘRΘI • REPINΘIC • ŚACN<I>[CL]E/
9001	18	/RI
9001	19	[CILΘL] <ŚPURERI MEΘL>UMERIC <ENAŚ> ŚVELERIC
9001	20	<SVE>C • AN • CŚ • MENE • UTINCE • ZIXNE • ŚETI/
9001	20	/RUN<EC>
9001	21	RAXΘ • TURA • NUNΘENΘ • CLETRAM • ŚREN<X>V<E>
9001	22	TEI • FAŚEI • Z<AR>FNEΘ • ZUŚLE • NUNΘEN
9001	23	FA<RΘA>N • AISERAŚ • ŚEUŚ <• CLETR>AM • ŚR<EN>C/
9001	23	/V+
9001	24	+<E>
9001	25	[RAX]<Θ> • <TU>RA • NUNΘENΘ • TEI • FAŚEI • NUN/
9001	25	/<ΘENΘ>
9001	26	◇◇◇◇◇◇◇◇◇◇◇◇◇◇◇◇◇◇◇◇◇◇◇◇◇◇◇◇◇◇◇◇◇◇
9001	27	~+
9001	28	+~+
9001	29	+~
9001	30	/◇◇◇◇◇◇◇◇◇◇◇◇◇◇◇◇◇◇◇◇◇◇◇◇◇◇◇◇◇◇Θ
9001	31	◇◇◇◇◇◇◇◇◇◇◇◇◇ [HU]<R>S<I> PURUΘN • EPRIS
9001	32	◇◇◇◇◇◇◇◇◇◇◇◇◇◇◇◇◇ [ML]AX • ZUŚLEVA
9001	33	◇◇◇◇◇◇◇◇◇◇◇◇◇◇◇◇◇ [VIN]UM <•> HUSINA
9001	34	◇◇◇◇◇◇◇◇◇◇◇◇◇◇◇◇◇◇ [CLUCΘRA]Ś <• C>AP<ERI>
9001	35	~
9001	36	~
9001	37	~
9001	38	~
9001	39	~
9001	40	~
9001	41	[FLE]R • ETNAM • TESIM • E[T]NAM <•> C[ELUCN]
9001	42	CLETRAM • ŚRENXVE • T<RIN ΘE>ZINE <•> XIM <•> F/
9001	42	/LER
9001	43	TARC • MUTINUM • ANANC V<E>Ś • N<AC> • <CA>L <•/
9001	43	/> T<ARC>
9001	44	ΘEZI • VACL • AN • ŚCANIN <•> C<E>S<ASI> SAΘ <V/
9001	44	/EI>SIN
9001	45	CLETRAM • ŚRENXVE IN ŚCANIN C<EAL>X • VACL
9001	46	ARA NUNΘENE • <Ś>AΘAŚ • NAXVE • H<ETU>M • <A>LE/
9001	46	/
9001	47	VINUM • USI • TRIN<UM> FLE<R>E IN • CRAPŚTI
9001	48	[U]N • MLAX <•> NUNΘEN • ΘACLΘI • ΘA<X>Θ<I>V • /
9001	48	/CIA<L>[XU]<Ś>
9001	49	HUSLNE • VINUM • EŚIS • ESERA MUERA <CU>ŚE
9001	50	FAŚEI ŚPURESTRES • ENAŚ EΘRSE • TINŚI
9001	51	TIURIM • AVILŚ • XIŚ • CISUM • PUTE • TUL ΘAN<S/
9001	51	/
9001	52	HANTEC •> REPINE<C •> ŚPURERI <•> MEΘLUM<E>RI[C/
9001	52	/]
9001	53	~+
9001	54	+~
9001	55	/◇◇◇◇◇◆◆◆◆◆◇◇◆◇◇◇◇◇◆◆◆◇◆◆◆◆◇◇◇◇
9001	56	EΘRSE • TINŚI • TIURIM • AVILŚ • XIŚ • EC[N ZER/
9001	56	/I]
9001	57	INC • ZEC • FLER • ΘEZINCE • CISUM • PUTE • T[U/
9001	57	/L • ΘANS]
9001	58	HATEC • REPINEC • MELERI • SVELERIC • SV[EC • A/
9001	58	/N]
9001	59	CŚ • MELE • ΘUN • MUTINCE <•> ΘEZINE • RUZ[E
9001	60	NUZLXNE] ŚPUR<E>RI • MEΘLUMERIC • ENAŚ
9001	61	[TEI FAŚEI] ZARFNEΘ ZUŚLEVEŚ <•> NUNΘEN
9001	62	[FARΘAN F]LERES • IN • CRAPŚTI <•> CLETRAM
9001	63	[ŚRENXV]<E> • RAXΘ TURA <H>EXŚΘ • VINUM
9001	64	[NUNΘEN C]LETRAM • ŚRENXVE • RAXΘ • SUΘ
9001	65	[ZARFNEΘ] <ZU>ŚLEVEŚ • NUNΘEN ESTREI
9001	66	ALΦAZEI <• CL>ETRAM • ŚRENCVE • EIM • TUL • VAR/
9001	66	/
9001	67	RAXΘ • TUR • NUNΘENΘ • FAŚI • CNTRAM • EI • TUL/
9001	67	/
9001	68	VAR CELI <• SUΘ • HEX>ŚΘ • <V>INM • TRIN • FLER/
9001	68	/E
9001	69	IN • CRAPŚTI • UN <•> MLAX • NUNΘEN • XIŚ • ESV/
9001	69	/IŚC
9001	70	FAŚEI • CISUM • PUTE • TUL • ΘAN<S> HATEC • REP/
9001	70	/INEC
9001	71	MELERI • S<VELERIC> • <SV>EC • AN • CŚ • MELE •/
9001	71	/ ΘUN
9001	72	MUTINC<E> [ΘEZINE RUZ]<E LU>Z<LXNE>C ŚPURE<R>I
9001	73	MEΘLUMERIC <• E>NAŚ • ŚIN • <FL>ERE <I>N • CRAP/
9001	73	/ŚTI
9001	74	XIŚ • ESVIŚC • FAŚE • ŚIN • AISER <•> FAŚE • ŚI/
9001	74	/N
9001	75	AIŚ • <C>EMNAC • FAŚ<EIS • R>A<XΘ> • SUTANAŚ • /

9001 75 /CELI
9001 76 SUΘ • EISNA • PEVAX • VINUM • TRA<U> • PRUXŚ
9001 77 ~+
9001 78 +~
9001 79 /<VIN>[UM TRIN EISER ŚIC ŚEUC]<NUN>[ΘEN • ET]<N/
9001 79 />[AM]
9001 80 ECN <•> ZERI • LECIN • <IN>C • ZE<C> • <F>ASLE /
9001 80 /• HEMSINCE
9001 81 ŚACNICSTREŚ • CILΘŚ • Ś<PUR>EŚTREŚC
9001 82 ENAŚ • EΘRSE • TINŚI • TIURIM • AVIL<Ś> • <X>IŚ/
9001 82 /
9001 83 CISUM • PUTE • <T>UL • ΘANS<UR> • HAΘRΘI • REPI/
9001 83 /NΘIC
9001 84 ŚACNIC<L>ERI • CILΘL <•> ŚPURERI • MEΘLUMERIC
9001 85 ENAŚ • RAXΘ • SUΘ • NUNΘENΘ • ETNAM • FARΘAN
9001 86 AISERAŚ • ŚEUŚ • CLETRAM • ŚRENCVE • RACΘ
9001 87 SUΘ • NUNΘENΘ • EST<R>EI • ALΦAZEI • EIM • TUL
9001 88 VAR • CELI • SUΘ • NUNΘENΘ • EISER • ŚIC • ŚEUC/
9001 88 /
9001 89 [UNUM ML]AX <•> NUNΘEN • XIŚ • ESVIŚC • <F>AŚ<E/
9001 89 /I>
9001 90 CISUM • PUTE • TU<L> • ΘANSUR • HAΘRΘI • REPINΘ/
9001 90 /IC
9001 91 ŚACNICLERI • CILΘL • ŚPURERI • MEΘLUMERI
9001 92 ENAŚ • ŚIN • EISER • ŚIC • ŚEUC • <XIŚ • ES>VIŚ/
9001 92 /C
9001 93 FAŚE • ŚIN • EISER • FAŚEIŚ • RAXΘ • SUTANAŚ
9001 94 CELI • SUΘ • VACL • • ΘESNIN • RAX • CRESVERAE
9001 95 H<EVTAI> • TR<U>Θ • CELI • ERC • ŚUΘCE • CITZ •/
9001 95 / TRINUM
9001 96 HETRN • ACLX<N> AIS • CEMNAC • TRUΘT <•> RAXŚ •/
9001 96 / RINUΘ
9001 97 CITZ • VACL • NUNΘEN • ΘESAN • TINŚ • ΘESAN
9001 98 EISERAŚ • ŚEUŚ • UNUM • MLAX • NUNΘEN • ΘE<I>VI/
9001 98 /TI
9001 99 FAVITI<C> • FAŚEI • CISUM • ΘESANE • USLANEC •
9001 100 M<L>AX <•> ELURI • ZERIC • ZEC • AΘELIŚ • ŚACNI/
9001 100 /CLA
9001 101 CILΘL • ŚPURAL • MEΘLUMEŚC • ENAŚ <•> CLA • ΘES/
9001 101 /AN
9001 102 ~+
9001 103 +~
9001 104 /<C>Ś <SAL Ś>◇◇◇◇◇◇<N>CE <V>AŚ <ΘUNEM> ◇◇◆◆ <L>/
9001 104 /EIC
9001 105 ŚN<UT>UΦ <•> I<X REU>ŚCE<Ś>C ANIAX URX • <H>ILX/
9001 105 /VE<T>RA
9001 106 HAMΦEŚ <• L>EIVES • TURI ΘUI • STRETEΘ • FACE
9001 107 APNIŚ • ANIAX • APNIŚ • URX <•> PEΘERENI • ŚNU</
9001 107 /T>UΦ
9001 108 HAMΦEΘI • ETNAM • LAETI • ANC • ΘAXŚIN
9001 109 ΘEUSNUA • CAPERC • HECI • NAX • VA • TINΘAŚA
9001 110 ETNAM • VELΘINAL • ETNAM • AISUNAL • ΘUNXERŚ
9001 111 <IN •> ŚACNICLA •
9001 112 ZAΘRUMSNE • LU<S>AŚ FL<E>R • HAMΦISCA • ΘEZERI
9001 113 LAIVISCA • LUSTR<E>Ś • FL<ER> VACLTNAM
9001 114 <ΘEZ>[ERI] ◆◆◆◆◆◆◆◆◆◆◆◆◆◆◆◆◆◆◆◆
9001 115 ETNAM • EISN<A •> [IN • FLER]<EŚ> CRAPŚTI
9001 116 ΘUNŚNA • ΘUNŚ • FLE<R>Ś
9001 117 ESLEM • ZAΘRUMIŚ • ACALE • TINŚIN • ŚAR<V>E
9001 118 LUΘTI • RAX • TURE • ACIL <• C>ATICA <•> ΘLUΘ •/
9001 118 / CEIΘIM
9001 119 XIM • SCUXIE • ACIL • HUPNIŚ • PAINIEM
9001 120 ANC • MARTIΘ • <S>ULAL
9001 121 ◆◆◆◆◆◆◆◆◆◆◆◆◆◆◆◆◆◆◆◆◆◆◆◆
9001 122 ~+
9001 123 +~
9001 124 /[CE]I<A> ◇◇◇◇◇◇◆◆◆◆◆◆◆◆◆◆◆◆◇◇◇◇◇◇◇◇
9001 125 CEIA • HIA • ETNAM • CIZ • VACL • TRIN • VELΘRE/
9001 125 /
9001 126 MALE • CEIA • HIA • ETNAM • CIZ • VACL • AISVAL/
9001 126 /E
9001 127 MALE • CEIA • HIA • TRINΘ • ETNAM • CIZ • ALE
9001 128 MALE • CEIA • HIA • ETNAM • CIZ • VACL • VILE •/
9001 128 / VALE
9001 129 STAILE • ITRILE • HIA • CIZ • TRINΘAŚA • ŚACNIT/
9001 129 /N
9001 130 AN • CILΘ • CEXANE • <S>AL • ŚUCIVN • FIRIN • </
9001 130 /A>RΘ
9001 131 VAXR • CEUŚ • CILΘCVAL • SVEM • CEPEN • TUTIN
9001 132 REUXZUA • ETNAM • CEPEN • CEREN • ŚUCIC • FIRIN/
9001 132 /
9001 133 TESIM • ETNAM • CELUCUM • CAI<T>IM • CAPERX<V>A/
9001 133 /
9001 134 HECIA • AISNA • CLEVAN<Θ> • XIM • ENAC • US<IL
9001 135 R>EPINE • TEN<ΘA>◇◇◆◆◆◆AM◆◆◆◆◆<MAIN>
9001 136 ZELVΘ • MURŚŚ • ETNAM • ΘACAC • USLI <•> NEX<S>/
9001 136 /E
9001 137 ACIL • AME • ETNAM • CILΘ<C>VETI • HILAR<E> • A/
9001 137 /C<IL>
9001 138 VACL • CEPEN • ΘAURX • CE[R]ENE • ACIL • ETNAM
9001 139 IC • CLEVANΘ • ŚUCI<X> F[IRI]<NV>EN<E> • AC<I>L/
9001 139 / • <ETNAM>
9001 140 TESIM • ETNAM • CELUCN • VACL <•> AR<A> ΘU[N]I
9001 141 <Ś>A<CNI>C<LERI •> CI<LΘL> • CE<P>EN <•> CILΘ<C/
9001 141 /V>A <• CEP>EN
9001 142 CNTICNΘ • IN • CEREN <•> CEPAR • NAC • AMCE • </

9001 142 /E>TNAM
9001 143 śUCI • FIRIN • ETNAM • <V>ELΘITE • ETNAM • AI<S/
9001 143 />[VALE]
9001 144 VACL • AR • VAR • śC<UN •> ZERI • CEREN • CE<PE/
9001 144 /N>
9001 145 ΘAURX • ETNAM • IX • MATAM • śUCIC • FI<RI>N
9001 146 CERE<N>[I EN]Aś • ARA • ΘUNI • ETNAM • CEREN
9001 147 ◆◆◆◆◆◆◆◆◆◆◆◆◆◆◆◆◆◆◆◆◆◆
9001 148 ~+
9001 149 +~
9001 150 /ΘUCTE • CIś • śARIś • ESVITN • VACLT<N>AM [IN]/
9001 150 /
9001 151 CULś<C>VA • <S>PETRI • <E>TNAM • IC • <E>SVIT<N/
9001 151 / ENAś
9001 152 CELI •> HUΘIś • ZAΘRUMIś • FLERXVA • NEΘUNSL
9001 153 śUCRI • ΘEZERIC • SCARA • PRIΘAś • RAX • TEI
9001 154 M<E>NAś • CLTRAL • MULAX • HUSINA <•> VINUM
9001 155 <PA>IVEISM • ACILΘ • AME • RANEM • S<C>AR<E>
9001 156 REUXZINA • CAVEΘ • ZUśLEVAC • MA<Θ>RA <•> ś<UR>/
9001 156 /ΘI
9001 157 <REU>XZINETI • RAMUEΘ • VINUM • AC<IL>Θ AME
9001 158 MULA • HURSI • PURUΘN • VACL <•> USI • CLUCΘRAś/
9001 158 /
9001 159 CAPERI • ZAMΘIC • VACL • AR • FLERERI • SACNISA/
9001 159 /
9001 160 SACNICLERI • TRIN • FLERE • NEΘUNSL • UNE
9001 161 MLAX <•> PUΘS • ΘACLΘ <•> ΘAR TEI ZI<VAś> F<L>E/
9001 161 /<R>
9001 162 ΘEZINE • RUZE • NUZLXNE • ZATI • ZATLXNE
9001 163 śACNICśTREś • CILΘś • SPUREśTREś • ENAś
9001 164 EΘRS<E> • TINśI • TIURIM • AVILś • XIś • HETRN
9001 165 AC<LX>N • <A>Iś • CEMNAX • ΘEZIN • FLER • VACL
9001 166 [ET]NAM • TESIM • ETNAM • CELUCN • TRIN • ALC
9001 167 ◇◇◇◇◇◇◇◇◇◇◇◇◇◇◇◇◇◇◇◇◇◇◇◇◆◆◆◆◆◆
9001 168 ~+
9001 169 +~
9001 170 [ΘEUSNUA • CAPERC • HECI •] NAXVA • ARA • NUNΘE/
9001 170 /NE
9001 171 [śAΘAś • NAXVE • HETUM • A]LE • HUSLNEśTś
9001 172 [TRIN • FLERE • NEΘUNS]L • UN • MLAX NUNΘEN
9001 173 [ΘACLΘI ΘAXΘIV CIALXUś] HUSLNE • VINUM EśI
9001 174 [ESERA MUERA CUśE] FAśEIC • śACNICśTREś
9001 175 [CILΘś • śPUREśTREś • ENAś • EΘRSE] <TINśI>
9001 176 /Z<U>śLEVE • ZARVE • ECN <• ZER>[I] <L>ECIN IN[/
9001 176 /Z]E<C
9001 177 F>LE<R> • ΘEZINCE • śA<C>NICSTREś • CILΘś
9001 178 SPUREśTREś • ENAś EΘR<S>E TINśI • TIURIM
9001 179 <A>VILś • XIś • CISUM • PUTE • TUL • ΘANS • HAΘ/
9001 179 /E<C
9001 180 RE>PINEC • śACNICLERI • CI[L]ΘL <•> śPURE<RI>
9001 181 MEΘLUMERIC • ENAś • RAXΘ • TUR • H<EX>śΘ
9001 182 VINUM • TRIN • FLERE • NEΘUNśL • UN • MLAX
9001 183 NUNΘEN • ZUśLEVE • ZA<R>[VE • FAś]<E>IC • ECN •/
9001 183 / ZERI
9001 184 LECIN • IN • ZEC • FLER • ΘEZ[INCE • ś]<A>CNICś/
9001 184 /TREś
9001 185 CILΘś • śPUREśTREś • <EN>[Aś • EΘ]R<S>E • TINśI/
9001 185 /
9001 186 <T>IU<R>IM <•> A<V>ILS <• X>Iś <•> CI<SU>[M • P/
9001 186 /UTE • TUL • ΘANS]
9001 187 HAΘEC • REPINEC • śACNICLERI • CILΘL • śPURERI
9001 188 MEΘLUMERIC • ENAś • RAXΘ • SUΘ • NUNΘENΘ
9001 189 ZUSLEVE • FAśEIC • FARΘAN • FLERE<S> • N<E>ΘUNś/
9001 189 /L
9001 190 RAXΘ • CLETRAM • śRENXVE • NUNΘENΘ
9001 191 ESTREI • ALΦAZEI • ZUSLEVE • RAXΘ • EIM • TUL •/
9001 191 / VAR
9001 192 NUNΘENΘ <•> ESTREI <• ALΦAZEI> • <TEI •> F<ASI /
9001 192 /• EIM>
9001 193 TUL • VAR • CELI • SUΘ • NUNΘENΘ • FLERE • NEΘU/
9001 193 /NSL
9001 194 UN • MLAX • NUNΘEN • XIś • ESVIśC • FAśEI
9001 195 CISUM • PUTE • TUL • ΘANS • HAΘEC • REPINEC
9001 196 śACNICLERI • CILΘL • śPURERI • MEΘLUMERIC
9001 197 ENAś • śIN • VINUM • FLERE • NEΘUNSL • XIś
9001 198 NAC<U>M <•> AISNA • HINΘU • VINUM • <T>RA<U P>R/
9001 198 /U<C>UNA
9001 199 <IN>
9001 200 CIEM CEALXUś • LAUXUMNETI • EISNA • ΘAXśE
9001 201 <TUR>◆◆◆◆◆◇◇◇◇◇◇◇◇◇◇◇◇◇◇◇◇◇◇
9001 202 /◇◇◇◇◇◇◇◆◇◆◇◇◇◇◆◇◇◇◇◇◇◇◇◇◇◇
9001 203 <C>US • <P>EΘERENI • CIEM • CEALXUZ • CA[PE]<N>/
9001 203 /I
9001 204 MAREM • ZAX <•> AME • NACUM • CEPEN • FLANAX
9001 205 VACL • AR RATUM • XURU • PEΘERENI • ΘUCU
9001 206 <A>RUś • AME • ACNESEM • IPA • SEΘUMATI • SIMLX/
9001 206 /A
9001 207 AI<S> • <ZA>RVE • ACIL • <H>AMΦEś <•> LAEś • <S/
9001 207 />ULUśI
9001 208 ΘUNI • śERΦUE • ACIL • IPEI • ΘU<T>A • CNL • XA/
9001 208 /śRI
9001 209 HEXZ • SUL • SCVETU • CAΘNIS • śCANIN • VE<L>ΘA/
9001 209 /
9001 210 IPE • IPA • MAΘCVA • AMA • TRINUM • HETRN • AC</
9001 210 /L>XN
9001 211 EIS • CEMNAC • IX • VELΘA • ETNAM • TESIM • ETN/

9001 211 /AM
9001 212 CELUCN • HINΘΘIN • XIMΘ • ANANC • EśI • VACL
9001 213 śCAN<IN> X<AśTA UPUR> ◆◆ <TI>M<SEN> MA<CN> UR
9001 214 ΘIMITLE • CAΘNA<I>M <EL F>ACI • ΘIMITLE • UNUΘ
9001 215 <H>UTERI • IPA • <Θ>UCU • PETNA • <A>MA • NAC •/
9001 215 / CAL
9001 216 HINΘU • HEXZ • VELΘE • śANC<VE> • NUΘIN
9001 217 śARśNAUś • TEIś <•> T<U>RA <C>AΘNAL • ΘUIUM
9001 218 <X>URU • CEPEN • SULXVA • MAΘ<C>VAC • PRUΘ <•> /
9001 218 /SERI
9001 219 <VACL ARA>ś ◇◇◇ <UCETI CEPEN •> CAΘINUM˘˘˘<N>
9001 220 ZANEś • VUVCNICś • PLUTIM • TEI • MUTZI • CEśAS/
9001 220 /I
9001 221 ARA • RATUM • AISNA • LEITRUM • ZUΘEVA • ZAL
9001 222 EśIC • CI • HALXZA • ΘU • EśIC • ZAL • MULA • S/
9001 222 /ANTIC
9001 223 ΘAPNA • ΘA<P>N <•> ZAC <L>ENA • ESERA • ΘEC • </
9001 223 /V>EISNA
9001 224 <H>AUSTI • FANUśE • N<E>R<Iś SAN>E [I]<P>A <Θ>U/
9001 224 /I • NERI
9001 225 ◇◇◇◇◇◇◇◇◇◇◇◇◇◇◇◇◇◇◇◇◇◇◇◇◇◇◇
9001 226 S<A>NTIC • VINUM • ΘUI • ΘAPNAI • <ΘUI>[ARA]<ś /
9001 226 /• MUCUM>
9001 227 HAL<XZE> • ΘU<I> • <Θ>I • VACL • CESA<S>I<N> • /
9001 227 /ΘUMSA • CI<S>VA
9001 228 N<E>RI • <V>ANVA • [F]ARSI • PUTNAM • ΘU • CAL</
9001 228 /A>TNAM
9001 229 TEI • LENA • <HA>USTIś • <EN>AC • <E>śI • CATNI/
9001 229 /S • HECI
9001 230 SPURTA <•> SULSLE • NAPTI • ΘUI • LAIS CL<A> • /
9001 230 /HE<XZ> • NER+
9001 231 +I
9001 232 ◆◆◆◆◆◆◆◆◆◆◆◆◆◆◆U<M> • ◆◆◆◆◆ • UNE • ML<AX> ◆◆◆</
9001 232 /NI>
9001 233 /<ACAL>[E] ◆◆◆◆◆◆ [ET]NAM ◆◆◆◆◆◆◆◆◆◆◆◆
9001 234 <VACL •> [V]INUM • śANTIś<A>ś • CELI • PEN • TR/
9001 234 /UTUM
9001 235 ΘI • ΘAPNEśTś • <TRIT>ANAśA • HANΘIN • CELI
9001 236 T<U>R • HETUM • VINUM • ΘIC • VACL • HEXZ • ETN/
9001 236 /AM
9001 237 IX • MATAM <• C>NTIC<NΘ CEP>EN • TEśAMITN
9001 238 MU<R>◆◆◆◆ <NUNΘEN> ETNAM • ΘI • TRUΘ • ETNAM
9001 239 HANΘIN • ETNAM • CELUCN • <E>TNAM • AΘUMITN
9001 240 PEΘERENI • ESLEM • ZAΘRUM • MUR • IN • VELΘINEś/
9001 240 /
9001 241 CILΘś • VACL • ARA • ΘUI • USETI • CATNEIS • SL/
9001 241 /APIXUN
9001 242 SLAPINAś • FAVIN • UFLI • SPURTN • EISNA • HINΘ/
9001 242 /U
9001 243 CLA • ΘES<A>S
9001 244 ESLEM • CEALXUS • ETNAM • AISNA • C<E>[SA]<L
9001 245 T>UXLAC • EΘRI • SUNTNAM • CEXA
9001 246 <C>NTNAM • ΘESAN • FLER • VEIVEś • ΘEZERI
9001 247 <ETNAM AI>[SNA] ◆◆ <A>[IX] <HUΘIś •> ZAΘRUMIś
9001 248 FLERXV<E> T[RIN] <NE>ΘUNś<L> • [I]N • ΘUN<T> • /
9001 248 /EI <•> TUL • VAR
9001 249 ΘUNEM • [CIALXUś ET]NAM • IX • ESLEM • CIALXUś
9001 250 <Θ>AN<AL> ◆◆◆◆◆◆◆◆◆◇◇ [CN]<T>NAM • ΘESAN
9001 251 ~+
9001 252 +~
9001 253 FLANA<C> • FAR<SI> ◆◆◆◆◆◆◆◆◆◆◆◆◆◆◆◆◆
9001 254 TUNT ENAC • ETNAM • A<Θ>UM <•> ICA • ΘLU<ΘCVA>
9001 255 CEśUM • TEI • LANTI • ININC • EśI • TEI • <RIN>/
9001 255 /[U]<ś>
9001 256 STRETA • SATR<S> • E<N>Aś • <Θ>U<C>U • HAMΦE<ΘE/
9001 256 /ś> • <R>I<N>Uś
9001 257 ΘUI • ARAś • MUCUM • ANIA<X>Eś • RASNA • HILAR
9001 258 ◆◆◆◆◆◆A<M> CATRUA HAMΦE ◆◆◆◆◆◆◆
9001 259 /<L>◆◆◆◆◆◆◆◆◆◆◆◆◆◆◆◆<V>◆◆◆◆◆<I>Θ<S •> ETNAM
9001 260 AISNA • IX • NAC • REUśCE • AISERAś • śEUś
9001 261 ΘUNXULEM • MUΘ • HILARΘUNE • ETERTIC
9001 262 CAΘRE • XIM • ENAX • UNXVA • MEΘLUMΘ • PUTS
9001 263 MUΘ • HILARΘUNA • TECUM • ETRINΘI • MUΘ
9001 264 NA<C Θ>UC<A> • UNXVA • HETUM • HILARΘUNA • ΘENΘ/
9001 264 /
9001 265 HURSIC • CAPLΘU • CEXAM • ENAC • EISNA • HINΘU
9001 266 HETUM • HILARΘUNA • ETERTIC • CAΘRA
9001 267 ETNAM • AISNA • IX • MATAM • §§§§§ VACL<T>N<A>M/
9001 267 /
9001 268 ΘUNEM • CIALXUś • MASN <•> UNIALTI • URSMNAL
9001 269 AΘRE • ACIL • AN • śACNICN • CILΘ • <C>EXA • SA/
9001 269 /L
9001 270 CUS • <E>LUCE • CAPERI • ZAMTIC • S<V>EM • ΘUMS/
9001 270 /A
9001 271 MATAN • CLUCTRAś • HILAR
9001 272 /◇◇◇◇◇◇◇◇◇◇◇◇◇◇ [śA]<C>NIC[śTREś
9001 273 CILΘś • śPUREśTREśC • ENA]ś • EΘRSE • TINśI
9001 274 [TIURIM • AVILś • XIś • CISU]M • PUTE • TUL • Θ/
9001 274 /ANSUR
9001 275 [HAΘRΘI • REPINΘIC • śACN]ICLERI • CILΘL
9001 276 ◇◇◇◇◇◇◇◇◇◇◇◇◇◇◇ [E]<TNAM> ◆<TA> RAXTI
9001 277 /◇◇◇◇◇◇◇◇◇◇◇◇◇◇◇◇◇◇◇◇◇◇◇◇◇◇
9001 278 MU<L>AC • <I>◇◇◇◇◇◇◇◇◇◇◇◇◇◇◇◇◇◇◇◇◇◇
9001 279 HILARE • <A>[CIL] ◇◇◇◇◇◇◇◇◇◇◇◇◇◇◇◇◇◇◇◇
9001 280 MAC • CAV[EΘ] ◇◇◇◇◇◇◇◇◇◇◇◇◇◇◇◇◇◇◇◇
9001 281 LAAETIś • H[AMΦEΘEś] ◇◇◇◇◇◇◇◇◇◇◇◇◇◇◇◇◇◇

9002	1	HOLAIE ⁝ Z ⁝ NAΦΘΘ̆ZIAZI :
9002	2	: MARAZ ⁝ MAV
9002	3	SIALXVEI ⟨⁝⟩ Z ⁝ AVI : Z
9002	4	EVISΘO ⁝ ZERONAIΘ [⁝]
9002	5	ZIVAI
9002	6	VAMALASIAL ⁝ ZERONAI [[⁝]] MORINAIL
9002	7	AKER : TAV [[:]] ARZIO
9002	8	/HO⟨L⟩AIV⟨Z⟩I : ΦOKIASIALE ⁝ ZEROZAIΘ : EVIRΘO /
9002	8	/⟨:⟩ TOVERO⟨M⟩A+
9002	9	+ROM : HARALIO : ZIVAI : EP[T]EZIO : ARAI ⟨:⟩ T/
9002	9	/IΦ : ΦOKE :
9002	10	ZIVAI : AVIZ : SIALXVIZ [:] MARAΨM : AVIZ : AOM/
9002	10	/AI
9002	11	/ARZIR
9002	12	ARAZ
9002	13	≠PA OL AZE≠
9002	14	PELERLOX : HO
9002	15	VARΘAMEZA
9003	1	ANI ΘNE
9003	2	/UNI MAE
9003	3	/TEC VM
9003	4	/LEΘN
9003	5	/EΘ
9003	6	/CAΘ
9003	7	/FUFLU+
9003	8	+NS
9003	9	/SELVA
9003	10	/LEΘNS
9003	11	/TLUSCV
9003	12	/CE
9003	13	/CVL ALP
9003	14	/VETISL
9003	15	/CILENSL
9003	16	/TIN CILEN
9003	17	/TIN ΘVF
9003	18	/TINS ΘVF
9003	19	/LEΘN
9003	20	/NC
9003	21	/LASL
9003	22	/FUFLUS
9003	23	/CAΘA
9003	24	/CIL EN
9003	25	/SELVA
9003	26	/LEΘMS
9003	27	/TLUSC
9003	28	/LUSL VEL
9003	29	/SATR ES
9003	30	/ΘETLUMΘ
9003	31	/TLUSC MAR
9003	32	/TINSΘ NEΘ
9003	33	/ΘUFLΘAS
9003	34	/LEΘAM
9003	35	/MARI
9003	36	/HERC
9003	37	/Θ
9003	38	/N
9003	39	/LETA
9003	40	/MARISL LAΘ
9003	41	/TUΘ
9003	42	/USILS
9003	43	/TIVR
9011	1	AΘ : VETU : M[A]RCIAS : ARNΘAL
9012	1	LARΘ : FREMRNA : METRIAS
9013	1	AΘ : ANE : TITIAL : AR
9014	1	RUS ∘ ALPAN ∘ IMS ∘ ∘ ∘ S
9015	1	MARCE CAVINAS
9016	1	MI LARUS
9021	1	⟨IT⟩A ∘ TMIA ∘ ICAC ∘ HE+
9021	2	+RAMAϬ⟨VA⟩ [∘] VATIEXE
9021	3	UNIALASTR⟨E⟩S ∘ ΘEMIA+
9021	4	+SA • MEX ∘ ΘUTA ∘ ΘEFA+
9021	5	+RIEI ∘ VELIANAS ∘ SAL ∘
9021	6	CLUVENIAS • TURU+
9021	7	+CE ∘ MUNISTAS • ΘUVAS
9021	8	TAMERESCA ∘ ILACVE ∘
9021	9	TULERASE ∘ NAC • CI • AVI+
9021	10	+L ∘ XURVAR ∘ TEϬIAMEIT+
9021	11	+ALE ∘ ILACVE ∘ ALϬASE
9021	12	NAC ∘ ATRANES • ZILAC+
9021	13	+AL ∘ SELEITALA ∘ ACNAϬV+
9021	14	+ERS ∘ ITANIM • HERAM+
9021	15	+VE ∘ AVIL ∘ ENIACA ∘ PUL+
9021	16	+UMXVA
9021	17	/NAC • ΘEFARIE • VEL+
9021	18	+IIUNAS ∘ ΘAMUCE
9021	19	CLEVA ∘ ETANAL •
9021	20	MASAN • TIUR+
9021	21	+UNIAS • ϬELACE • V+
9021	22	+ACAL ∘ TMIAL • A+
9021	23	+VILXVAL ∘ AMUC+
9021	24	+E • PULUMXV+
9021	25	+A • SNUIAΦ
9021	26	/{{LRBT Lʿ ŚTRT ʾŚR QDŚ
9021	27	ʾZ ʾŚ PʿL WʾŚ YTN
9021	28	TBRYʾ ∘ WLNŚ MLK ʿL
9021	29	KYŚRYʾ ∘ BYRḤ ∘ ZBḤ

9021	30	śMś BMTNʾ BBT WBM	
9021	31	TW • Kʿ śTRT • ʾRś • BDY	
9021	32	LMLKY śNT śLś III BY	
9021	33	RH KRR BYM QBR	
9021	34	ʾLM WśNT LMʾś ʾLM	
9021	35	BBTY śNT KM HKKBM	
9021	36	ʾL}}	
7801	1	ACLUS	IUNIUS MENSIS
7802	1	AGALĒTORA	PAIDA
7803	1	AESAR	DEUS
7803	2	AISAR	THEON
7804	1	AISOI	THEOI
7805	1	AMPILES	MAIUS MENSIS
7806	1	ANDAS	BOREAS
7807	1	ANTAR	AETOS
7808	1	APIANAM	CHAMAEMELON
7809	1	APIOUM	SELINON
7810	1	ARAKOS	HIERAKS
7811	1	ARIMOUS	PITHĒKOUS
7811	2	ARIMOS	SIMIAE
7812	1	ARSEUERSE	AVERTE IGNEM
7812	2	ARSE	AUERTE
7812	3	VERSE	IGNEM
7813	1	ATAISON	ANADENDRAS
7815	1	AUKELŌS	HEŌS
7817	1	BURROS	KANTHAROS
7818	1	CABREAS	APRILIS MENSIS
7819	1	KADMILOI	HUPĒRETOUN TOIS HIEREUSEN
7819	2	CAMILLUM	MERCURIUM
7819	3	KADMILOS	HERMES
7820	1	KAPRA	AIKS
7821	1	CAPYS	FALCO
7822	1	CASSIM	GALEAM
7824	1	CELIUS	SEPTEMBER MENSIS
7825	1	KIKENDA	GENTIANĒ
7826	1	COROFIS	BATRACHION
7827	1	DAMNOS	HIPPOS
7829	1	DROUNA	HE ARXĒ
7831	1	FALADO FALANDO	COELUM
7832	1	GAPOS	SXĒMA
7833	1	GAROULEOU	KRUSANTHEMON
7834	1	GIGAROUM	DRAKONTIA MIKRA
7837	1	GNIS	GERANOS
7836	1	HERMIUS	AUGUSTUS MENSIS
7837	1	ISTER	LUDIO
7837	2	HISTER	LUDIUS
7837	3	HISTRIO	LUDIO
7838	1	ITUS	IDUS
7838	2	IDUARE	DIVIDERE
7839	1	ITALON	TAURON
7840	1	XLANIDA	LAENA
7841	1	LANISTA	GLADIATOR CARNIFEX
7842	1	LAPPA MINOR	ERUTHRODANON
7843	1	LUCUMONES	REGES
7844	1	MANTISA	ADDITAMENTUM
7845	1	MASURIPOS	ANAGALLIS HĒ PHOINIKĒ
7846	1	MOUTOUKA	THUMOS
7847	1	NANOS	ODUSSEUS
7849	1	RADIA	SMILAKS TRAXEIA
7850	1	SPINA ALBA	LEUKAKANTHA
7851	1	SUBULO	TIBICEN
7852	1	SOUKINOUM	ASARON
7853	1	TANTOUM	ANAGALLIS HĒ KUANĒ
7854	1	TRANEUS	IULIUS MENSIS
7855	1	TURSIS	ENTEIXIOI KAI STREGANAI OIKĒSEIS
7856	1	VELCITANUS	MARTIUS MENSIS
7857	1	VORSUM	PLETHRON
7858	1	XOSFER	OCTOBER MENSIS

Alphabet-Ordered Index

134 A
1 AARΘI
1 AA~
2 AC
2 ACALE
1 ACALVE
2 ACARI
4 ACARIA
1 ACARUI
2 ACAS
1 ACASCE
4 ACASRI
1 ACAZR
1 ACEP
1 ACESIAL
1 ACESX
14 ACIL
2 ACILΘ
7 ACILU
1 ACILUNE
1 ACILUNIA
3 ACILUSA
1 ACLANI
1 ACLASIA
1 ACLINAL
2 ACLINE
1 ACLINEI
1 ACLINIS
2 ACLNAL
2 ACLNEI
1 ACLNI
3 ACLNIŚ
3 ACLXN
1 ACL~
1 ACNA
1 ACNAICE
3 ACNANASA
2 ACNATRUALC
1 ACNESEM
1 ACNINA
1 ACRATEZ
1 ACRI
1 ACRIALSM
1 ACRIES
1 ACRIL
3 ACRIŚ
1 ACRNIŚ
11 ACSI
1 ACSIAL
14 ACSIŚ
1 ACSNEAL
1 ACVE
256 AΘ
1 AΘAL
1 AΘALISA
1 AΘARINEI
1 AΘEI
1 AΘELIŚ
1 AΘENEI
1 AΘIALISA
1 AΘIS
3 AΘL
1 AΘMIC~
13 AΘNU
1 AΘNUSA
1 AΘRE
1 AΘUM
1 AΘUMICŚ
1 AΘUMITN
1 AΘUNI
1 AΘUNUNAL
2 AΘ~
2 AE
1 AECANTITI
1 AEFLA
1 AES
2 AF
1 AFE
13 AFLE
3 AFLES
1 AFLEŚ
2 AFLI
1 AFRA
1 AFRCAL
2 AFRCE
1 AFRCEIA
1 AFRFEŚ
2 AFRS
1 AFU
11 AFUNA
3 AFUNAL
1 AFUNASA
5 AFUNAŚ
7 AFUNEI
1 AFUNEŚ
1 AFUR
1 AFUŚ
3 AH
1 AHIA
1 AHNISA
3 AHSI
2 AHSIAL
1 AI
1 AIΘAS
1 AIEA
2 AIECURE
1 AII
1 AILESI
1 AILF~
1 AINA~
1 AINE
1 AINPURATUM

1 AIN~
2 AIS
1 AISARU
1 AISECETATI
2 AISER
2 AISERAS
3 AISERAŚ
1 AISIU
7 AISNA
1 AISUNAL
2 AISVALE
1 AITA
1 AITENIAL
1 AITNETEΘI
1 AITU
1 AIUS
1 AIUZIE
3 AIVAS
1 AIX
2 AIŚ
1 AKAS
1 AKER
1 AKILTUŚ
1 AKLXIS
3 AL
1 ALA
1 ALAPU
1 ALAPUSA
1 ALATIE
1 ALC
2 ALCE
1 ALCESA
1 ALΘ
1 ALΘRNAS
4 ALE
1 ALEΘN
1 ALEΘNAL
6 ALEΘNAS
1 ALEΘNAŚ
1 ALEΘNEI
1 ALESI
1 ALESIAL
1 ALETNAL
2 ALF
5 ALFA
1 ALFAŚ
5 ALFI
4 ALFIAL
1 ALFIL
1 ALFINI
8 ALFNAL
1 ALFNALISLE
1 ALFNE
4 ALFNEI
7 ALFNI
2 ALFNIS
5 ALFNISA
2 ALFNIŚ
1 ALHISLA
1 ALIAŚ
1 ALICE
1 ALISA
2 ALNIAL
1 ALNSUŚ
1 ALN~
1 ALP
7 ALPAN
4 ALPIU
1 ALPNANA
1 ALPNANI
1 ALPNAS
1 ALPNEI
2 ALPNU
1 ALPUIALISA
1 ALRUZ
1 ALSINAL
1 ALSRIAL
1 ALSTER
1 ALSUAL
2 ALU
1 ALUFNE
1 ALUMNAΘ
1 ALUMNAΘE
1 ALUNEI
2 ALUNI
1 ALVLTU
2 ALXU
2 ALXUSNAL
1 ALZNAS
1 ALŚI
1 ALŚIN
1 ALŚINA
1 ALŚINAI
2 ALŚINAS
1 ALŚINEI
1 ALŚIN~
4 ALΦAZEI
1 AM
4 AMA
1 AMANAS
11 AMCE
1 AMCIE
1 AMΘANI
1 AMΘNE
1 AMΘNEŚ
2 AMΘNI
2 AMΘNIA
3 AMΘNIAL
9 AME
1 AMNAL
2 AMNEI
2 AMNI
1 AMNINI
1 AMNU
1 AMRΘI
1 AMRE
1 AMRIΘI
1 AMRIΘIA
3 AMRIΘIAL
1 AMRITI
1 AMUNI
2 AMΦARE
1 AM~
20 AN
1 ANA
1 ANAE
1 ANAES
2 ANAINA
1 ANAINAI
13 ANAINAL
1 ANAINE
11 ANAINEI
1 ANAINEI~
4 ANAINI
1 ANAINIA
1 ANAINIŚ
1 ANAINL
1 ANANAL
2 ANANC
11 ANANI
1 ANANIŚ
1 ANAŚNIEŚ
4 ANC
1 ANCAR
15 ANCARI
4 ANCARIA
2 ANCARIAL
1 ANCARIE
2 ANCARIŚ
1 ANCARNAL
1 ANCARNEI
2 ANCARNI
1 ANCARNIŚ
1 ANCARU
2 ANCARUAL
1 ANCARUI
1 ANCN
1 ANCRIA
1 ANΘAIA
1 ANΘASI~
1 ANΘIAIA
1 ANΘIAMVESIŚTNEŚAVEI
1 ANΘL
2 ANΘUAL
23 ANE
14 ANEI
1 ANEIΘURA
1 ANEIΘURAŚ
1 ANEIE
9 ANEINAL
8 ANEINEI
7 ANEINI
4 ANEINIA
5 ANEIŚ
1 ANELIA
4 ANES
3 ANESA
8 ANEŚ
11 ANI
7 ANIA
2 ANIAL
2 ANIAX
1 ANIAXEŚ
3 ANIE
1 ANIENAS
4 ANIESA
2 ANIEŚ
1 ANIIES
1 ANINA
2 ANINAI
1 ANINAIC
3 ANINAL

1 ANINI
1 ANINIAL
2 ANINIEś
3 ANIS
1 ANISTALI
2 ANIU
2 ANIUSA
2 ANIś
1 ANI~
1 ANKARIAś
1 ANNE
1 ANNI
1 ANNIE
1 ANNTEI
2 ANTAINEI
1 ANTEISUNAL
1 ANTINAL
1 ANTIPATER
1 ANTNI
1 ANTRUMASIA
1 ANXAR
2 ANXARU
1 ANXES
2 ANΦARE
1 ANΦAREś
2 AN~
1 AOMAI
2 AP
5 APA
1 APAN
1 APAPAULΘALΘ
4 APAS
1 APATRUAL
1 APATRUI
1 APATRUIS
1 APAś
1 APCAR
2 APEINAL
1 APEINEI
3 APENAS
4 APER
1 APERUCEN
2 API
5 APIA
1 APIANAś
2 APIASA
1 APIATRUS
1 APIAś
7 APICE
1 APICES
1 APICESA
2 APICEś
1 APICIAś~
1 APICNAL
1 APICNEI
2 APINAL
4 APIRASE
1 APIRΘE
1 APIRΘES
1 APIRE
1 APIRES
1 APISNEI
1 APLUEPARUśIS
1 APLUNAI
4 APLUNI
1 APLUNIAS
1 APLUNI~
2 APNAS
2 APNIś
1 APPIUS
3 APRΘE
1 APRΘEś
2 APRΘNAI
1 APRΘNAL
1 APRΘNAS
1 APRENśAIś
3 APRIES
1 APRINΘU
1 APRINΘVALE
2 APRTE
1 APRTNAL
1 APRUNTIAL
1 APS~
1 APUCU
1 APUNAL
2 APUNAS
1 APUNAś
2 APUNI
3 APUNIAL
1 APUNIA~
1 APUNIES
1 APUNIIE
4 APURΘE
2 APURΘIAL
1 APURTE
1 APURTEś
1 APU~
1 AP~
247 AR
8 ARA
2 ARAΘ
1 ARAΘAL
1 ARAΘENAS
2 ARAΘIA
1 ARAΘIALE
1 ARAI
1 ARANΘ
1 ARANΘALISA
11 ARANΘIA
1 ARANΘIAL
1 ARANΘI~
1 ARANΘUR
1 ARATIA
1 ARAUΘLEC
1 ARAZ
1 ARAZIIA
3 ARAś
1 ARAśA
1 ARCAIAL
3 ARCE
1 ARCENZIOś
1 ARCMSNAS
1 ARCMSNEI
1 ARCNTI
1 ARCNTIS
1 ARCUNA
1 ARCUTU
16 ARΘ
2 ARΘA
8 ARΘAL
1 ARΘCVELISVAś~
1 ARΘL
1 ARΘUNEI
1 ARESE
1 AREUIZIES
1 ARIA
1 ARIANAś
1 ARIC~
1 ARIΘA
1 ARILΘ
1 ARINEI
3 ARISAL
1 ARISTIA
2 ARITIMI
1 ARKANAL
1 ARLENEA
1 ARMAS
1 ARMNAL
3 ARMNE
2 ARMNES
3 ARMNI
1 ARMNIAL
2 ARMUNIA
10 ARN
1 ARNAL
171 ARNΘ
4 ARNΘA
95 ARNΘAL
21 ARNΘALISA
1 ARNΘALISLA
2 ARNΘALIśLA
1 ARNΘALS
1 ARNΘAL~
1 ARNΘA~
2 ARNΘEAL
1 ARNΘEALS
1 ARNΘI
2 ARNΘIA
18 ARNΘIAL
1 ARNΘIALISA
1 ARNΘIALIśLA
1 ARNΘIALUM
1 ARNΘL
1 ARNΘNI
1 ARNΘUR
3 ARNΘ~
1 ARNSA
20 ARNT
1 ARNTA
1 ARNTHEAL
5 ARNTI
1 ARNTIA
2 ARNTIAś
2 ARNTILES
1 ARNTIU
1 ARNTIUś
1 ARNTIś
2 ARNTLE
1 ARNTLEI
1 ARNTLEś
9 ARNTNAL
4 ARNTNEI

23 ARNTNI
5 ARNTNISA
1 ARNTNISA~
1 ARNTSA
1 ARNTSUS
2 ARNTU
1 ARNTUś
18 ARNZA
1 ARNZAL
1 ARNZILE
2 ARNZIU
1 ARNZIUś
1 ARNZLANEś
1 ARPAś
1 ARRA
1 ARRANΘIA
2 ARRI
1 ARSA
1 ARSME
1 ARSVA
1 ARTA
1 ARTESI
1 ARTINA
1 ARTINAś
3 ARTINIAL
2 ARTNEI
6 ARTNI
1 ARTNIAL
1 ARTNISA
1 ARUNΘ
2 ARUNΘIA
1 ARUNΘIAL
2 ARUNTLE
2 ARUSERI
1 ARUSERIA
1 ARUSERIś
1 ARUSIAS
2 ARUTO
1 ARUZ
1 ARUś
1 ARUśNI
1 ARVNΘE
1 ARVUS
1 ARXAZA
1 ARXSA
2 ARZA
1 ARZIO
1 ARZIR
1 ARZIUś
2 ARZNAL
1 ARZNEAL
2 ARZNI
1 ARZNIś
1 ARZN~
5 AR~
2 AS
2 ASATE
1 ASATEś
2 ASI
1 ASIAL
1 ASIAS
1 ASIE
1 ASIL
1 ASKA
1 ASKLAIE
1 ASMURIA
1 ASPESA
1 ASTESINE
1 ASTITIIZEI
1 ASTNEI
2 AT
7 ATAINAL
1 ATAINALISA
1 ATAINE
8 ATAINEI
2 ATAINI
1 ATALE
1 ATAR
1 ATARIS
1 ATATNAL
3 ATE
1 ATECENAS
2 ATEI
1 ATEINALISA
2 ATEINEI
1 ATEIś
1 ATELINAS
1 ATENA
1 ATERI
1 ATES
1 ATESA
1 ATEś
7 ATI
6 ATIAL
1 ATICE~
1 ATICVENTINASASKAITA~
2 ATIES
1 ATIIA
1 ATIIAL
1 ATIM
3 ATINA
2 ATINAL
1 ATINANA
1 ATINANATEś
2 ATINATEś
1 ATINATEśA
1 ATINATI
1 ATINATIA
3 ATINATIAL
1 ATINEI
1 ATINI
1 ATINIA
1 ATIU
1 ATIUCE
1 ATIVU
3 ATNAL
1 ATNALC
1 ATNAS
5 ATNEI
1 ATNEIS
1 ATRANE
1 ATRANEś
1 ATRANIA
1 ATRENC
1 ATRENU
1 ATRU
1 ATRUNIAś
1 ATRUś
3 ATRś
1 ATRśRC
1 ATUNIA
1 ATUNIAL
1 ATUR
1 ATUSNEI
1 ATU~
1 ATVLI
3 AT~
219 AU
2 AUCLINA
1 AUCLINEI
1 AUΘNAL
1 AUECA
1 AUF
1 AUFLE
3 AUFLEś
1 AUIA
1 AUINIAL
10 AUL
2 AULA
107 AULE
10 AULES
5 AULESA
1 AULEZ
31 AULEś
2 AULEśI
1 AULEś~
1 AULI
2 AULIA
2 AULIAL
4 AULIAS
4 AULIAś
1 AULIEś
2 AULIU
1 AULNA
4 AULNAL
1 AULNEI
6 AULNI
1 AULNIś
1 AULU
1 AULUNI
1 AULUśTNI
1 AULZA
1 AULśTINEI
1 AULśTN
3 AULśTNI
1 AULśT~
2 AUL~
1 AUNAś
1 AUNE
1 AUNEUPTALI
1 AUNIAL
1 AUNTANAL
1 AUNTNAL
1 AUN~
1 AUPULSUTINA
1 AURE
1 AUSINEI
1 AUSLU
1 AUTA
1 AUTLEś
1 AUTNI
1 AUTU

1	AUTUŚ
1	AUVILESIALES
1	AUZINAS
1	AUZRINAS
1	AUŚ
3	AU~
23	AV
1	AVA~
1	AVΘLEΘAIUM
2	AVE
2	AVEI
1	AVEINAS
2	AVEINI
3	AVEIŚ
1	AVELE
3	AVELES
1	AVELUS
1	AVENALS
1	AVENCE
2	AVI
1	AVIAL
1	AVIATI
19	AVIL
2	AVILE
1	AVILEAS
1	AVILEREC
4	AVILES
1	AVILESCA
4	AVILEŚ
36	AVILS
1	AVILSX
10	AVILŚ
1	AVIL§
1	AVINES
2	AVIZ
10	AVLE
7	AVLES
1	AVLESLA
3	AVLEŚ
1	AVLEŚLA
1	AVLIAS
1	AVLIAŚ
1	AVTLEŚ
1	AVULNI
1	AVUSNEI
1	AXAPRI
1	AXARI
1	AXE
1	AXESI
1	AXILENAS
1	AXINANA
1	AXLE
1	AXLEI
1	AXLESA
1	AXMEMRUN
1	AXMENRUN
1	AXNAL
1	AXNEI
1	AXNI
1	AXRATI
1	AXRATIAL
1	AXRUM
1	AXS
4	AXSI
6	AXU
2	AXUAL
1	AXUI
1	AXUIAŚ
8	AXUNI
1	AXUNIARTINIAL
1	AXUNIASA
2	AXUNIE
1	AXUNIEŚ
1	AXUSA
2	AZ
1	AZE~
1	AZLŚNA~
1	AZNIE
1	AŚΘ
1	AŚIA
1	AŚU
1	AΦERS
2	AΦES
20	A~
20	C
19	CA
1	CACEINA
2	CACEINAL
1	CACEINEI
3	CACEIŚ
1	CACIU
1	CACNA
1	CACNAL
2	CACNEI
4	CACNI
1	CACNIS
4	CACNIŚ
1	CAΘ
4	CAΘA
1	CAΘANIAŚ
2	CAΘAS
1	CAΘINUM
1	CAΘNAIM
1	CAΘNAL
3	CAΘNIS
1	CAΘRA
1	CAΘRE
1	CAΘSC
70	CAE
2	CAEA
1	CAEAL
4	CAES
2	CAESA
1	CAET~
13	CAEŚ
2	CAE~
1	CAF
1	CAFAT
12	CAFATE
3	CAFATES
4	CAFATEŚ
10	CAFATI
6	CAFATIAL
1	CAHATIAL
48	CAI
19	CAIA
1	CAIAI
26	CAIAL
1	CAIALEΘIA
2	CAIALISA
3	CAIAŚ
2	CAICNAS
5	CAIE
1	CAIEŚ
1	CAIIA
2	CAIIAL
1	CAILE
1	CAILINAL
1	CAIN
2	CAINA
1	CAINAI
50	CAINAL
1	CAINALISA
4	CAINE
72	CAINEI
10	CAINI
1	CAINIA
1	CAINIS
1	CAINISA
1	CAINIZ
3	CAINIŚ
2	CAINI~
1	CAIPURE
1	CAISIES
1	CAISIEŚA
1	CAITIM
1	CAIU
6	CAIŚ
5	CAL
1	CALAIEIC
1	CALAPI
1	CALATI
1	CALATNAM
1	CALATUAL
7	CALE
1	CALERIAL
1	CALESA
1	CALEŚI
2	CALI
2	CALIA
1	CALIAΘESI
1	CALIAS
2	CALIE
1	CALIN~
1	CALISINI
2	CALISNA
5	CALISNAL
2	CALISNAŚ
1	CALISNA~
5	CALISNEI
5	CALISNI
1	CALISNIAL
1	CALISUNIA
3	CALISUS
1	CALITI
1	CALIŚNAŚ
3	CALLIA
1	CALPURN~
2	CALSUSA
1	CALTI
1	CALU
2	CALUNAL

2 CALUNEI
1 CALUS
1 CALUSC
1 CALUSIN
1 CALUSNA
1 CALUSURASI
1 CALUśTLA
1 CALU~
2 CAL~
1 CAMARINE
2 CAMARINEI
1 CAMARINESA
1 CAMARINEś
1 CAMAS
1 CAMΘI
1 CAMEI
1 CAMITLNAS
1 CAMNAI
3 CAMNAS
1 CAMPANIA
1 CAMPES
1 CAMURIś
1 CAMUS
1 CAN
7 CANA
1 CANΘCE
1 CANΘE
2 CANΘUSA
1 CANEΘA
1 CANEI
1 CANEI~
1 CANINAL
1 CANIRAXAΘCESNIELΘA
1 CANL
1 CANPINEI
1 CANTINI
1 CANZATE
1 CANZI
5 CANZNA
2 CANZNASA
1 CAPANE
1 CAPANI
1 CAPATINE
2 CAPE
1 CAPENATI
1 CAPENI
2 CAPERC
3 CAPERI
1 CAPERXVA
1 CAPESAR
1 CAPEVANES
1 CAPEVANI
1 CAPEVANIAL
5 CAPI
1 CAPINE
1 CAPISA
2 CAPIU
1 CAPLΘU
3 CAPNA
5 CAPNAL
1 CAPNAL~
1 CAPNAS
1 CAPNAś
2 CAPNEI
1 CAPNI
2 CAPRA
1 CAPRASIAL
1 CAPRAś
1 CAPRIAS
1 CAPRINA
3 CAPRINAL
1 CAPRTI
1 CAPRU
1 CAPRUNA
4 CAPSNA
1 CAPSNAś
1 CAPSNEI
1 CAPT~
1 CAPUAN
1 CAPUVANE
3 CAPZNAL
1 CAPZNALISA
1 CAPZNAS
1 CAPZNASLA
6 CAPZNAś
1 CAPZNEI
1 CAPśNAS
1 CAPśNEI
1 CAR
2 CARAΘSLE
1 CARATI
1 CARC
1 CARCA~
1 CARCNA
1 CARCNAL
1 CARCNA~
1 CARCNEI
3 CARCU
2 CARCUNIA
1 CARCUS
1 CARCUSA
1 CARE
1 CARESI
1 CARESRI
1 CARINI
4 CARNA
6 CARNAL
3 CARNASA
2 CARNAś
2 CARNEI
2 CARPE
1 CARPNA
1 CARPNATESA
1 CARPNATI
2 CARPNATIAL
1 CARPNTI
1 CARSNA
1 CARSUI
1 CARU
1 CARV
1 CARZIU
1 CAS
2 CASΘIALΘ
1 CASIAL
1 CASN
2 CASNE
13 CASNI
2 CASNIA
1 CASNIAL
1 CASNIZ
1 CASNIś
1 CASNTINIAL
2 CASPRES
6 CASPREś
3 CASPRI
5 CASPRIAL
4 CASPU
1 CASP~
1 CASUNTINIAL
1 CATICA
1 CATNEIS
1 CATNI
1 CATNIS
1 CATRUA
1 CATURUS
1 CATUSA
2 CAU
1 CAUΘAS
1 CAUΘIAL
1 CAUL
3 CAULE
1 CAULIAś
1 CAUNU~
2 CAUPIS
1 CAUPNAL
2 CAUPNE
1 CAURI
1 CAUSLINI
1 CAUTIAS
1 CAUZNA
1 CAUśINE
2 CAUśLINEI
1 CAUśLINI
3 CAUśLINISA
1 CAUśLINISSA
1 CAUśTINE
2 CAVEΘ
1 CAVENAS
1 CAVIAL
1 CAVILI
1 CAVINAS
2 CAVINEI
1 CAVIRE
1 CAVLA
1 CAVSLINIS
1 CAVSUSLE
1 CAZESAL
1 CAZNAL
1 CAZNEI
1 CAZNI~
1 CAśNI
1 CAśNTRA
1 CAΦATEś
1 CA§§
5 CA~
4 CE
1 CEALX
1 CEALXLS
1 CEALXUS
1 CEALXUZ
1 CEALXUś
3 CEARΘIś

1 CEAXV
1 CECNA
1 CECNAS
1 CECNU
2 CECUNIA
1 CECUNIAś
1 CECUS
1 CEΘUMA
2 CEΘURNAS
1 CEΘURNEI
2 CEHEN
1 CEI
5 CEIA
16 CEICNA
4 CEICNAL
2 CEICNAS
2 CEICNA~
5 CEICNEI
1 CEICNEI~
1 CEIΘIM
1 CEIΘURNEAL
1 CEINA
1 CEINEAL
1 CEINEI
1 CEISE
2 CEISES
3 CEISI
1 CEISIAL
1 CEISINAL
1 CEISINEI
2 CEISINIES
1 CEISINIS
2 CEISIś
1 CEISU
1 CEL
1 CELA
1 CELATI
1 CELAś
4 CELE
1 CELES
1 CELESA
1 CELEZ
10 CELI
3 CELIA
1 CELIAś
3 CELMNEI
1 CELS
1 CELTA
1 CELTALUAL
1 CELU
5 CELUCN
1 CELUCUM
1 CELUS
1 CELUSA
1 CELUTU
1 CELXLS
1 CELśINA
1 CEMARZLERACZLE
3 CEMNAC
1 CEMNAX
1 CEMTIUI
1 CEMU
1 CEMUL
2 CEMUNIA
1 CEN
1 CENA
1 CENCN
2 CENCNA
1 CENCNAL
1 CENCNEI
2 CENCU
3 CENCUAL
2 CENCUI
1 CENCUNIA
1 CENCUSA
1 CENECUHEΘIE
1 CENEPNAL
1 CENISE
1 CENQUNAS
1 CENU
1 CEPAR
12 CEPEN
1 CEPENI
1 CEPTA
4 CEREN
1 CERENE
1 CERENI
2 CERINE
1 CERISTLI
2 CERISTLIAL
1 CERIXU
1 CERTU
1 CERUN
1 CERURAZL
1 CERURUM
1 CERXUNCE
1 CESAL
1 CESASI
2 CESASIN
1 CESE
1 CESEΘCE
1 CESI
1 CESIF
2 CESINA
6 CESTNA
1 CESTNAL
1 CESTNAS
4 CESTNASA
5 CESTNAś
1 CESTNEI
12 CESU
1 CESUAśAIś
1 CESUNIA
5 CESUSA
1 CESVE
1 CES~
1 CETI
1 CETISNAL
3 CETISNAS
1 CETISNEI
1 CETSE
1 CEUS
1 CEUś
1 CEUśN
1 CEVCIAś
1 CEVLNA
5 CEXA
1 CEXAM
1 CEXANE
2 CEXANERI
2 CEXASE
1 CEXASIEΘUR
1 CEXE
1 CEZARLE
1 CEZARTLE
1 CEZPALX
1 CEZPALXALS
1 CEZPZ
1 CEZRTLE
2 CEZRTLIAL
1 CEZTES
2 CEś
1 CEśASI
3 CEśU
1 CEśUM
2 CE~
9 CI
1 CIA
1 CIAΘNA
1 CIALAΘ
5 CIALXUś
1 CIANIL
1 CIANTI
1 CIANTINEI
1 CIARΘIALISA
1 CIARΘISA
1 CIARΘLA
1 CIA~
1 CICIUNIAS
12 CICU
1 CICUI
1 CICUN
5 CICUNIA
1 CICUNIAS
1 CICUNIAś
1 CICUS
4 CICUSA
1 CICUS~
2 CICUś
2 CIEM
1 CIEMZAΘRMS
1 CIL
2 CILΘ
1 CILΘCVA
1 CILΘCVAL
1 CILΘCVETI
9 CILΘL
8 CILΘś
1 CILEN
1 CILENS
1 CILENSL
1 CILNIA
1 CILPASA
1 CIM
1 CINA
2 CINCUAL
1 CINCUNIALA
1 CINE
1 CINIAL
2 CIPEN
2 CIPIRU
2 CIPIRUNIA

1 CIPIRUSA
8 CIRE
1 CIRES
3 CIREś
2 CIRI
2 CIS
1 CISIE
1 CIST~
1 CISUITA
12 CISUM
1 CISVA
1 CISVITEśA
1 CISVITNAL
1 CITE
1 CITIA
2 CITZ
1 CIVESA~
5 CIZ
1 CIZI
1 CIś
1 CI~
2 CL
4 CLA
1 CLAITEś
1 CLALUM
108 CLAN
1 CLANC
1 CLANICIANISΘ
3 CLANIU
1 CLANIUNIA
2 CLANTE
1 CLANTEUCEM
1 CLANTEś
7 CLANTI
5 CLANTIAL
1 CLANTIE
1 CLANTINEI
1 CLANTIS
2 CLANTISA
1 CLANTMEI
1 CLAN~
1 CLAPIΘI
1 CLARUXIEś
1 CLATEś
1 CLATIA
2 CLAUCE
2 CLAUCESA
1 CLAUCEś
1 CLAUNIU
1 CLA~
1 CLΘ
1 CLΘI
2 CLEL
3 CLEN
3 CLENAR
1 CLENARAśI
1 CLENS
1 CLENSI
1 CLENś
3 CLENśI
1 CLEPATRA
1 CLESNES
9 CLETRAM
1 CLEUSINśL
2 CLEUSTE
1 CLEUSTES
2 CLEUSTI
1 CLEVA
2 CLEVANΘ
1 CLEVSI
1 CLEVSINSL~
1 CLEVSTI
1 CLEVSUS
1 CLINIIARAS
2 CLT
1 CLTRAL
2 CLUCΘRAś
1 CLUCTRAś
1 CLUΘI
1 CLUMNEI
1 CLUN
1 CLUNSIA~
1 CLUTE
1 CLUTIVA
3 CN
2 CNAEVE
1 CNAIVE
1 CNAREś
2 CNARIAL
2 CNEPNI
3 CNEUNA
1 CNEUNAś
1 CNEV
4 CNEVE
1 CNEVEś
2 CNEVI
3 CNEVIAL
1 CNEVIES
1 CNEVNA
1 CNEVNAL
1 CNEVNAS
1 CNEVNEI
1 CNEZUS
3 CNL
2 CNTICNΘ
2 CNTNAM
1 CNTRAM
1 CNZUS
1 CN~
1 CP
4 CR
1 CRA
1 CRAC
1 CRACA
1 CRACIAL
1 CRACINA
1 CRACNAL
1 CRACNEI
1 CRAMNAL
1 CRANES
3 CRAPILU
1 CRAPILUN
1 CRAPILUNIA
5 CRAPśTI
1 CRAUFA
1 CRAUPANIA
1 CRAUPZNAL
1 CRAVZAΘURAS
1 CREALS
1 CREI
4 CREICE
2 CREICES
4 CREICESA
1 CREICI
1 CREICIA
1 CREICIAL
1 CREIICESA
1 CREISMNA
1 CREI~
3 CREPNI
1 CRESA
6 CRESPE
3 CRESPIA
1 CRESVERAE
1 CRETLU
1 CRISU
1 CRIUEPEUE
1 CRUNSLE
1 CRUSEL
1 CRUSI
1 CRUSIE
1 CRUTLUNIAś
1 CRUśNI
2 CR~
1 CTZVI
1 CU
2 CUCLNIAL
3 CUCLNIES
1 CUCLU
1 CUCRINAΘUR
1 CUCUMA
1 CUCUTI
1 CUΘNAS
1 CUEΘNAL
1 CUEΘNEI
1 CUESNAś
1 CUIESA
1 CUIESXU
1 CUIEś
1 CUINNI
1 CUINTE
1 CUINUI
1 CUISLA
1 CUISLANIAS
1 CUITI~
1 CUIUN
1 CUIUNIA
1 CUIZLANIA
2 CUIśLA
1 CUL
1 CULΘANś
1 CULIXNA
1 CULNI
1 CULPIU
1 CULSL
3 CULTANA
1 CULTANAL
1 CULTANASA
4 CULTANEI
1 CULTCE
1 CULTECEZ
1 CULTECEś

1 CULȼANȼI
1 CULȼCVA
1 CULȼU
1 CUMER
12 CUMERE
1 CUMERES
8 CUMERESA
1 CUMEREȼ
1 CUMERE~
8 CUMERUNIA
1 CUMERUNIASA
2 CUMERUNIAȼ
1 CUMERUSA
1 CUMLNIAL
9 CUMNI
3 CUMNIA
2 CUMNIAȼ
1 CUMNIESA
5 CUMNISA
2 CUMNIȼ
1 CUNAL
1 CUNUI
1 CUP
2 CUPE
1 CUPES
1 CUPESCARPUNIES
1 CUPESTA
1 CUPI
1 CUPNA
1 CUPNEI
1 CUPRNA
3 CUPSLNA
3 CUPSLNEI
6 CUPSNA
1 CUPSNAL
4 CUPSNASA
1 CUPSNAȼ
3 CUPSNEI
1 CUPUNA
1 CUPURES
2 CUR
1 CURANEI
1 CURANIA
1 CURANIAL
1 CURCE
1 CURCESA
1 CURΘUTEȼ
3 CURE
1 CURIA
4 CURIAL
1 CURIEAS
1 CURSNIALX
1 CURSNIȼ
1 CURSPENA
1 CURSPIA
1 CURT
1 CURTUN
1 CURUNAL
3 CURUNAS
1 CURUNEI
2 CURVE
1 CURVESA
4 CUS
1 CUSA
1 CUSI
2 CUSIΘEȼ
1 CUSIΘI
1 CUSIΘIAL
2 CUSINE
3 CUSINEI
1 CUSLNEI
1 CUSNA
1 CUSNAȼIE
1 CUSNIA
1 CUSPERIENA
1 CUSPI
2 CUSU
1 CUTANASA
1 CUTLIS
1 CUTLISAL
1 CUTLISNEI
5 CUTNAL
1 CUTNALISA
1 CUTNAS
1 CUTNEAL
1 CUTNEI
1 CUTNISA
1 CUTUNAS
1 CUTUNIAL
1 CUTUS
2 CUTUȼ
1 CUUTANAL
1 CUVEIS
1 CUVINEI
2 CUȼE
1 CUȼIȼ
3 CVEΘNAL
1 CVEI
9 CVELNE
1 CVENALE
13 CVENLE
1 CVENLESA
2 CVENLEȼ
7 CVER
1 CVERΘESA
1 CVINTE
3 CVINTI
2 CVINTIA
1 CVINTIASA
1 CVL
1 CVLSUNI
1 CVSPI
6 Cȼ
12 C~
22 Θ
88 ΘA
1 ΘACAC
1 ΘACLΘ
2 ΘACLΘI
2 ΘACTARA
1 ΘACTRA
1 ΘACTREI
1 ΘACUTURA
1 ΘAFAALKI
2 ΘAFNA
1 ΘAHVNA
1 ΘAIPRE
1 ΘAMCE
1 ΘAMRES
1 ΘAMRIES
9 ΘAN
335 ΘANA
1 ΘANAHERINI
1 ΘANAKVILUȼ
1 ΘANAL
1 ΘANARSNAS
4 ΘANAS
1 ΘANASA
1 ΘANAXVEL
1 ΘANAXVIL
1 ΘANAȼ
2 ΘANA~
1 ΘANCESCA
1 ΘANCVIL
1 ΘANEXVIL
141 ΘANIA
1 ΘANIAS
3 ΘANIAȼ
1 ΘANIA~
4 ΘANICU
1 ΘANICU~
1 ΘANIIA
1 ΘANIRȼIIE
1 ΘANNURSIANNAȼ
1 ΘANR
1 ΘANRȼ
6 ΘANS
8 ΘANSI
1 ΘANSIA
2 ΘANSINAL
3 ΘANSINAS
2 ΘANSINEI
4 ΘANSISA
4 ΘANSUR
1 ΘANUCVIL
1 ΘANURARI
1 ΘANURSIES
1 ΘANUXVILUȼ
2 ΘANX
1 ΘANXUVIL
1 ΘANXVI
14 ΘANXVIL
1 ΘANXVILUISC
8 ΘANXVILUS
2 ΘANXVILUSC
2 ΘANXVILUȼ
1 ΘAN~
4 ΘAPICUN
1 ΘAPINTAIȼ
1 ΘAPINTAȼ
1 ΘAPN
3 ΘAPNA
1 ΘAPNAI
1 ΘAPNEȼTȼ
1 ΘAR
1 ΘAREȼ
1 ΘARNIEȼ
1 ΘARX
1 ΘASC~
1 ΘASI
1 ΘASISA
1 ΘASNIAȼ

2 ΘAURA
1 ΘAURE
1 ΘAURUś
2 ΘAURX
1 ΘAUVIA
2 ΘAXΘIV
1 ΘAXśE
1 ΘAXśIN
1 ΘAśINI
2 ΘA~
1 ΘEAIX~
1 ΘEC
2 ΘEΘUREś
1 ΘEΘURE~
1 ΘEERAIśCEEPANA
1 ΘEFRI
1 ΘEFRINAI
1 ΘEFRISA
1 ΘEFRIś
1 ΘEIVITI
4 ΘELAZU
1 ΘELAZU~
1 ΘELE
1 ΘELU
1 ΘELUśA
1 ΘENΘ
1 ΘENTMA
1 ΘENUNTE
1 ΘENUSA
2 ΘEPRI
1 ΘEPRIE
1 ΘEPRINA
1 ΘEPRINAL
1 ΘEPRINASA
2 ΘEPRINEI
1 ΘEPRINIś
1 ΘEPZA
1 ΘEP~
1 ΘER
1 ΘERAś
1 ΘERCNA
1 ΘEREś
1 ΘERINAL
1 ΘERMI
1 ΘESAΘEI
6 ΘESAN
1 ΘESANE
1 ΘESAS
1 ΘESE
1 ΘESIA
1 ΘESNIN
2 ΘESTIA
1 ΘESUSALXAS
1 ΘETLUMΘ
2 ΘEUSNUA
1 ΘEVRUCLNAS
1 ΘEVRUMINES
3 ΘEZERI
1 ΘEZERIC
3 ΘEZI
1 ΘEZIN
3 ΘEZINCE
4 ΘEZINE
1 ΘEZLE
10 ΘI
1 ΘIALC
1 ΘIC
2 ΘII
2 ΘIL
1 ΘILEN
1 ΘIL~
2 ΘIMITLE
1 ΘIRIEA
1 ΘITNI
1 ΘIVCLE
2 ΘI~
2 ΘLAINEI
1 ΘLECINIA
1 ΘLU
1 ΘLUΘ
1 ΘLUΘCVA
4 ΘN
1 ΘNAL
1 ΘNAM
1 ΘNA~
1 ΘNE
1 ΘNTSE
1 ΘRA
1 ΘRAMA
1 ΘREMSINI
1 ΘRESNAI
2 ΘRESU
1 ΘRU
8 ΘU
1 ΘUCA
1 ΘUCER
1 ΘUCERI
2 ΘUCERNA
1 ΘUCERNASA
2 ΘUCERNAś
1 ΘUCERNEI
1 ΘUCERU
1 ΘUCERUS
1 ΘUCTE
3 ΘUCU
1 ΘUΘE
1 ΘUEś
1 ΘUFI
2 ΘUFLΘAS
1 ΘUFLΘAś
1 ΘUFLΘI
1 ΘUFLΘICLA
1 ΘUFULΘAś
33 ΘUI
1 ΘUIARAś
1 ΘUIUM
1 ΘUI~
1 ΘUKER
1 ΘULUNI
1 ΘULUNI~
1 ΘULUTER
2 ΘUMSA
3 ΘUN
5 ΘUNEM
3 ΘUNI
2 ΘUNT
1 ΘUNXERś
1 ΘUNXULΘE
1 ΘUNXULΘL
1 ΘUNXULEM
1 ΘUNXUM
1 ΘUNZ
1 ΘUNś
1 ΘUNśNA
1 ΘUPES
1 ΘUPIT
1 ΘUPITES
1 ΘUPITU~
1 ΘUPLΘAL
1 ΘUPLΘAś
1 ΘUPRE
1 ΘUR
1 ΘURAL
1 ΘURA~
1 ΘURE
2 ΘURICE
1 ΘURICI
2 ΘURICIAL
1 ΘURMANA
1 ΘURMEPNAS
8 ΘURMNA
2 ΘURMNAL
1 ΘURMNAS
4 ΘURMNAś
1 ΘURMNI
1 ΘURS
1 ΘURUNI
1 ΘURś
1 ΘUSINEI
2 ΘUTA
1 ΘUTUIΘI
1 ΘUVA
1 ΘUVEś
1 ΘUX
1 ΘUXIA
1 ΘUśAΘUR
1 ΘUśCE
1 ΘU~
2 ΘVEΘLI
1 ΘVEΘLIES
2 ΘVF
1 ΘVSNTIA
1 Θ§MURIA§VIPINAL
6 Θ~
9 E
1 EC
30 ECA
2 ECLΘI
7 ECN
1 ECNA
1 ECNAT
1 ECNATE
1 ECNATIAL
2 ECNATNA
1 ECNATNAL
1 ECNATNAS
2 ECNATNEI
1 ECNATN~
1 ECNIA
1 ECS
1 ECSE
1 ECUNZAIITI

7 EΘ
1 EΘHAUNAVCVAUśIś~
1 EΘL
1 EΘRAS
1 EΘRI
1 EΘRIś
9 EΘRSE
1 EELI
1 EFESIU
11 EI
1 EIANTIAR
1 EICRECE
2 EIΘ
1 EIΘI
4 EIM
1 EIMLNEI
5 EIN
1 EINALC
1 EINANAL
1 EINANEI
1 EINATEI
1 EINI
1 EINIS
2 EIS
4 EISER
1 EISERAS
1 EISERAś
5 EISNA
1 EISNEVC
2 EIT
1 EITA
1 EITAM
1 EITVA
1 EITVAPIA
1 EIVAS
2 EIZENES
1 EI~
2 EL
1 ELA~
1 ELEIVANA
1 ELFA
1 ELNEI
1 ELS
1 ELSśI
1 ELUCE
1 ELURI
1 ELURNIERIKEZ
2 EL~

1 EMAL
1 EMFEPAME
4 EN
6 ENAC
1 ENAS
1 ENAX
20 ENAś
1 ENE
2 ENESCI
1 ENEśCI
1 ENI
1 ENICUśI
1 ENTENAS
1 ENTNEI
1 ENZ
1 EPL
1 EPLC
3 EPLE
1 EPNICEI
1 EPRΘNEC
1 EPRΘNEVC
1 EPRΘNI
1 EPRIS
1 EPTEZIO
1 ER
1 ERANTRA
1 ERC
3 ERCE
1 ERCEFAś
1 ERIES
1 ERINIAL
1 ERIS
1 ERNELE~
1 ERSCE
1 ERSI
1 ERUCAL
1 ERUS
1 ER~
2 ES
1 ESALS
1 ESARI
1 ESCUNA
3 ESERA
1 ESES
1 ESETUNIAS
1 ESI
1 ESIN
1 ESIVEIEISLITSUTH~

5 ESLEM
1 ESLZ
1 ESPIA
1 ESTRCNAś
4 ESTREI
1 ESVANAS
2 ESVITN
5 ESVIśC
1 ESXAΘ
7 ESXAΘCE
1 ESXAΘCE~
1 ESXAΘ~
1 ESXUNAS
1 ESX~
2 ES~
1 ETAN
1 ETANEI
1 ETAXTS
1 ETAZ
1 ETE
13 ETERA
1 ETERAIS
1 ETERAU
1 ETERAV
1 ETERAś
11 ETERI
2 ETERTIC
1 ETERś
42 ETNAM
1 ETRA
1 ETRAśA
1 ETRI
1 ETRINΘI
1 ETRNIS
3 ETRU
1 ETU
1 ETUśNUI
1 ETVA
1 ETVE
1 EUAXAL
1 EUELAENEI
1 EULAT
1 EUL~
1 EUPURIAS
1 EUTSTETA
2 EVANTRA
1 EVIRΘO
1 EVISΘO

1 EVITIURAS
1 EVL
1 EVTES
1 EXEΘ
1 EZ
2 EZNA
1 EZNAL
1 EZNEI
2 EZPUS
2 EZUNEI
1 Eś
4 EśI
2 EśIC
1 EśIS
1 EśMI
1 EśTAC
1 EśTLA
3 E~
8 F
16 FA
2 FACA
1 FACE
1 FACI
1 FACUAL
2 FACUI
1 FALAΘRES
1 FALASIAL
1 FALAU
1 FALAś
1 FALSCIA
2 FALTU
1 FALTUSLA
1 FALTUśLA
1 FALZAśI
1 FALśTI
1 FANA
1 FANACNAL
1 FANAKNI
2 FANIRI
2 FANU
1 FANURUS
1 FANUSEI
1 FANUśE
1 FAPI
1 FAPLNIś
1 FARARI
4 FARΘAN
1 FARΘANA

4 FARΘNAXE
1 FARICEKA
2 FARSI
3 FARU
1 FARUAL
1 FARUI
2 FARUŚ
1 FAS
2 FASΘI
2 FASI
1 FASLE
1 FASNTRU
3 FAST
1 FASTA
96 FASTI
11 FASTIA
1 FASTIŚ
2 FASTNTRU
2 FASTNTRUSA
1 FATIAL
1 FATINIAL
2 FATUNI
1 FAVIN
1 FAVITIC
3 FAŚE
8 FAŚEI
3 FAŚEIC
1 FAŚEIS
1 FAŚEIŚ
1 FAŚENA
1 FAŚI
1 FA§
1 FA~
2 FE
1 FEΘI
2 FEΘIU
3 FEΘIUŚ
4 FELCES
1 FELCIAL
2 FELCINATIAL
1 FELIAL
1 FELIC
1 FELIŚI
2 FELMU
1 FELMUI
5 FELMUIAL
1 FELUNI
1 FELUSKEŚ
1 FELZA
1 FELZNAL
1 FELZNEI
1 FELZUMNATI
1 FELŚNAL
1 FEP
1 FERCLITE
1 FERE
1 FERIIANEZINACENTENAS
1 FERINE
1 FERINISA
1 FERTRIO
1 FES~
4 FETIU
1 FICANI
1 FICINE
1 FICLIAC
4 FIRIN
1 FIRINVENE
1 FIU
1 FIVAN~
1 FIŚE
1 FL
1 FLANAC
1 FLANAX
1 FLASTIA
5 FLAVE
1 FLAVIAL
1 FLENTRAL
2 FLENZNA
10 FLER
1 FLERΘRCE
8 FLERE
1 FLERERI
5 FLERES
10 FLEREŚ
1 FLERXVA
1 FLERXVE
1 FLERŚ
1 FLER~
1 FLEŚZNEVES~
1 FLZNAL
1 FNESCI
1 FNESCIAL
1 FNIŚCIAL
1 FRACNAL
1 FRACNI
1 FRAST
1 FRATEMERKI
1 FRAUC
2 FRAUCNAL
1 FRAUCNEI
10 FRAUCNI
1 FRAUCNISA
1 FRAUCNIŚ
1 FRAUNA
3 FRAUNAL
4 FRAUNI
1 FRAUNISA
1 FRAUNIŚ
1 FRAUXNI
1 FRAVCNI
1 FRAVNAL
2 FRAVNEI
1 FRAVNISA
2 FREIA
1 FREIAS
1 FREIE
1 FREMNAL
1 FREMNE
1 FREMRNA
4 FREMRNAL
2 FREMRNEI
3 FRENTINATE
1 FRENTINATI
1 FRONTAC
1 FS
1 FU
1 FUFLE
2 FUFLUNA
1 FUFLUNS
1 FUFLUNSUL
1 FUFLUS
2 FUL
1 FULCZEO
1 FULINUŚNAI
1 FULINUŚNES
1 FULINUŚN~
1 FULNA
1 FULNAI
1 FULNALISA
3 FULNEI
6 FULNI
1 FULNIAL
7 FULU
1 FULUIAL
1 FULUMXVA
3 FULUNA
2 FULUNAL
1 FULUNEI
1 FULUNI
1 FULUNIŚ
2 FULUŚ
1 FULUŚLA
1 FUNEI
1 FUP
2 FURACE
1 FUST
1 FUTNA
2 FUTNAL
1 FUŚLE
1 FUŚLERI
1 FUŚUNUŚ
1 FU~
1 FVIMV
3 F~
1 H
14 HA
3 HAΘEC
1 HAΘLIALS
4 HAΘRΘI
1 HAFURE
1 HALISTREA
1 HALNA
1 HALSNE
1 HALTNAS
1 HALTU
2 HALTUNEI
1 HALTUNIŚ
1 HALTUS
2 HALX
1 HALXZA
1 HALXZE
3 HALŚNE
2 HALŚNESA
1 HAMERIŚ
1 HAMNIA
1 HAMΦE
2 HAMΦEΘEŚ
1 HAMΦEΘI
1 HAMΦETE
2 HAMΦEŚ
1 HAMΦISCA
3 HAMΦNA

1 HIśUCNA
1 HL
1 HLIAL
1 HLZUAL
1 HO
1 HOLAIE
1 HOLAIVZI
1 HOLCOSIO
1 HRE
1 HRMRIER
1 HS
1 HUC
1 HUCU
3 HUΘ
1 HUΘIZARS
2 HUΘIś
3 HUΘS
1 HUΘTE
1 HUESNIA
1 HUFNI
1 HUI
1 HUL
1 HULNEI
2 HULNIś
4 HULU
1 HULUNI
1 HULUNIAś
2 HULXENAS
1 HULXNIESI
1 HUPESIAL
1 HUPIE
1 HUPLICE
1 HUPNI
2 HUPNINA
1 HUPNINEΘI
1 HUPNIś
1 HUPRIU
1 HURACESA
1 HURASA
1 HURATN
1 HURAZNL
1 HURAś
1 HURI
2 HURSI
1 HURSIC
1 HURTINIAL
1 HURTU
1 HUSETNEI
1 HUSILI
2 HUSINA
1 HUSIUR
1 HUSL
2 HUSLNE
1 HUSLNEśTś
1 HUSTANEI
1 HUSTIΘE
1 HUSTLE
2 HUSTNAL
1 HUSTNEI
1 HUSUI
1 HUSUNIAś
1 HUT
1 HUTERI
1 HUTIE
2 HUTIESA
1 HUVIΘUN
1 HUX
1 HUZCNAI
1 HUZCNESC
1 HUZETNAS
1 HUZETNAś
1 HUZETNEI
1 HUZEZNAS
1 HUZLUNIA
1 HUZRNATRE
1 HUśUNEI
1 HUśUR
3 HU~
1 HVUIUΘUTUMLERśIIE
2 HVULUVES
4 H~
8 I
5 IA
1 IAL
1 IANIA
1 IANZU
1 IARCSNEI
1 IARZISMALVI
1 IARZISśALVI
1 IAUIAMENEI
1 IAXNAZ
2 IC
1 ICA
1 ICAPUINEI
1 ICEUśUNI
4 ICNI
1 ICULNEI
2 IΘAL
1 IΘI
1 IENEIES
1 IENIIES
1 IEPESIAL
1 IESΘE
1 IIULAΘI
1 ILAXE
7 ILUCU
3 ILUCVE
1 ILUC~
1 IMS
1 IMś
16 IN
1 INAP
2 INC
1 INESTUA
1 INIA
1 ININC
3 INPA
1 INPEIN
1 INSNI
1 INTEMAMER
1 INZEC
1 INśCVIL
1 IP
10 IPA
1 IPE
1 IPEI
1 IR~
1 ISA
1 ITAL
1 ITAN
1 ITLE
1 ITNA
1 ITRILE
1 ITRUTA
2 ITUN
1 ITUNA
2 IU
1 IUCIE
1 IUCURTE
2 IUI
1 IUNICI
1 IURA~
1 IV§V
9 IX
1 IXEME
2 IXNAC
1 IXUTEVR
1 IXU~
1 IZENI
1 IZU
1 Iś
1 IśIMINΘIIPITINIE
1 IśUM
1 IśUMA
5 IśVEI
1 I§§A§§§§§§§§§§§§§
6 I~
1 KAAMUKAVIAś~
1 KAΘLEś
1 KAΘUNIIAśUL
1 KAES
1 KAES~
2 KAIKNAś
1 KAINEI
1 KAISIE
1 KAISIES
1 KAIZU
1 KAIś
1 KALAPRENAS
1 KALATURUS
1 KALISNIś
1 KAMAIA
1 KAMSA
1 KANSINAIA
1 KAPE
1 KAPES~
1 KAPI
1 KARCUNA
1 KARIUNAś
2 KARKANAS
1 KARSE
1 KAR~
1 KATEKRIL
1 KAUΘAś
1 KAVIATES
1 KAVIIESI
1 KAVINI
1 KAVINTA
2 KA~
1 KEM~
2 KI
1 KIHAX

1 KILNAL
1 KILNEI
4 KLAN
1 KLANINŚL
1 KLENASE
1 KLUMIE
1 KLUTIKUNAŚ
1 KN~
1 KRANKRU
1 KRUTPUUS
1 KUIKNA
1 KURITIANAŚ
1 KURPU
1 KURTINAŚ
1 KURVENAŚ
1 KUSIUNAŚ
1 KVI~
157 L
246 LA
1 LAAETIŚ
1 LACANE
2 LACΘ
1 LACE~
3 LAΘ
2 LAΘA
5 LAΘAL
1 LAΘALISA
1 LAΘERIALX
1 LAΘERNA
19 LAΘI
1 LAΘIA
4 LAΘIAL
1 LAΘITI
2 LAΘITIAL
2 LAΘL
1 LAΘLIS
1 LAΘR
1 LAΘUNIKAI
1 LAEI
1 LAETI
1 LAETNE
1 LAEŚ
1 LAF~
1 LAI
1 LAIS
1 LAIVENAS
1 LAIVISCA
2 LAL
1 LALUŚ
1 LAM
1 LAMISA
4 LAMΦE
1 LANΘEAL
1 LANFI
1 LANI
1 LANIA
1 LANIALISA
1 LANIASE
2 LANIS
1 LANTI
1 LANU
2 LANΦE
1 LANΦESA
1 LAPIŚ
26 LAR
1 LARANIIA
1 LARC
1 LARCA
3 LARCANA
1 LARCANAIA
1 LARCANAL
24 LARCE
4 LARCES
3 LARCESA
1 LARCEŚ
1 LARCEŚ~
10 LARCI
1 LARCIA
5 LARCIAL
2 LARCIŚ
1 LARCN
8 LARCNA
8 LARCNAL
1 LARCNALISA
1 LARCNAS
4 LARCNASA
5 LARCNEI
1 LARC~
232 LARΘ
5 LARΘA
1 LARΘAIA
87 LARΘAL
16 LARΘALISA
3 LARΘALIŚLA
2 LARΘALŚ
1 LARΘA~
3 LARΘEAL
269 LARΘI
77 LARΘIA
28 LARΘIAL
2 LARΘIALC
1 LARΘIALE
4 LARΘIALISA
1 LARΘIALISVLE
1 LARΘIALIŚAM
2 LARΘIALIŚLA
2 LARΘIAS
1 LARΘIASTINIAŚ
2 LARΘIAŚ
2 LARΘIA~
1 LARΘIES
4 LARΘIIA
1 LARΘISA
1 LARΘITE
1 LARΘIZA
4 LARΘI~
2 LARΘL
1 LARΘLIS
1 LARΘLUCI
1 LARΘPUSTA
2 LARΘRU
1 LARΘS
4 LARΘU
1 LARΘURNIŚ
1 LARΘURUS
3 LARΘURUŚ
1 LARΘURUŚA
1 LARΘŚPEISETIES
6 LARΘ~
1 LARECE
1 LARECENAS
2 LARECES
1 LARECEŚ
1 LAREZU
2 LAREZUL
6 LARI
1 LARICE
2 LARICES
1 LARILEZILI
1 LARINAL
1 LARINAŚ
1 LARINIA
54 LARIS
10 LARISA
47 LARISAL
4 LARISALISA
1 LARISALISLA
1 LARISALIŚA
3 LARISALIŚLA
2 LARISE
1 LARISNI
1 LARISTIAL
1 LARISTNAL
2 LARISTNEI
1 LARIS~
1 LARIVIA
1 LARIZA
1 LARIŚ
1 LARKIENIA
2 LARN
1 LARNA
2 LARNAL
1 LARNΘ
1 LARNΘAL
1 LARNEI
3 LARNI
1 LARNS
1 LARSIU
2 LARSTE
2 LARSTI
4 LARSTIAL
1 LARSTIIALISA
1 LARST~
31 LART
1 LARTAL
1 LARTΘ
1 LARTΘIA
10 LARTI
7 LARTIA
1 LARTIU
1 LARTIUŚ
1 LARTIZI
1 LARTLIZI
1 LARUNS
1 LARUS
3 LARUŚ
1 LARU~
15 LARZA
1 LARZILE
1 LARZIU
2 LARZL
2 LARZNAL

1 LESUNILANCE
1 LETA
2 LETARIA
1 LETARINAL
1 LETEI
1 LETEM
2 LETIAL
1 LETIS
1 LEU
1 LEUCLE
1 LEUI~
3 LEUNAL
4 LEUNEI
1 LEUNIA
2 LEUSA
1 LEUSLA
6 LEVE
1 LEVEA
2 LEVEI
1 LEVEś
1 LEVIAL
1 LEXTUMUZA
1 LEXUNIA
1 LEśCEM
1 LEśE
1 LEśI~
2 LE~
4 LI
1 LICANTRE
1 LICINEśI
1 LICNI
1 LIEPLAśΘA
1 LIMATIS
1 LIMAVIA
1 LIMRCEśA
2 LIMURCESTA
1 LIN
3 LINE
1 LISAL
1 LISNEI
1 LIUNA
1 LIUśNU
1 LIVINI
1 LI~
1 LOU
20 LR
1 LRΘALC
2 LRIS
1 LRIś
1 LRIśA
1 LRT
1 LR~
90 LS
1 LS~
3 LT
1 LTCE
2 LTΘ
1 LTH
1 LTL
5 LU
1 LUAś
1 LUCAIRCE
1 LUCANI
1 LUCANIA
1 LUCER
1 LUCES
4 LUCI
1 LUCINI
1 LUCI~
1 LUΘCVA
1 LUΘTI
1 LUΘ~
1 LUESNAL
4 LUESNAś
1 LUESNE
2 LULESA
1 LULIA
1 LUMśCIAL
1 LUNAśIE
2 LUNCEś
2 LUNCI
2 LUNCIAL
1 LUNI
1 LUPEAS
21 LUPU
6 LUPUCE
1 LUPUM
1 LUPUVAL
1 LUR
1 LURCNI
1 LURI
2 LURSΘ
1 LURVENAS
1 LUS
1 LUSAś
1 LUSCE
1 LUSCEAL
1 LUSCEI
1 LUSCENIA
4 LUSCESA
1 LUSCNI
1 LUSCN~
1 LUSL
1 LUSTREś
1 LUSVER
1 LUSXNEI
2 LUT
1 LUTNI
3 LUTNIΘA
1 LUU
1 LUVCANIESSCA
1 LUVCE
1 LUVCES
1 LUVCIIES
1 LUVCNAL
1 LUVCTI
2 LUVISU
1 LUVISUI
1 LUXRESA
1 LUXRIAś
1 LUXUM
1 LUXUMNI
1 LUZLXNEC
1 LU~
1 LVESNAS
1 LVRMIT
11 LX
1 L§LAΦE
11 L~
5 M
15 MA
1 MAALNAś
2 MAC
1 MACANI
1 MACAPIIANES
1 MACI
1 MACIA
1 MACN
2 MACRE
1 MACRI
1 MACSTREVC
1 MACSTRNA
1 MACUNIAL
1 MACUTIA
1 MACVILULULE
1 MAΘCVA
1 MAΘCVAC
1 MAΘL
1 MAΘRA
1 MAΘUMA
1 MAE
1 MAIFLNASTA
1 MALAMENAś
1 MALAVE
1 MALAVINISA
3 MALE
1 MALENA
1 MALSTRIA
1 MAMACRES
4 MAMARCE
14 MAMARCES
1 MAMERCE
1 MAMERCES
3 MAN
1 MANALCU~
1 MANASA
1 MANCAS
1 MANΘ
2 MANΘVATESA
1 MANΘVATNEI
1 MANEC
1 MANESA
2 MANI
2 MANIA
1 MANIAL
1 MANIAS
1 MANIAś
1 MANILE
1 MANIM
1 MANIMERI
1 MANINA
1 MANINAL
1 MANINASA
1 MANINCE
1 MANSIA
1 MANT
3 MAR
1 MARALE
1 MARALES
1 MARALIAS
1 MARALIAś
1 MARAψM

1 MARAZ
1 MARCALURCAC
9 MARCE
1 MARCEI
1 MARCENEI
3 MARCES
1 MARCESIC
1 MARCEŚ
2 MARCI
1 MARCIA
3 MARCIAL
1 MARCIAS
2 MARCIAŚ
5 MARCNA
15 MARCNAL
6 MARCNAŚ
14 MARCNEI
24 MARCNI
7 MARCNISA
1 MARCNIŚ
1 MARCNL
1 MARCNŚA
1 MARC~
1 MAREI
1 MAREM
1 MARI
1 MARIA
1 MARIAŚ
5 MARICANE
1 MARICANI
1 MARICANIAL
1 MARIE
1 MARINACE
1 MARIS
2 MARISL
1 MARIŚL
1 MARNIU
1 MARNUX
2 MARSI
1 MARSIAL
1 MARTIΘ
2 MARU
1 MARUCE
3 MARUNUX
2 MARUNUXVA
1 MARUNUXVA~
1 MARUXVA
1 MARVAS~

1 MARXARS
1 MARXNA
3 MARXNAŚ
1 MARXNEI
1 MARZAC
1 MARZAINTEHAMAIΘI
1 MASATEŚ
2 MASLNEI
1 MASLNI
1 MASLNIŚ
1 MASN
1 MASNI
1 MASTR
5 MASU
1 MASUI
1 MASVANIAL
1 MASVE
1 MATA
3 MATAM
2 MATAN
1 MATAUSNAL
2 MATAUSNEI
2 MATAUSNI
1 MATAUSNISA
1 MATAUSN~
1 MATIASA
1 MATU
1 MATULNAS
1 MATULNASC
1 MATULNEI
1 MATUNAS
1 MATVES
1 MAV
1 MAVILU
1 MAVR
1 MAVUNICE
3 MAX
3 MAXS
1 MAZUTI
1 MAZUTIU
1 MAŚNIAL
5 MA~
1 MΘLNAL
2 ME
1 MECLINAL
1 MEΘLNA
1 MEΘLNAL
1 MEΘLNE

2 MEΘLUM
1 MEΘLUMΘ
1 MEΘLUMERI
8 MEΘLUMERIC
1 MEΘLUMEŚC
1 MEΘLUMT
1 MEFANATEŚ
1 MEFANATIAL
1 MEFANATNEI
1 MEHN
1 MEHNATEŚ
1 MEHNATI
1 MEHNATIAL
1 MEIANI
1 MEIE
2 MEINA
4 MEINEI
2 MELCI
2 MELE
1 MELECRAPICCES
2 MELERI
1 MELETEM
1 MELISNAS
1 MELISNEI
1 MELNEAL
3 MELUTA
2 MELUTNAL
1 MELUTNEI
2 MENA
1 MENAIA
2 MENAXE
1 MENAXZI
1 MENAŚ
4 MENE
1 MENECE
1 MENENIAL
1 MENITLA
1 MENU
1 MENZ
1 MENZNA
2 MENZNAL
1 MERA
1 MES
1 MESI
1 MESIAL
1 MESNAMERTANŚINA
1 MESTLEŚ
1 MESTRI

1 METELI
4 METELIAL
1 METELIAL§~
2 METELIŚ
1 METENAL
1 METI
1 METIA~
1 METIES
1 METL
1 METRIAS
1 METRIAŚ
1 METRU
1 METU
1 METUR
1 METUSAL
1 METUSNEI
1 MEUAΘA
1 MEU~
1 MEXL
1 MEXLUM
1 MEŚ
1 MHRVAIP
249 MI
1 MIALIQU
1 MIAMEŚTITE
1 MIATISI
1 MIAX~
1 MII
1 MIICANU
1 MIKALAIRUΦTIUS
1 MIL
1 MILNEI
1 MIMENICAC
1 MIMULULARICESIP~
3 MINATE
1 MINATEŚ
2 MINATI
1 MINATIAL
1 MINATIURK~
3 MINE
1 MINEΘUNAŚTAVHELEQU
18 MINI
2 MINIA
1 MINIAŚ
1 MINIE
2 MINIPI
1 MINPI
1 MIPI

1 MIRNUNEI
1 MISAZA
1 MIXLNEI
1 MLACAś
1 MLAΘCEMARNI
2 MLAKAS
1 MLAKAś
1 MLAMNA~
17 MLAX
1 MLAXAS
1 MLAXΘANRA
1 MLAXTA
1 MLAXUTA
1 MLERUSI
1 MLESCUL
1 MLEVI
1 MLI~
1 MLNANEś
1 MLUSNA
1 MORENEZ
1 MORINAIL
1 MT
1 MU
1 MUANTRNśL
1 MUCETIś
1 MUCEZI
2 MUCUM
4 MUΘ
1 MUΘIKUś
1 MUΘUNA
1 MUΘUN~
1 MUΘURAS
1 MUΘURINAL
2 MUERA
1 MUIELNAS
1 MUIFU
1 MUKAΘESA
1 MUKIś
1 MUL
2 MULA
1 MULAC
1 MULAX
1 MULEΘ
1 MULENIKE
1 MULEVINAL
1 MULIRIZILE
1 MULSLE
1 MULSUNA
4 MULU
1 MULUEMKNIE
1 MULUEVNEKE
2 MULUNE
2 MULURIZILE
1 MULUVANECE
5 MULUVANICE
1 MULUVANIKE
1 MULUVUNUKE
3 MULVANICE
1 MULVANNICE
1 MULVENAS
1 MULVENI
2 MULVUNUKE
1 MUL~
1 MUMSINI
1 MUNΘ
1 MUNICLEΘ
1 MUNICLET
1 MUNICL~
1 MUNINAś
1 MUNISULEΘ
1 MUNISVLEΘ
1 MUNSLE
1 MUR
1 MURA
1 MURAI
1 MURCNAS
1 MURCUNU
1 MURI
1 MURIAL
1 MURIAś
1 MURILA
6 MURINA
4 MURINAL
1 MURINAS
2 MURINASA
1 MURINAś
1 MURINAśA
1 MURINAśIE
5 MURINEI
1 MURINI
1 MURS
1 MURUNIAL
1 MURZUA
1 MURśL
1 MURśś
1 MUR~
1 MUS
2 MUSCLENA
1 MUSENIAL
1 MUSU
1 MUT
1 MUTAINEI
2 MUTANA
1 MUTE
1 MUTEI
2 MUTENI
1 MUTENIA
2 MUTIA
1 MUTIAS
2 MUTIAś
2 MUTIE
1 MUTIESA
1 MUTIN
2 MUTINCE
1 MUTINUM
6 MUTNA
2 MUTNIAΘI
1 MUTRE
3 MUTU
1 MUTUAL
1 MUTUI
1 MUTUS
2 MUTUSA
1 MUTZI
3 MUVALXLS
1 MUX
1 MUśNI~
1 MUśU
1 MUśUNIA
1 MU~
7 M~
8 N
4 NA
6 NAC
1 NACARNEI
1 NACE
1 NACEME
1 NACEREI
2 NACERIAL
2 NACNA
1 NACNVAIASI
1 NACN~
2 NACUM
1 NAE
1 NAEPIRM
1 NAFANEI
1 NAIME
1 NAL
1 NAMU
1 NAMULTL
1 NANIA
1 NANSTIś
1 NANUś
2 NAPAR
4 NAPER
1 NAPTI
1 NAR
1 NARI
3 NARIA
1 NAS
2 NASTES
1 NATAPTECE
1 NATIA
1 NATINUSNAL
2 NATIS
1 NATISAL
1 NAUISE
2 NAULISAL
2 NAVERIAL
1 NAVERIES
1 NAVESI
2 NAVESIAL
2 NAVLIS
1 NAVLISAL
2 NAX
1 NAXRNAL
1 NAXRNISA
1 NAXS
1 NAXVA
2 NAXVE
1 NAΦOΘ
1 NA~
2 NC
3 NE
1 NEAZNAS
1 NEΘ
5 NEΘUNSL
3 NEΘUNśL
1 NEΘV
1 NEΘśRAC
2 NEFIś
1 NEFTS

1 NEFꞩ
1 NEHUNT
2 NEI
1 NEIPUR
1 NEIS
1 NEISL~
1 NEMNTINAS
1 NEMSIAL
1 NEMSU
1 NEM~
1 NENA
1 NENE
1 NEPVR
3 NERI
1 NERINA
1 NERINAI
1 NERIꞩ
1 NERU
1 NESIΘVAS
3 NESL
1 NESL~
1 NESNA
1 NESTUR
1 NETEI
1 NETSVIꞩ
1 NETꞩVIS
1 NEVERNAS
1 NEVIA
1 NEVIKU
1 NEVRNIES
1 NEXSE
4 NEꞩL
1 NEꞩS
1 NE~
8 NI
1 NICIPUR
1 NICU
1 NIΘA
1 NIΘUSC
1 NILARIA
1 NIPE
1 NISC
1 NISI
1 NIUTLITEALEALAPN
1 NIUꞩ
1 NIVIA
1 NIX
1 NI~
1 NKATNA
1 NTLNAS~
1 NTURKESEL
2 NU
1 NUCRTELE
1 NUΘIN
1 NUFREꞩ
1 NUFRZN
1 NUFRZNAL
3 NUFRZNAꞩ
1 NUFRZꞩAL
1 NUFURZNAꞩ
1 NUI
1 NUINEI
2 NUIꞩ
2 NUI~
1 NULILXA
1 NULUVANICE
2 NUM
1 NUMAꞩ
1 NUMCLAIES
1 NUMΘRAL
1 NUMENAS
1 NUMENAꞩ
1 NUMESIA
1 NUMISI
1 NUMNAL
2 NUMNAꞩ
1 NUMS
2 NUMSI
1 NUMSINA
4 NUMSINAL
2 NUMSIS
1 NUMUSIEꞩ
1 NUNAR
1 NUNΘ
1 NUNΘCUCIIEI
13 NUNΘEN
11 NUNΘENΘ
2 NUNΘENE
5 NUNΘERI
1 NUNE
4 NUNIAL
1 NUNIAꞩ
1 NURZINIAS
3 NURZIU
2 NURZIUNIA
1 NURZIUNIAS
1 NURΦZI
2 NUS
1 NUSMUNA
1 NUSTENIA
1 NUSTESA
1 NUSTESLA
1 NUSUMUNA
1 NUTISUꞩ~
1 NUVI
1 NUVINAL
1 NUVIꞩ
1 NUVLAIUꞩ
1 NUV~
1 NUZARNAI
2 NUZLXNE
1 NUZRNEI
3 NUZRNI
1 NUꞩE
1 NUꞩTESLA
1 NUꞩTESLISA
1 NUꞩTIIA
1 NU~
1 N§§§§NI
5 N~
1 OL
1 OLNA
1 ORTECESE
9 P
5 PA
1 PACE
1 PACI
2 PACINAL
1 PACINEI
1 PACIOS
1 PACNEI
1 PACNIES
1 PACRE
1 PACSINIAL
1 PACSNIAL
1 PACU
1 PAIΘUNAS
1 PAINIEM
1 PAIPNAS
2 PAISLETI
1 PAIVEISM
3 PALAZUS
1 PALIA
1 PALIESA
1 PALNEI
1 PALNIS
4 PALPE
1 PANA~
1 PANΘSIL
1 PANΘVCNISA
1 PANIAΘE
1 PANIAΘES
1 PANIAΘI
1 PANIATES
3 PANTNA
1 PANTNEI
1 PANUR
2 PANZA
1 PANZAI
1 PANZAS
1 PAN~
1 PAP
8 PAPA
1 PAPACE
1 PAPAΘI
2 PAPAΘNA
1 PAPAΘNAS
1 PAPAΘNAꞩ
1 PAPALNAS
1 PAPALSER
1 PAPALꞩ
1 PAPANAI
1 PAPANIA
2 PAPANIAꞩ
1 PAPAS
6 PAPASA
3 PAPASLA
2 PAPASLISA
1 PAPAS~
1 PAPAZNAL
1 PAPAZNEI
1 PAPAꞩ
1 PAPAꞩ~
1 PAPA~
1 PAPΘIAI
1 PAPNAS
3 PAPNI
1 PAPRIS
1 PAPRSIN
1 PAPSINAꞩ
1 PAPUI
1 PAP§

4 PE~
3 PI
1 PIANIAΘE
1 PICAS
1 PICASRI
2 PIΘES
1 PILUNICE
1 PINAIAL
1 PINEI
1 PIRHEUNRUA~
1 PIS
1 PISCRI
1 PISICE
1 PITIUI
1 PIUTAAL
3 PIUTE
2 PIUTEś
2 PIUTI
1 PIUTIAL
3 PI~
1 PLAΘRUNI
1 PLAICANE
1 PLAISENAS
1 PLAISINAS
1 PLANCE
3 PLANCURE
1 PLANCUREś
1 PLANCURIA
1 PLAS
2 PLASCNEI
1 PLASENAS
1 PLAU
2 PLAUSA
7 PLAUTE
1 PLAUTES
3 PLAUTEś
2 PLAUTI
7 PLAUTIAL
1 PLAUTIRAS
1 PLAUTRIA
2 PLAUTRIAś
1 PLAUTRISA
1 PLAVIS
1 PLAVTANAS
1 PLAVTRIAS
1 PLECUS
2 PLEURA
1 PLITINE
1 PLNAL
2 PLUTE
1 PLUTIAL
1 PLUTIM
1 PMPU
2 PR
1 PRAΘM~
1 PRASINA
1 PRCESA
1 PRCU
1 PRECATI
4 PRECU
1 PRECUΘURAśI
1 PRECUNIA
2 PRECUś
1 PREΘNSA~
1 PREISNTE
4 PRENΘRAL
2 PRENΘREI
1 PRESNΘE
11 PRESNTE
1 PRESNTES
2 PRESNTESA
1 PRESNTESSA
4 PRESNTI
4 PRESNTIAL
1 PRESTIAL
1 PRESU
1 PREUNE
2 PREXU
1 PREZU
1 PREśNTESA
1 PREśNTS
1 PRICESA
1 PRICESLA
1 PRIΘAś
1 PRIL~
1 PRIUMNE
1 PRSNTE
2 PRUCIU
1 PRUCIUNIA
1 PRUCUNA
1 PRUΘ
1 PRUINI
1 PRUINT~
3 PRUMAΘNAL
1 PRUMAΘNI
1 PRUMAΘś
1 PRUMTS
1 PRUNINI
1 PRUSCENAS
1 PRUTESA
1 PRUTI
2 PRUXUM
1 PRUXś
1 PRUśA
1 PRUśAΘN
1 PS
1 PSCNI
1 PTRSA
1 PTRUI
6 PU
2 PUCE
1 PUCLIś
1 PUCNA
1 PUCSANAś
1 PUCSIN
3 PUCSINAL
1 PUCSINI
1 PUCSINISA
1 PUΘS
1 PUI
60 PUIA
9 PUIAC
1 PUIAL
1 PUIAM
1 PUIIA
1 PUIIAN
2 PUIL
1 PUINA
1 PUINE
1 PUINEI
1 PUISCNAL
1 PUIZNA
1 PUIZNEI
1 PUI~
5 PUL
1 PULACS
3 PULENAS
1 PULES
13 PULFNA
11 PULFNAL
5 PULFNASA
1 PULFNAś
9 PULFNEI
1 PULI
1 PULIAC
1 PULIALISA
1 PULIAS
1 PULIUś
1 PULPAE
1 PULPAINEI
2 PULTACE
1 PULTUS
1 PULTUSA
1 PULTUSALISA
2 PULUFNAL
1 PULUM
1 PUM
3 PUMP
1 PUMPANA
1 PUMPANAL
1 PUMPIU
1 PUMPLIALX
2 PUMPNAL
1 PUMPNALISA
2 PUMPNASA
3 PUMPNEI
17 PUMPU
1 PUMPUA
10 PUMPUAL
1 PUMPUALCLAN
12 PUMPUI
1 PUMPUNAL
6 PUMPUNI
3 PUMPUNIAL
2 PUMPUNISA
8 PUMPUS
4 PUMPUSA
1 PUMPUVAL
10 PUMPUś
1 PUMPVA
1 PUNA
1 PUNACESA
1 PUNPANA
1 PUNPNAś
2 PUNPU
1 PUNPUAL
1 PUNPUI
1 PUNPUSA
1 PUNTNA
1 PUNTNAś
3 PUP
1 PUPAE

1 PUPAINAL
1 PUPAINEI
1 PUPAINI
1 PUPANAŚIŚ
1 PUPARA
1 PUPA~
1 PUPI
1 PUPILIŚ
1 PUPLAS
7 PUPLI
4 PUPLINA
4 PUPLINAL
1 PUPLINE
1 PUPLNAL
6 PUPLUNA
1 PUPLU~
1 PUPREI
1 PUPU
2 PUPUAL
1 PUPUI
1 PUPUNI
1 PUPURA
1 PUPUS
3 PUPUŚ
1 PURAΘEVNALΘIA
1 PURATUM
1 PURCESA
2 PURΘ
1 PURΘNE
2 PURE
1 PURES
2 PURIIAS
1 PURINI
9 PURNAL
1 PURNAŚ
9 PURNEI
13 PURNI
1 PURNIS
5 PURNISA
1 PURNIŚ
1 PURNI~
1 PURTŚVANA
1 PURTŚVAVCTI
2 PURUΘN
1 PURUHEM
1 PURUHENAS
2 PURUNI
1 PURZES
3 PUSCA
1 PUSIUNIA
1 PUSLA
1 PUSLI
2 PUSTA
10 PUTE
1 PUTERE
1 PUTINAS
2 PUTIZA
1 PUTLE
1 PUTNAM
1 PUTRNEI
3 PUTS
1 PUTURNALISA
1 PUTZS
1 PUVIZNEI
1 PUZU
1 PUŚLA
1 PVCNAL
1 PVINEI
1 PVNACE
1 PVRNAL
1 PVRNEI
1 PVRNI
1 PVRNISA
2 PŚL
5 P~
1 QANRIΘERINI
1 QANRIΘERI~
1 QAPIŚARANASTIAI
1 QUTUM
1 QUTUNAS
15 R
5 RA
1 RACΘ
1 RACVANIES
1 RACVEΘA~
1 RAΘIU
1 RAΘMSNAL
1 RAΘUMNASA
4 RAΘUMSNAL
2 RAΘUMSNAS
1 RAΘUMSNASA
1 RAESNINIXVPLAHAT
2 RAFE
21 RAFI
1 RAFIA
1 RAFIAL
7 RAFIS
6 RAFIŚ
1 RAHΘPI~
1 RAIUCEXINIAI
1 RAI~
1 RAMAΘA
2 RAMAΘAS
1 RAMAITELAS
38 RAMΘA
14 RAMΘAS
1 RAMΘASC
1 RAMΘA~
2 RAMΘESC
1 RAMΘURNAS
1 RAMLIŚIAIΘIPURENAIE
1 RAMNUNAS
1 RAMUΘA
1 RAMUΘAS
1 RAMUEΘ
1 RANA
1 RANATIELAS
2 RANAZU
3 RANAZUIAL
1 RANAZUNIA
1 RANAZUSA
1 RANAZUŚ
1 RANΘIA
1 RANΘU
1 RANEM
1 RANNEI
1 RANVΘ~
1 RANVIS
3 RAPA
2 RAPALIAL
3 RAPALNISA
1 RAPLE
1 RAPLEŚ
1 RAPLI
2 RAPLIAL
3 RAPLNI
1 RAPLNIŚ
1 RASCE
1 RASNA
1 RASNAL
1 RASNEAS
1 RATACS
2 RATUM
1 RATUMSNA
1 RAU
1 RAUΘV
7 RAUFE
2 RAUFESA
1 RAUFEŚ
5 RAUFI
4 RAUFIA
1 RAUFIAL
1 RAUFIAŚ
3 RAUFIŚ
1 RAUFNEI
1 RAUHE
2 RAUNΘU
1 RAUSIA
1 RAUŚ~
1 RAV
1 RAVΘAS
1 RAVE
1 RAVFEŚ
1 RAVIA
2 RAVN
7 RAVNΘU
3 RAVNΘUS
1 RAVNTU
1 RAVNTZA
3 RAX
12 RAXΘ
1 RAXTI
1 RAXUΘ
1 RAXŚ
1 RAZIS
1 RAŚNAL
1 RAŚNE
2 RAŚNEŚ
2 RA~
1 RCNAS
1 RE
1 RECIMNA
1 RECSA
1 RECUSA
1 REΘEIA
2 REICNA
2 REICNAL
2 REICNEI
1 REISNEI
1 REM
1 REMATANE
2 REMNE

3 REMNI
1 REMNISA
1 REMNI~
2 REMSNA
1 REMZA
1 REMZANASA
1 REMZANEI
13 REMZNA
10 REMZNAL
3 REMZNASA
1 REMZNAś
7 REMZNEI
2 RENΘN
1 RENEΘI
1 RENI
1 RENINE
1 RENXIE
1 RENXIEś
1 REPESUNAS
4 REPINΘIC
1 REPINE
6 REPINEC
1 REPUSIUNAś
2 RESCIUNIA
1 RESNA
2 RESNASA
1 RESTIAś
1 RESTUMNA
2 RESTUMNAL
1 RESTUMNEI
1 RESU
1 RESUI
1 RETUI
1 REUSI
1 REUSIAL
1 REUSTIAL
1 REUXZINA
1 REUXZINETI
1 REUXZUA
1 REUśCE
1 REUśCEśC
1 REXLU
1 REXU
1 REZO
4 REZU
1 REZUI
3 REZUś
1 RE~

1 RF
1 RFI
1 RI
1 RIΘCEA
7 RIΘNAI
1 RIIA
59 RIL
5 RIL~
1 RINUΘ
2 RINUś
1 RITA
2 RITE
1 RITNAS
1 RITNEI
1 RITUMENAS
1 RIVAX
1 RIVIA
1 RIś
2 RI~
1 RNTLE
1 RO
1 RO~
1 RPI
1 RU
1 RUCIPUAL
1 RUΘCVA
1 RUFE
4 RUFI
1 RUFIAL
1 RUFLINAL
1 RUFRIAś
1 RUIFRIś
1 RUIMELKARΘAZIE
1 RUMAΘEś
1 RUMATES
1 RUMATESA
1 RUMAX
1 RUMI
1 RUMITRINE
1 RUMLNAS
1 RUNIE
1 RUNSAU
1 RUNXLVIS
1 RUPENIAL
1 RUPśTINAS
1 RURCI
1 RUS
1 RUSCI

1 RUSN~
2 RUTANIA
1 RUTELNAS
3 RUTIA
1 RUTIAś
1 RUTILE
1 RUTLNIś
1 RUTSNEI
1 RUTSNI
1 RUTSNIS
1 RUTSNIś
1 RUV
3 RUVA
2 RUVF
1 RUVFIALC
1 RUVFIES
3 RUZE
1 RUZSNA
1 RVS
1 RVSINA~
3 R~
31 S
2 SA
1 SACA
3 SACNI
1 SACNICLERI
1 SACNISA
2 SACNIU
4 SACNIśA
1 SACN~
1 SACRI
1 SACRIAL
1 SACUSA
1 SAΘ
4 SAΘNA
1 SAΘNAL
3 SAΘNEI
1 SAHINIS
1 SAINAL
1 SAINEI
4 SAL
1 SALΘN
1 SALE
1 SALEś
1 SALISNA
1 SALTUCAL
1 SALU
1 SALUSTI

1 SALUVI
1 SALVIA
1 SALXEI
1 SAMERUNI
1 SAMERUNIAL
1 SANE
1 SANESNAś
1 SANISEI
1 SANSNA
2 SANTIC
1 SANTIVIMA
1 SANULIS
1 SANXUNAS
1 SANśAś
2 SANśL
1 SAN~
1 SAPICE
1 SAPICES
1 SAPICNAL
1 SAPINI
1 SAPINIAś
1 SAPLATIA
1 SAPNAL
1 SAPU
1 SARZLX
1 SASUNAS
1 SATERNAS
1 SATI
2 SATIAL
3 SATIES
1 SATIE~
1 SATIRIASAXIIA
4 SATNA
4 SATNAL
2 SATNAś
1 SATNEA
1 SATNEI
1 SATR
1 SATRIAL
1 SATRS
1 SATURE
1 SAUTRI
1 SAUTURINE
2 SAUTURINEś
3 SAUTURINI
2 SAUTURINIAL
1 SAUXNATE
2 SAVCNES

2 SESCATNA
3 SESCTNA
1 SESCTNAL
2 SESCTNEI
1 SESEATNEI
1 SESTO
1 SESUCTUNA
1 SESUMSNEI
2 SETHRE
1 SETINATI
2 SETMANAL
1 SETORIO
1 SETRA
3 SETRE
1 SETRES
1 SETREŚ
2 SETRI
2 SETRIA
1 SETRNAL
1 SETRNEI
1 SETRNI
1 SETU
1 SETUME
1 SETUMES
1 SETUMESA
3 SETUMI
1 SETUMNAL
2 SETUMNEI
1 SETUMNEI~
1 SETURIS
1 SEUNEI
1 SEURU
1 SEURUSA
1 SEVERPE
1 SEVIASA
11 SEX
3 SE~
1 SHENIMEMTITE
1 SI
1 SIALXVEI
1 SIALXVIZ
1 SIANŚ
1 SIANŚL
1 SIAS
1 SIAT
1 SICLES
1 SICLEŚ
1 SIΘU
1 SIENILE
1 SILAIΘEŚ
1 SIMLXA
1 SINEI
1 SINIS
1 SINUNIA
1 SINUNIAS
1 SISΦE
1 SITUNIA
1 SIUNE
1 SI~
1 SKANASNAS
1 SKANESNAS
1 SLA
1 SLAFRAS
2 SLAIΘEŚ
1 SLAPINAŚ
1 SLAPIXUN
1 SLA~
1 SLELEΘ
1 SLEPARIS
1 SLEPARIŚ
1 SLEPARŚ
1 SLICAXEŚ
1 SLIŚA
1 SMINΘE
1 SMINΘINAL
1 SNEISA
1 SNENAΘ
2 SNENAZIULAS
3 SNUTE
3 SNUTEŚ
1 SNUTI
1 SNUZAINTEHAMAIΘI
1 SNVTI
1 SPANTUI
1 SPANTUS
1 SPANZA
1 SPASPU
2 SPASPUSA
1 SPAZIA
1 SPEQO
1 SPETRI
1 SPLATUR
3 SPLATURIA
1 SPLATURIAŚ
1 SPLATURŚ
1 SPLTUR
1 SPU
1 SPUITEŚ
2 SPURAL
2 SPURANA
2 SPUREŚTREŚ
2 SPURI
1 SPURIANA
1 SPURIAZA
1 SPURIE
1 SPURIENAS
2 SPURIES
1 SPURIIAZAS
3 SPURINAL
2 SPURINAŚ
4 SPURINEI
1 SPURINIAL
1 SPURTA
1 SPURTN
1 SPU~
1 SP~
1 SREN
1 SRUPINAS
1 STACIAS
1 STAILE
2 STALANES
1 STARNIΘI
1 STAS
1 STATIE
1 STATINAL
2 STATINEI
1 STATINIAL
3 STATLANES
1 STATNESI
1 STATSNE
1 STELAΘU
1 STEPRE
1 STEPRNA
1 STEPRNAL
1 STEPRNE
6 STEPRNI
1 STES
1 STESINAL
1 STE~
1 STICU
1 STRAMENAS
1 STRETA
1 STRETEΘ
1 STREVC
1 STRUME
2 SU
1 SUCISNAIA
1 SUCNEI
1 SUCNI
9 SUΘ
1 SUΘANEI
16 SUΘI
1 SUΘIKUSSUA
2 SUΘIL
2 SUΘINA
1 SUΘIŚ
1 SUΘNA
1 SUΘNEI
2 SUΘRINA
1 SUΘRINIAL
1 SUΘUEAS
2 SUΘUNAL
1 SUEICIAL
1 SUEITUSI
1 SUL
1 SULAL
1 SULPICIA
1 SULSLE
1 SULUNIA
1 SULUŚI
1 SULXVA
1 SUNTNAM
1 SUPIE
1 SUPLU
1 SUPLUNI
1 SUPLUS
1 SUPNAI
4 SUPNI
1 SUPRI
1 SUR
4 SURE
8 SURNA
1 SURNAS
2 SURNAŚ
1 SURNEI
1 SURNIAL
1 SURN~
1 SURTE
1 SURTES
3 SURTEŚ
1 SURTI
2 SUS

1 SUSES
1 SUSINAL
1 SUSINE
1 SUSINEI
2 SUTANAŚ
3 SUTI
1 SUTIUNIA
1 SUTNAL
1 SUTRINAŚ
1 SUTRINEI
1 SUTU
1 SUTUS
1 SUTVE
1 SUTŚ
1 SUT~
1 SV
1 SVA
1 SVALASI
10 SVALCE
1 SVALΘAS
1 SVA~
1 SVEA
1 SVEAMAX
1 SVEASLA
1 SVEAŚ
4 SVEC
1 SVEICIA
1 SVEINTU
1 SVEITAL
1 SVEITU
1 SVEITUIAL
2 SVEITUS
2 SVELERIC
2 SVEM
2 SVENIA
1 SVENIAS
2 SVENIAŚ
1 SVER
1 SVESLISA
1 SVESTNAL
1 SVESTNEI
1 SVE~
1 SVINCINAS
1 SVULARE
1 SXAΘRNIES
3 S~
11 T
5 TA
1 TAΘA
1 TAEΘ
1 TAEITI
1 TAFINA
2 TALCE
1 TALIS~
1 TAMA
3 TAMERA
1 TAMERU~
1 TAMIAΘURAS
1 TAMINAI
1 TAMNIA
1 TAN
5 TANA
2 TANASAR
1 TANCVILUS
1 TANIA
1 TANSINEI
4 TANTLE
2 TANTLEŚ
1 TAPSINA
2 TARC
1 TARCNAS
1 TARCNEI
1 TARCSNEI
1 TARCSTE
1 TARΘI
1 TARILS
1 TARNA
2 TARNAI
1 TARNAL
8 TARNAS
1 TARNA~
1 TARNES
1 TARNXNTIAŚ
1 TARSALUS
3 TARTIRIA
1 TARTIRIIAI
1 TARUŚULA
1 TARVUΘCISASINEZIA
1 TARXELNAS
4 TARXI
1 TARXIA
1 TARXIS
2 TARXISA
1 TARXISLA
1 TARXIŚ
1 TARXIŚALVI
1 TARXNALΘ
1 TARXNALΘI
1 TARXNIA
1 TARXU
1 TARXUNIES
1 TARXVETENAS
1 TATANUŚ
1 TATAŚ
1 TATI
1 TATIIAL
1 TATINAI
1 TATNAL
1 TATNAL~
1 TATNAS
1 TATNEI
1 TATNI
1 TATR
1 TAURE
1 TAV
1 TAVI
1 TAΦANE
1 TAΦUNIAŚ
1 TAΦUSA
2 TA~
3 TE
3 TEC
1 TECE
1 TECSA
1 TECUM
1 TECUMNAL
1 TECUMUNIŚ
1 TEΘAS
1 TEΘNIA
1 TEΘURIAŚ
1 TEF
16 TEI
1 TEIS
1 TEISNICA
3 TEIŚ
1 TELAΘURAS
1 TELI
1 TELICLES
1 TELSINA
1 TELTIUNIA
1 TEMREŚ
1 TEN
4 TENΘAS
1 TENΘA~
1 TENINE
1 TENU
1 TENVE
2 TEN~
4 TEQUNAS
1 TERASIAŚ
1 TERIASALS
1 TERMUNAS
1 TESA
5 TESIM
1 TESIN
1 TESINΘ
2 TESNE
2 TESNŚ
7 TETA
3 TETALŚ
2 TETASA
1 TETASASI
1 TETE
1 TETENA
16 TETI
1 TETIA
1 TETIAIAL
2 TETIAL
1 TETIE
1 TETIES
1 TETIIE
25 TETINA
11 TETINAL
1 TETINALISA
1 TETINAS
11 TETINASA
3 TETINAŚ
1 TETINE
8 TETINEI
1 TETIŚ
1 TETN
2 TETNA
1 TETNAL
1 TETNASA
4 TETNEI
1 TETNI
1 TETNIA
4 TETNIES
1 TETNIE~
1 TETNIS
1 TETNIŚ
1 TETUMINAŚ

1 TETUNA
1 TEUCI
1 TEUINE
1 TEV
2 TEVARAΘ
1 TEVATNAL
1 TEZ
4 TEZAN
1 TEZIS
1 TEŚAMITN
1 TEŚAMSA
1 TE~
1 TFA
1 THA
1 THOCERUAL
12 TI
1 TIAL
1 TIAZU
1 TICALI
1 TIΘI
1 TIF
1 TIIEP
1 TIITAEA
1 TIIURŚ
1 TIME
1 TIMSEN
1 TIMXA
3 TIN
1 TINAKE
1 TINANI
1 TINAS
1 TINATE
1 TINΘAŚA
2 TINΘURI
1 TINEI
1 TINERI
6 TINIA
1 TINIAN
1 TINIANI
1 TINIAŚ
1 TINIŚ
5 TINS
5 TINSCVIL
1 TINSΘ
1 TINSET
1 TINUNUS
4 TINUSI
1 TINUTA
15 TINŚ
4 TINŚCVIL
9 TINŚI
1 TINŚIN
2 TISCUSNAL
1 TISCUSNALISA
1 TISCUSNE
4 TISCUSNEI
2 TISCUSNI
2 TISCUSNISA
1 TISEIN
1 TIT
3 TITA
1 TITALUŚ
3 TITANIA
1 TITASI
1 TITΘLAI
63 TITE
4 TITEAL
4 TITEI
1 TITEIAL
4 TITES
1 TITESA
21 TITEŚ
1 TITEŚI
1 TITE~
66 TITI
23 TITIA
52 TITIAL
1 TITIALC
2 TITIALISA
2 TITIAS
5 TITIE
1 TITIEŚ
1 TITIS
1 TITIZ
1 TITIŚ
3 TITI~
1 TITLE
1 TITLES
1 TITLIA
4 TITLNEI
2 TITLNI
1 TITOI
4 TITUI
2 TITUIŚ
1 TITULNI
1 TITUR
1 TITUTI
1 TIT~
1 TIU
8 TIURIM
2 TIUS
2 TIUSA
3 TIUZA
1 TIVI
1 TIVR
1 TIVRS
1 TIŚ
1 TIΦ
1 TIΦANE
3 TIΦILE
1 TI~
1 TL
1 TLAMUN
1 TLAPNAL
5 TLAPU
3 TLAPUNI
1 TLAPUŚ
1 TLATIA
1 TLE
1 TLENACES
1 TLENAXEIŚ
1 TLESA
18 TLESNA
11 TLESNAL
3 TLESNALISA
5 TLESNASA
2 TLESNAŚ
14 TLESNEI
2 TLUSC
1 TLUSCV
1 TM
2 TN
1 TNA
1 TNA~
2 TNE
1 TNUCASI
1 TOSIA
1 TOVEROMAROM
1 TP~
3 TR
1 TRA
1 TRAES
1 TRAISVANEC
2 TRAU
2 TRAVAIUSER
1 TRAZLU
2 TRAZLUAL
1 TRAZLUI
2 TRAZLUNIAL
2 TRAZLUŚ
1 TRCE
1 TRCUΘ
1 TREAŚ
1 TRECTE
1 TRECŚ
1 TREΘELIES
1 TREMSINEI
1 TRENΘINEI
1 TREPALUAL
1 TREPANIA
6 TREPI
1 TREPIAŚ
3 TREPINAL
1 TREPISA
9 TREPU
1 TREPUIŚ
1 TREPUNI
4 TREPUNIA
1 TREPUNIASA
2 TREPUNIAŚ
4 TREPUSA
1 TREPUŚ
1 TREPUŚA
2 TRETNA
1 TRETNAL
1 TRETNEI
1 TRETRA
1 TREŚ~
1 TRE~
1 TRIASNAS
1 TRIILE
1 TRILE
2 TRILEŚ
1 TRILI
1 TRILIAL
1 TRILIALŚ
9 TRIN
1 TRINΘ
1 TRINΘAŚA
3 TRINUM
1 TRISN
2 TRISNAL

1 TRISNA~
1 TRISNEI
1 TRITANAŚA
1 TRSKMETR
2 TRUΘ
1 TRUΘT
1 TRUIA
3 TRUIALS
1 TRUIES~
1 TRUTNUΘ
1 TRUTNVT
1 TRUTUM
1 TRUTVECIE
4 TU
1 TUCE
1 TUCMENAS
1 TUCNI~
1 TUCONU
1 TUCUNTI
1 TUCUNTINEŚ
1 TUCUNTNAL
1 TUΘ
1 TUΘI
2 TUΘINEŚ
3 TUΘIU
3 TUI
20 TUL
3 TULA
1 TULALUŚ
10 TULAR
1 TULARU
1 TULATETULASURATE
12 TULE
1 TULEITIR
1 TULES
1 TULESA
1 TULISEI
2 TULUMNEŚ
3 TUL~
1 TUMILTNI
1 TUMLTNI
5 TUMU
1 TUMUNIAŚ
1 TUMUSA
2 TUNA
1 TUNE
1 TUNES
1 TUNIAL
1 TUNIES
1 TUNT
1 TUNUR
1 TUN~
1 TUPISΘNIA
1 TUPISISPEŚ
1 TUPLTIA
3 TUR
4 TURA
2 TURAN
1 TURAREKETI
16 TURCE
1 TURE
1 TURESA
1 TURI
1 TURIALSC
2 TURICE
1 TURIS
1 TURKE
1 TURMNA
1 TURMUCAS
1 TURMŚ
2 TURNS
6 TURPLI
1 TURPLILARIS
1 TURTESA
1 TURTIA
2 TURU
5 TURUCE
1 TURUNE
1 TURUNKE
8 TURZA
1 TURZAI
1 TURZAIS
1 TURZA~
1 TURZUNIA
1 TUR~
1 TUSIA
1 TUSILAI
1 TUSNEI
2 TUSNUS
3 TUSNUTNIE
1 TUSTI
1 TUSURΘIR
1 TUT
1 TUTASI
2 TUTE
1 TUTEIS
6 TUTES
1 TUTEŚ
1 TUTI
1 TUTIA
1 TUTIN
1 TUTINAS
1 TUTINI
2 TUTN
17 TUTNA
1 TUTNAI
34 TUTNAL
1 TUTNALISA
12 TUTNASA
3 TUTNAŚ
19 TUTNEI
2 TUTNI
1 TUTNIAŚ
1 TUTNL
1 TUTS
1 TUXLAC
1 TUXULXA
1 TUZL
1 TUŚ
1 TUŚΘI
4 TUŚNU
1 TUŚNUT
1 TUŚNUTNAL
1 TUŚTI
1 TUŚURΘI
1 TUŚURΘII
1 TVA
1 TVEΘELIES
1 TVNASA
2 TX
4 T~
3 U
1 UARNIS
1 UCALUI
1 UCAR
1 UCETI
1 UCIRINAS
1 UCIRINEI
1 UCLINA
1 UCLNAS
1 UCLNIAL
1 UCNAL
1 UCNTM
1 UCRINIC
1 UCRISLAN
4 UCRISLANE
1 UCRISLANESA
1 UCRISLANEŚ
2 UCRSA
1 UCRŚ
1 UCUMZNA
5 UCUMZNAL
1 UCUMŚNEI
1 UCURSA
1 UCUSNA
1 UC~
1 UΘAVE
1 UΘAVIS
1 UΘUN
1 UΘUR
1 UΘUSTE
1 UEΘIU
1 UEIUATIA
2 UEL
1 UELESIAL
1 UELNEI
2 UELTUR
1 UELUS
1 UELXRAL
1 UEL~
1 UENUNIA
1 UFLEŚ
1 UFLI
1 UFTA
3 UHTAVE
2 UHTAVES
3 UHTAVIAL
2 UI
2 UICINA
1 UIESARI
1 UINU
1 UIPIS
1 UISCESA
1 UISNI
1 UITANICES
1 UITIAŚ
1 UL
4 ULΘE
1 ULΘES
2 ULΘIAL
1 ULINEI
1 ULPINI

1 ULSINAL
1 ULTACE
1 ULTIES
1 ULTIMI
2 ULTIMNE
1 ULTIMNEŚ
1 ULTIMNI
3 ULTIMNIAL
1 ULTNA
1 ULTNAS
1 ULUSINA
1 ULXNISLA
1 ULXU
1 ULZNEI
1 UL~
1 UM
1 UMA
1 UMIΘEAL
11 UMRANA
4 UMRANAL
8 UMRANASA
2 UMRANAŚ
3 UMRANEI
2 UMRIA
1 UMRIAŚ
1 UMRIE
1 UMRINAL
1 UMRINI
1 UMRUNA
1 UMTAŚXU
6 UN
1 UNACXA
2 UNAI
1 UNARIS
2 UNAS
2 UNATA
2 UNATASA
1 UNATN
1 UNATNAL
3 UNATNEI
3 UNE
1 UNEIŚAŚ
3 UNI
7 UNIAL
1 UNIALΘ
1 UNIALΘI
1 UNIALTI
1 UNUΘ
2 UNUM
2 UNXVA
4 UOLTAI
1 UOLU~
1 UOMANIO
5 UPELSI
5 UPELSIŚ
1 UPLES
2 UPRECIANO
1 UPU
1 UPUR
1 UPUS
1 UR
1 URAISIES
1 URATA
1 URΘANIKE
1 URFA
1 URFI
2 URIΘNEI
11 URINATE
5 URINATESA
2 URINATEŚ
6 URINATI
7 URINATIAL
1 URMTE
1 URNASIS
1 URNATI
1 URSMINI
1 URSMNAI
1 URSMNAL
1 URST
1 URSTE
1 URU
1 URUS
2 URX
1 URXOSNAS
1 US
2 USA
1 USETI
2 USI
1 USIL
1 USILS
1 USINIEŚ
1 USINUKE
1 USLANEC
1 USLI
1 USTEN
1 USTIUŚ
1 UTA
1 UTANISA
2 UTAUNAL
2 UTAUNEI
1 UTAUNI
1 UTAVI
2 UTIESA
1 UTILANE
1 UTIMNAL
2 UTINCE
1 UTISNAL
1 UTNI
1 UTNTA
1 UTUS
1 UVANEKE
1 UVIA
1 UVIAL
2 UVIE
3 UVILANA
1 UVILANEŚ
1 UXTIΘUR
1 UXU
1 UXULNI
2 UXUMZNA
1 UZARALE
3 UŚELES
1 UŚPU
1 UΦALESA
1 UΦALIAS
1 UΦALIASI
1 UΦLE
1 U~
84 V
2 VA
1 VACI
10 VACIL
21 VACL
3 VACLTNAM
1 VAΘ
1 VAHRIŚ
1 VAHRUNIŚ
1 VAIPNAS
1 VALE
1 VAMALASIAL
2 VANΘ
1 VANIAŚ
1 VANVA
1 VAP
7 VAR
1 VARΘAMEZA
3 VARI
1 VARIEŚ
1 VARINAL
2 VARINEI
1 VARIŚ
8 VARNA
8 VARNAL
1 VARNALISLA
2 VARNAS
1 VARNASA
3 VARNAŚ
6 VARNEI
2 VARNIES
1 VARNIŚ
1 VARUNI
1 VARXTI
1 VASTI
1 VASŚUΘI
1 VATATIAL
1 VATI
1 VATINA
2 VATINI
1 VATINIA
2 VATINIAL
1 VATL
1 VATLMI
1 VATLUI
1 VATRI
2 VAXR
1 VAXSTLS
1 VAŚ
5 VΘ
62 VE
2 VEACIAL
3 VEANEŚ
1 VEANI
1 VEANIAL
1 VECAINAL
1 VECIA
1 VECNATISA
1 VECNATNEI
1 VECNE
1 VECNISA
1 VECSAL
6 VECU
2 VECUI

1 VECUS
1 VECUSA
1 VEΘ
1 VEΘES
2 VEΘI
1 VEΘIE
1 VEΘNA
1 VEΘNAI
1 VEΘNAś
1 VEΘNIAL
1 VEΘRNA
1 VEΘSARAś
1 VEΘURA
1 VEΘURAL
1 VEΘURIś
1 VEΘURUS
1 VEΘURUś
1 VEΘś~
1 VEIAΘIAL
1 VEIANE
4 VEIANI
1 VEIANIA
1 VEICNAI
21 VEILIA
2 VEILIAś
1 VEINZA
1 VEISIN
1 VEISNA
1 VEIVEś
4 VEIZA
3 VEIZI
3 VEIZIAL
249 VEL
4 VELA
6 VELAΘRI
1 VELAΘRIZ
1 VELANA
1 VELANAL
1 VELANE
2 VELANI
2 VELANIAL
1 VELANIAL~
2 VELARAL
1 VELARIE
2 VELARNIES
1 VELAS
1 VELASNAś
1 VELAVEśNAś
1 VELAśNAL
1 VELAśNAś
1 VELAśNEI
1 VELC
1 VELCA
1 VELCAIAS
1 VELCEś
1 VELCIA
3 VELCIAL
2 VELCIALU
1 VELCIALUAL
2 VELCIE
1 VELCITIAL
1 VELCLΘI
1 VELCUEś
2 VELCZNAL
1 VELCZNAś
1 VELCZNE
4 VELCZNEI
1 VELCśNA
1 VELΘ
2 VELΘA
1 VELΘE
1 VELΘESA
1 VELΘIAL
1 VELΘIENAS
7 VELΘINA
2 VELΘINAΘURAś
1 VELΘINAL
1 VELΘINAM
3 VELΘINAś
1 VELΘINEAL
1 VELΘINEI
1 VELΘINEś
1 VELΘITE
1 VELΘIś
1 VELΘNAL
1 VELΘNE
1 VELΘNEI
1 VELΘRE
1 VELΘRI
1 VELΘRINAL
1 VELΘRITI
1 VELΘRITIAL
1 VELΘRITIALISA
1 VELΘUAś
17 VELΘUR
1 VELΘURA
1 VELΘURA~
2 VELΘURI
1 VELΘURIAL
1 VELΘURIAS
2 VELΘURIAś
1 VELΘURIΘURA
5 VELΘURNA
3 VELΘURNAL
2 VELΘURNAS
3 VELΘURNAś
2 VELΘURS
1 VELΘURT~
2 VELΘURU
2 VELΘURUI
14 VELΘURUS
1 VELΘURUSA
1 VELΘURUSCLES
1 VELΘURUś
1 VELΘURUśA
2 VELΘURUśLA
2 VELΘURś
3 VELΘ~
2 VELE
1 VELEA
1 VELEAL
1 VELEΘEA
1 VELEΘIA
1 VELEΘIAL
1 VELEΘNAL
1 VELEΘNALAS
1 VELEΘNEI
1 VELEΘURI
1 VELEΘ~
2 VELEIAL
1 VELELIA
3 VELELIAS
1 VELESA
1 VELESIAL
1 VELESIAś
1 VELEZNAś
1 VELEś
1 VELFREI
9 VELI
62 VELIA
1 VELIAK
6 VELIAś
3 VELICU
1 VELIΘANA
1 VELIΘANAL
1 VELIΘANASA
1 VELIΘANEI
1 VELIΘNA
2 VELIΘNEI
2 VELIEA
2 VELIESA
1 VELIEśA
1 VELIIES
2 VELIMNA
1 VELIMNAS
14 VELIMNAś
1 VELIMNE
2 VELIMNEI
1 VELINA
1 VELINE
1 VELINI
1 VELISA
1 VELISNAL
1 VELISNAS
1 VELISNISA
1 VELITNAL
9 VELIZA
1 VELIś
2 VELI~
2 VELNA
2 VELNAL
1 VELNAS
1 VELNΘEś
2 VELNΘI
2 VELNΘIAL
1 VELNEA
2 VELNEI
1 VELNEś
2 VELNI
2 VELNIA
1 VELNIS
1 VELRNAL
2 VELS
3 VELSA
1 VELSCU
27 VELSI
2 VELSIA
6 VELSIAL
2 VELSINAL
2 VELSIS
5 VELSISA
2 VELSIś

2 VELSU
1 VELSUNIAŚ
4 VELTI
1 VELTIA
1 VELTNEI
1 VELTSANEI
1 VELTSNAL
2 VELTSNAŚ
1 VELTSNEAL
1 VELTSNEI
1 VELTSNI
1 VELTURUS
12 VELU
2 VELUA
8 VELUAL
1 VELUA~
1 VELUFNA
6 VELUI
1 VELUIS
1 VELUISLA
32 VELUS
10 VELUSA
1 VELUSA~
4 VELUSNA
1 VELUSNAL
4 VELUSUM
2 VELUS~
59 VELUŚ
7 VELUŚA
4 VELUŚLA
1 VELUŚ~
1 VELVAES
2 VELVAESA
1 VELVHERAS
3 VELX
5 VELXA
1 VELXAE
4 VELXAI
1 VELXAIAŚ
1 VELXAIE
1 VELXAINAL
1 VELXANAS
1 VELXANEI
1 VELXARA
9 VELXAS
1 VELXASA
1 VELXASINAL
3 VELXATINAL
5 VELXATINI
7 VELXE
1 VELXEI
2 VELXEINI
1 VELXEIŚ
1 VELXERA
1 VELXES
5 VELXESA
3 VELXEŚ
2 VELXI
1 VELXIA
1 VELXIAŚ
1 VELXIEŚ
1 VELXINEI
1 VELXITE
1 VELXITEŚ
2 VELXITI
1 VELXNA
1 VELXRA
1 VELXRASA
4 VELXREI
1 VELXURAL
1 VELXZNAŚ
1 VELXŚNAŚ
1 VELZINAŚIA
2 VELZNAL
1 VELZNALC
1 VELZNAX
5 VELŚ
1 VELŚATI
1 VELŚNAL
6 VELŚU
1 VELŚUI
1 VELŚUNAL
1 VELŚUNIA
2 VELŚUSA
1 VELŚ~
6 VEL~
1 VEMATI
1 VEMEI
1 VEN
1 VENALA
1 VENALIAŚ
1 VENATAL
5 VENATE
1 VENATESA
2 VENATNAL
1 VENATNE
1 VENΘACE
1 VENΘICAU~
1 VENΘNAL
2 VENΘNEI
1 VENEΘIAL
4 VENEL
1 VENELS
13 VENELUS
1 VENELUSI
1 VENELUS~
2 VENELUŚ
1 VENELU~
1 VENER
1 VENERUS
7 VENETE
1 VENETEŚ
1 VENETI
1 VENETIAL
1 VENEZA
1 VENI
1 VENILIMEPIEPARŚE
1 VENILUS
1 VENTESA
1 VENTIA
1 VENTIAŚ
2 VENU
1 VENUIAL
3 VENUNIA
1 VENUNIAŚ
1 VENUSA
1 VENUŚ
6 VENZA
2 VENZILE
2 VENZILEŚ
2 VENZLEŚ
1 VEPET~
1 VEPIA
2 VEPU
1 VERATI
1 VERATRSA
3 VERATRU
2 VERATRUNIA
1 VERAŚ
7 VERCNA
1 VERCNAS
7 VERCNAŚ
3 VERCNEI
2 VERCN~
1 VERFARŚII~
1 VERNA
1 VERSA
1 VERSIE
3 VERSNI
1 VERSUM
1 VERTES~
1 VERTUN
4 VERU
2 VERUNIA
1 VERUSA
3 VERUŚ
1 VERŚENAS
1 VER~
1 VES
1 VESACANEI
1 VESACNEI
1 VESACNI
2 VESACNISA
3 VESCNAL
1 VESCNEI
3 VESCU
4 VESCUNIA
1 VESCUNIAS
3 VESCUSA
2 VESCUŚ
1 VESCUŚA
8 VESI
3 VESIAL
1 VESIALISA
1 VESIALISSA
1 VESINEI
1 VESISA
6 VESIŚ
1 VESTA
1 VESTARCNIES
1 VESTRCIAL
1 VESTRCNAŚ
1 VESTRCNI
1 VESTRCNIAL
1 VESTRECNA
1 VESTRECNAL
1 VESTRNAISA
2 VESTRNALISA
1 VESTRNALSA
1 VESU
1 VESU~
1 VES~

2 VET
2 VETALU
1 VETANA
3 VETANAL
2 VETANEI
30 VETE
1 VETES
4 VETESA
1 VETESI
6 VETEŚ
40 VETI
3 VETIA
9 VETIAL
1 VETIAS
4 VETIE
2 VETIEŚ
1 VETIEŚI
2 VETINAL
1 VETINASA
2 VETINEI
1 VETIS
1 VETISA
1 VETISL
7 VETIŚ
1 VETLNAL
1 VETLNEI
3 VETNAL
3 VETNALISA
3 VETNEI
1 VETNI
1 VETNISA
1 VETRAL
1 VETRU
1 VETRUAL
1 VETRUNI
1 VETSNEI
11 VETU
4 VETUAL
8 VETUI
1 VETUNI
1 VETUNIAL
1 VETUNIASA
3 VETUS
1 VETUSA
5 VETUSAL
3 VETUŚ
1 VETUŚA
1 VETU~
1 VETŚ
1 VEZA
1 VEZAL
1 VEZANAŚ
1 VEZΘRNEI
2 VEZI
1 VEZIAL
1 VEZRA
1 VEŚ
1 VEŚUSA
10 VE~
1 VHLAKUNAIE
1 VHULUENAS
1 VHULVENAS
19 VI
1 VIA
1 VIACIAL
1 VIAMILAI
2 VICEIS
1 VIEANIAL
1 VIKAΘXERMUPI~
1 VILASINEI
1 VILATAS
1 VILE
1 VILEUA
1 VILIA
1 VILIANAS
3 VILIANIA
5 VILIASA
1 VILIAŚ
3 VILINAL
1 VILINIA
1 VILLINAL
1 VILTUNIAŚ
1 VILUS
1 VINA
1 VINACNA
2 VINAL
2 VINEI
1 VINEIAIA
1 VINILA
1 VINIMIA
1 VINM
1 VINUCENAS
15 VINUM
3 VIPE
1 VIPENAL
3 VIPENAS
1 VIPES
1 VIPESA
60 VIPI
14 VIPIA
13 VIPIAL
1 VIPIAS
1 VIPIAZ
1 VIPIAŚ
1 VIPIΘENES
1 VIPIΘUR
1 VIPIIAIPASE~
1 VIPIIENNAS
1 VIPIN
5 VIPINA
36 VIPINAL
1 VIPINALC
2 VIPINALISA
3 VIPINANAS
1 VIPINAS
5 VIPINE
22 VIPINEI
1 VIPINI
1 VIPINIES
1 VIPISA
20 VIPIŚ
2 VIPI~
1 VIPLI
3 VIPLIA
1 VIPLIAL
1 VIPLIAS
1 VIPLIŚ
1 VIPSL
1 VIPU~
1 VIRC
1 VIRŚNEIA
1 VIS
1 VISC
7 VISCE
1 VISCENEI
4 VISCESA
1 VISCI
1 VISCIAL
1 VISCIAS
1 VISKE
1 VISKESA
1 VISL
1 VISTIA
1 VISUL
1 VISULIŚ
1 VITASI
1 VITECAΘA
1 VITLI
1 VITLIAL
1 VITUNA
1 VIVIPINAL
1 VIZE
1 VIZURISA
1 VIŚENAS
1 VIŚNAI
1 VIŚNAIAL
2 VI~
222 VL
1 VLAΘI
1 VLCAE
1 VLΘ
6 VLESI
1 VLESIAL
1 VLTVI
2 VLUS
1 VL~
1 VM
1 VNAT
1 VP
1 VPINAL
1 VPRΘESA
1 VPRΘSA
2 VRAΘ
1 VRAVNAL
1 VRINATI
1 VRINATIAL
1 VRI~
1 VRTUN
2 VT
1 VTAZIEI
1 VUCINAS
9 VUISI
2 VUISIA
3 VUISIAL
1 VUISINA
6 VUISINAL
1 VUISINE
7 VUISINEI
3 VUISINI
1 VUISINIEIŚTA
1 VUISIŚ
1 VUIZES

1 VUIśI
1 VUIś~
1 VULSISA
1 VULSUNIś
1 VUPINEI
1 VUSIA
1 VUSIAś
1 VUSINA
1 VUSINEI
1 VUSIś
1 VUVCNICś
1 VUVZIES
4 VX
12 V~
2 X
2 XA
1 XAIAL
1 XAINE
1 XAIREALS
1 XARCLUNISTA
1 XARU
1 XARUN
1 XAS
1 XAśRI
1 XAśTA
3 XERITNAL
2 XERITNEI
1 XESTES
1 XESTN
1 XIEM
5 XIM
2 XIMΘ
3 XIMΘM
1 XIM~
1 XISVLICś
1 XIVI
14 XIś
1 XM
1 XNIESI
1 XRI
1 XSIMEULEPIKE
1 XULIXNA
1 XUMTU
1 XUMTUś
1 XUNI
1 XURCLES
4 XURNAL
1 XURNIAś
2 XURU
1 XURUNAL
2 XURXLES
1 XU~
1 XVESTNAL
1 XVESTNAś
1 XVILUS
4 Z
1 ZAC
1 ZAΘRMISC
1 ZAΘRUM
3 ZAΘRUMIś
3 ZAΘRUMS
1 ZAΘRUMSNE
7 ZAL
1 ZALΘU~
1 ZAMΘIC
1 ZAMTIC
1 ZANEś
1 ZANL
1 ZARAPIU
3 ZARFNEΘ
1 ZARTA
3 ZARVE
1 ZAT
1 ZATI
1 ZATLXNE
1 ZAUTURIA
1 ZAX
1 ZA~
1 ZE
1 ZEA
6 ZEC
1 ZELARVENAS
1 ZELUR~
1 ZELVΘ
1 ZEMNAL
1 ZEMNI
2 ZERAPIU
6 ZERI
1 ZERIC
2 ZERIś
1 ZERLARVENAS
1 ZERONAI
1 ZERONAIΘ
1 ZEROZAIΘ
1 ZERTNAI
1 ZERTNAS
1 ZERTUR
1 ZERTURI
1 ZETNAL
3 ZI
1 ZIA
1 ZIAZI
2 ZICU
1 ZICUC
1 ZIIACE
2 ZIL
8 ZILAΘ
1 ZILAΘ~
1 ZILAT
1 ZILAXCE
1 ZILAXNCE
1 ZILAXNΘAS
1 ZILAXNΘIS
1 ZILAXNU
1 ZILAXNUCE
1 ZILAXNUCIX
1 ZILAXN~
3 ZILC
2 ZILCI
1 ZILCTE
1 ZILCTI
2 ZILI
1 ZILINI
1 ZILNI
1 ZILTCΘI
1 ZILTNAI
1 ZILUś
2 ZILX
1 ZILXNU
1 ZINACE
1 ZINAIE
1 ZINCE
3 ZIVAI
3 ZIVAS
2 ZIVAś
1 ZIX
1 ZIXINA
2 ZIXNAL
2 ZIXNE
3 ZIXNEI
5 ZIXU
1 ZIXUNCE
3 ZIXUXE
1 ZIZRIIN
1 ZL
1 ZRANC
4 ZUCI
1 ZUΘEVA
1 ZUΘINA
1 ZULUś
1 ZUMA
1 ZUPRE
1 ZUSIEACUNSIRICIMA
2 ZUSLE
1 ZUSLEI
2 ZUSLEVA
1 ZUSLEVAI
2 ZUSLEVE
1 ZUXNA
3 ZUXNAL
1 ZUXNE
1 ZUXNI
1 ZUXNIś
4 ZUXU
2 ZUXUS
1 ZUXUś
1 ZUśLE
1 ZUśLEVA
1 ZUśLEVAC
2 ZUśLEVE
2 ZUśLEVEś
1 ZUśNIX
2 Z~
27 ś
3 śA
2 śACNICLA
8 śACNICLERI
1 śACNICN
2 śACNICSTREś
5 śACNICśTREś
1 śACNITLE
1 śACNITN
1 śACRN~
2 śAΘAś
1 śAΘEC
1 śAΘRAL
1 śAΘREI
1 śAE
1 śAL
1 śALΘN
3 śALI
1 śALIA

1 ~RΘUTA~
1 ~RΘU~
1 ~RE
1 ~REICIA
1 ~REMR~
2 ~RI
1 ~RICE
1 ~RIΘNAI
1 ~RII~
3 ~RIL
1 ~RINAL
1 ~RISA
1 ~RITAI~
1 ~RMEAL
1 ~RNAL
1 ~RNAS
1 ~RNAŚ
1 ~RSUΘIN
1 ~RTE
1 ~RTIA
1 ~RUS
1 ~RŚ
12 ~S
1 ~SAΘIX
1 ~SALISA
1 ~SAMERU
1 ~SC~
1 ~SE
1 ~SEΘUMI
1 ~SEIANTI
1 ~SENTINATE
1 ~SERVE~
1 ~SIΘI
1 ~SIΘRALS
1 ~SILVANV~
1 ~SINA
1 ~SLI
2 ~SNEI
1 ~SRALA
1 ~SRUVRIES
1 ~SR~
1 ~STANI
1 ~STARNIΘIA
1 ~STE
1 ~STE~
1 ~STI
1 ~STITAIZEI
1 ~SUŚNAL
1 ~SVALCE
3 ~S~
1 ~T
2 ~TA
1 ~TANAL
1 ~TANZUI~
1 ~TAQAIA
1 ~TARNAI~
1 ~TARTIRIA
1 ~TA~
1 ~TE
1 ~TES
1 ~TETAŚ
1 ~TI
1 ~TIA
1 ~TIN~
1 ~TITE
1 ~TITIE
1 ~TIVA
2 ~TI~
1 ~TK~
1 ~TN
1 ~TNEI
1 ~TNI
1 ~TN~
1 ~TREPUNI
1 ~TRIASN~
1 ~TRUNAS
1 ~TUMEŚ~
1 ~TURCE
1 ~TUS
1 ~TUTNA~
1 ~TUTNIA
1 ~TVIAL
3 ~T~
6 ~U
1 ~UCUNAL
1 ~UELZU
2 ~UI
1 ~UIE
2 ~UI~
1 ~UKE
1 ~UKUŚI
2 ~UM
1 ~UMAFR~
1 ~UN
2 ~UNA
1 ~UNAS
1 ~UNS
1 ~UN~
1 ~UPELSI
1 ~URA
2 ~URI
1 ~URICIA
1 ~URINAS
1 ~URIS
1 ~URSCE~
1 ~URUNAS
1 ~UR~
4 ~US
1 ~USI
1 ~UTASA
1 ~UTU
1 ~UVAŚ
1 ~UXA
1 ~UXSIE
1 ~UXSIEMULENIKE
1 ~UXU
1 ~UŚ
7 ~U~
3 ~VA
1 ~VARNALIS
1 ~VΘU
1 ~VEANE
1 ~VEIŚI
1 ~VEL
1 ~VELERKACENAS
1 ~VELNΘURU~
1 ~VELNI~
1 ~VEL~
1 ~VENTI~
1 ~VER
1 ~VERCENAS
1 ~VETIEŚ
1 ~VETIŚ
1 ~VE~
1 ~VI
1 ~VIAI
1 ~VIPIAL
1 ~VI~
1 ~VLPI~
1 ~VNEI
1 ~VTA
1 ~VXVSZCŚLS~
4 ~V~
1 ~XAETI
1 ~XA~
1 ~XNIA~
1 ~XPIŚ
1 ~X~
1 ~ZAURI
1 ~ZA~
1 ~ZILAXNVE
1 ~ZILXNCE
1 ~ZIU~
1 ~ZIXU
8 ~Ś
1 ~ŚA
1 ~ŚATNIAL
1 ~ŚΘUKTIH
1 ~ŚEC
1 ~ŚEMNA
1 ~ŚINUSA
1 ~ŚUAL
2 ~Ś~
2 ~§
1 ~§EI~
2 ~§§
1 ~§§ANI
1 ~§§E
1 ~§§§~
96 <L>A
1 <L>AB
1 <L>ABELESE
1 <L>ABERRA
1 <L>ABURI
1 <L>ACACELINI
1 <L>ACARCELINI
2 <L>ACARCELINIO
1 <L>ACHONIA
1 <L>ACILI
2 <L>ACILIUS
1 <L>ACIPTUM
2 <L>ACO
1 <L>ACONI
3 <L>ACONIA
2 <L>ACONIUS
1 <L>AD
1 <L>ADANATIS
1 <L>AED
1 <L>AELIUS
1 <L>AEMILI
1 <L>AETATEI
1 <L>AE~

2 <L>AGATINIA
1 <L>AGED~
1 <L>AIMIUS
1 <L>ALBANI
1 <L>ALCHU
1 <L>ALEXAD~
2 <L>ALEXANDER
2 <L>ALFI
6 <L>ALFIA
1 <L>ALFIAE
1 <L>ALFIUS
1 <L>AMATIA
1 <L>AMETHISTUS
1 <L>AMICUS
1 <L>AMOEN
1 <L>AMPLIUS
1 <L>AMPUDI
3 <L>AN
1 <L>ANAINIA
1 <L>ANCARIALISA
1 <L>ANCARIUS
2 <L>ANCHARIA
1 <L>ANCHONIUS
1 <L>ANCO
2 <L>ANICIA
1 <L>ANICIAE
1 <L>ANICISA
1 <L>ANICONA
1 <L>ANIE
1 <L>ANIUS
2 <L>ANN
1 <L>ANNAE
3 <L>ANNI
4 <L>ANNIA
1 <L>ANNIAE
1 <L>ANNIS
3 <L>ANNIUS
2 <L>ANNO
2 <L>ANNOR
1 <L>ANNORU
4 <L>ANNORUM
6 <L>ANNOS
1 <L>ANORO
1 <L>ANOS
1 <L>ANTEPONAT
1 <L>ANTHUS
1 <L>ANTICLIA
1 <L>ANTIGONAE
1 <L>ANTIMACUS
1 <L>ANTIOC
1 <L>ANTIOCI
1 <L>ANUAL
1 <L>APOLLONI
1 <L>APOLO
1 <L>APPULEIA
1 <L>APRASNAR
1 <L>APRILISS
1 <L>APULO
1 <L>APULUS
14 <L>AR
1 <L>ARCHIT
2 <L>ARINIUS
1 <L>ARIS
1 <L>ARISALISA
1 <L>ARISNAI
1 <L>ARMASTI
15 <L>ARN
2 <L>ARNTHAL
1 <L>ARNUNIS
1 <L>ARONTO
2 <L>AROS
1 <L>ARRESPEX
5 <L>ARRI
10 <L>ARRIA
1 <L>ARRIAES
3 <L>ARRIUS
1 <L>ARRUNONIS
1 <L>ARSI
1 <L>ARSINUA
1 <L>ARSNIAE
1 <L>ARTAL
1 <L>ARTEIMIDORUS
1 <L>ARUN
1 <L>ARUNTIS
1 <L>ARUTE
1 <L>ASICIA
1 <L>ASQAO
1 <L>ATINEA
1 <L>ATRONIUS
1 <L>ATTICO
1 <L>ATUNI
2 <L>AUFIDI
1 <L>AUFIDIANUS
2 <L>AULE
1 <L>AULINNA
1 <L>AULIO
1 <L>AULNIA
1 <L>AURELIA
2 <L>AURELIUS
1 <L>AURUNCI
1 <L>AVILIA
1 <L>AVILLIO
1 <L>AVINI
1 <L>AVISCUS
1 <L>AVONIA
1 <L>AXINA
1 <L>A§§§§
4 <L>A~
2 <L>B
1 <L>BAEBIUS
1 <L>BALBILLAE
1 <L>BALERIA
1 <L>BALLS~
1 <L>BARBA
1 <L>BARNAES
1 <L>BARNAEUS
1 <L>BARO
1 <L>BATTA
1 <L>BLAESIA
1 <L>BLAESUS
1 <L>BONEIS
1 <L>BONUS
1 <L>BRUITIA
1 <L>BRUTIS
1 <L>BUCCHIONIS
1 <L>BUCULI
1 <L>BUCULUS
1 <L>BURRIA
201 <L>C
3 <L>CA
1 <L>CAC~
3 <L>CAE
7 <L>CAECINA
1 <L>CAECINIA
1 <L>CAELI
2 <L>CAESIA
1 <L>CAESIAE
1 <L>CAESINIA
1 <L>CAESIUS
1 <L>CAETENNIUS
1 <L>CAEZIRTLI
1 <L>CAFATIA
1 <L>CAFATIAE
1 <L>CAFATIUS
1 <L>CAIA
1 <L>CAINAE
1 <L>CAINAI
1 <L>CAINAL
1 <L>CAINNIA
1 <L>CAIO
2 <L>CAITHO
1 <L>CAIUS
1 <L>CALAMUS
1 <L>CALAN~
1 <L>CALINAI
1 <L>CALIS
1 <L>CALITENES
1 <L>CALLI
2 <L>CALPURNIA
1 <L>CAMARINUS
1 <L>CAMNIUS
2 <L>CAPITO
1 <L>CARCONIA
1 <L>CARI
1 <L>CARTILIUS
1 <L>CARTLIA
1 <L>CASCELI
1 <L>CASCELLIUS
2 <L>CASIA
1 <L>CASIUS
2 <L>CASPO
1 <L>CASPRIA
1 <L>CASSCELIUS
1 <L>CASSI
2 <L>CASSIA
1 <L>CASSIAE
2 <L>CASSIUS
1 <L>CAUI
3 <L>CAUIA
4 <L>CAUIO
1 <L>CAULE
1 <L>CAULIAS
1 <L>CAUTHIA
1 <L>CAU~
1 <L>CAVIA
1 <L>CAVIUS
2 <L>CE
1 <L>CEISIO
1 <L>CEI~
1 <L>CELADUS
1 <L>CELIAS
1 <L>CELUSA

1 <L>CENCO
1 <L>CENSO~
1 <L>CEPA
1 <L>CERGA
1 <L>CESIES
1 <L>CESIO
1 <L>CESTIAE
1 <L>CETIO
1 <L>CETISNASA
2 <L>CE~
1 <L>CHEI
1 <L>CHIAE
1 <L>CINT
1 <L>CINTI
1 <L>CITHERIS
1 <L>CITIAI
1 <L>CL
1 <L>CLADIA
1 <L>CLANDIUS
1 <L>CLAUDI
1 <L>CLAUDIA
1 <L>CLEMENTIS
1 <L>CLEPATRA
1 <L>CLEPATRAS
1 <L>CLIPEA~
1 <L>CLIPIA~
1 <L>CLODIANUS
1 <L>CL~
2 <L>CN
1 <L>CNA
2 <L>CNAEUS
1 <L>CNAEVE
2 <L>CNAT
2 <L>CNATUS
1 <L>CNEVIA
1 <L>CNEVIAS
2 <L>CO
1 <L>COCCEIA
3 <L>COELIA
1 <L>COIFCE
1 <L>COIRAUERONT
1 <L>COMINIA
1 <L>COMLNIAI
1 <L>COMUIUIA
1 <L>CONDEMNATO
1 <L>CONDEMNATUM
2 <L>CONSIDIUS
1 <L>CONSILI
1 <L>CONSIUS
1 <L>CONSTITERIT
2 <L>CORNELIA
1 <L>CORNELIUS
1 <L>CORONA
1 <L>CORONIA
1 <L>CORSDLE
1 <L>CORSTLI
1 <L>COSCONIA
1 <L>COTENA
1 <L>COTONIA
2 <L>CR
1 <L>CRAINI
1 <L>CRASNISA
2 <L>CRASSUS
1 <L>CRESPINI
1 <L>CRETICUS
2 <L>CRISPINIA
1 <L>CUANDO
1 <L>CUBA
1 <L>CUBAT
1 <L>CUE
1 <L>CUNCAPTUM
1 <L>CUPA
3 <L>CUPAT
1 <L>CU~
2 <L>C~
5 <L>D
1 <L>DANA
1 <L>DASIUS
1 <L>DATU
1 <L>DATUS
2 <L>DE
1 <L>DEDERUNT
1 <L>DEDERU~
1 <L>DEDET
1 <L>DEXTER
1 <L>DIE
1 <L>DIES
1 <L>DIONISIAE
1 <L>DOCIO
1 <L>DONUM
7 <L>E
2 <L>EA
1 <L>EAM
1 <L>EIDUS
1 <L>EIQUE
1 <L>EIUS
1 <L>EIUS~
1 <L>ELEA
1 <L>ENNIA
1 <L>EOS
1 <L>EREITOQUE
1 <L>ERIS
1 <L>ERIT
1 <L>EROMACAE
1 <L>EROTI
1 <L>ES
1 <L>ESSE
1 <L>EST
1 <L>ESTLACIAL
6 <L>ET
1 <L>ETRUSCI
1 <L>ETSNAE
1 <L>EUM
3 <L>EX
275 <L>F
1 <L>FAB
2 <L>FABER
2 <L>FABI
1 <L>FABIUS
1 <L>FABRICIA
1 <L>FALESCE
1 <L>FANNIA
1 <L>FANNIAE
1 <L>FAUSAN
1 <L>FAUSTAES
1 <L>FAUSTIO
1 <L>FELIX
1 <L>FEMINA
1 <L>FENESTELLA
1 <L>FEROX
1 <L>FESTI
1 <L>FESTOSQUE
1 <L>FESTUS
1 <L>FI
1 <L>FIA
1 <L>FIANT
2 <L>FIL
2 <L>FILI
1 <L>FILIA
4 <L>FILIUS
1 <L>FIRMA
1 <L>FIRMI
1 <L>FLACCUS
1 <L>FLAMEN
1 <L>FLAVIA
3 <L>FLORA
1 <L>FOLCUIO
1 <L>FOLNIUS
1 <L>FORTUNATUS
1 <L>FRAUNAL
1 <L>FULGURIATOR
1 <L>FULONI
1 <L>FUR
1 <L>FUS
1 <L>FUSCUS
1 <L>G
1 <L>GABINIUS
1 <L>GALIA
2 <L>GALLA
1 <L>GALLAE
1 <L>GALLUS
1 <L>GARGOSSA
3 <L>GAVI
5 <L>GAVIA
5 <L>GAVIUS
1 <L>GE
1 <L>GELIUS
1 <L>GELLIA
1 <L>GELLIO
5 <L>GELLIUS
1 <L>GENTIUS
2 <L>GN
3 <L>GNA
1 <L>GNAT
2 <L>GNATA
1 <L>GNATU
9 <L>GNATUS
1 <L>GNEA
1 <L>GN~
1 <L>GONDECORANT
1 <L>GONLEGIUM
2 <L>GRANIA
1 <L>GRANIO
4 <L>GRANIUS
10 <L>H
4 <L>HA
1 <L>HADENIA
2 <L>HAERINA
2 <L>HAERINNA
1 <L>HALO
1 <L>HAMPNHEA
1 <L>HANNOSSA

1 <L>NAEIPURS
1 <L>NAEVIAE
1 <L>NAMONIAS
1 <L>NAN
1 <L>NANSTI
1 <L>NANSTIUS
1 <L>NANTNALISA
1 <L>NASONIS
12 <L>NAT
6 <L>NATA
1 <L>NATI
2 <L>NATU
1 <L>NATUM
37 <L>NATUS
1 <L>NAVIE
1 <L>NE
1 <L>NEPELE
1 <L>NERIUS
2 <L>NERONI
1 <L>NICAN
1 <L>NICEPOR
1 <L>NIGRI
1 <L>NIHIL
1 <L>NIO
1 <L>NOBORSINIA
1 <L>NOMES
1 <L>NONIUS
1 <L>NTE
1 <L>NUISCINIA
1 <L>NUMSINEI
1 <L>NUTRIX
1 <L>N~
3 <L>O
1 <L>OBELSIANUS
1 <L>OCTAVIA
1 <L>ODIE
1 <L>OFILLI
1 <L>OFILLIUS
1 <L>OGLINIA
1 <L>OINUM
1 <L>OIUPIC
1 <L>OLINPIA
1 <L>OLIPOR
1 <L>OPERA
1 <L>OPIDQUE
1 <L>OPIPARUM
1 <L>OPTANTIS
1 <L>OPTUMA
1 <L>ORIBUS
1 <L>OSSA
1 <L>OTACILIUS
2 <L>OTANIS
2 <L>OUFILIO
22 <L>P
1 <L>PABASSA
1 <L>PACINNAL
1 <L>PACINNEI
1 <L>PAETHINIA
1 <L>PAMPHIL
1 <L>PAMPHILUS
1 <L>PANATIA
2 <L>PANSA
1 <L>PANSAE
1 <L>PAPERIS
1 <L>PAPIA
2 <L>PAPIRI
1 <L>PAPIRIA
1 <L>PAPIRIO
11 <L>PAPIRIUS
1 <L>PARENS
1 <L>PARENTARET
1 <L>PASSIENAE
1 <L>PASSIENI
1 <L>PAT
1 <L>PATE
1 <L>PATR
1 <L>PAUCA
1 <L>PAULA
1 <L>PAULLA
2 <L>PAVO
1 <L>PEDERNI
1 <L>PEDRO
2 <L>PEDROS
1 <L>PEDUCAEA
1 <L>PEQUNIA
1 <L>PEQUNIAM
1 <L>PERCACNIUS
2 <L>PERGOMSNA
1 <L>PERITUS
2 <L>PERNA
1 <L>PERPERNA
1 <L>PERPERNIO
1 <L>PERRICA
1 <L>PERSICE
1 <L>PERSIS
1 <L>PERSOLVITO
1 <L>PESCENNIUS
1 <L>PESCNIA
4 <L>PETILLIUS
1 <L>PETINATE
1 <L>PETRON
2 <L>PETRONI
1 <L>PETRONIA
5 <L>PETRONIUS
1 <L>PETRUNES
1 <L>PHILAENIS
1 <L>PHILEMA
1 <L>PHILEMATIO
1 <L>PHILEMATIONIS
2 <L>PHILEMATIU
1 <L>PHILEMO
1 <L>PHILEROTIS
1 <L>PHILIPPIO
1 <L>PHILODAMI
1 <L>PHILOMENA
1 <L>PHILOMUSUS
1 <L>PHILONICUS
1 <L>PHILOTIMUS
1 <L>PHILUMENA
2 <L>PHISIUS
2 <L>PHOEBO
1 <L>PI
1 <L>PINARIA
4 <L>PISENTI
1 <L>PISENTIA
1 <L>PISENTIUS
1 <L>PISTO
1 <L>PLAG
1 <L>PLAUTUS
1 <L>PLA~
1 <L>PLENES
1 <L>PLENESE
1 <L>PLINTHA
1 <L>PLINTHAE
1 <L>PLINTHAI
3 <L>PLOTIUS
1 <L>PLOTUS
1 <L>POBLICIUS
1 <L>POLA
4 <L>POM
1 <L>POMPONIA
4 <L>POMPONIUS
2 <L>PONTIA
1 <L>PONTIAS
1 <L>PONTIUS
1 <L>POP
1 <L>POPA
3 <L>POPLIA
1 <L>POS
1 <L>POSTICNU
1 <L>POSTUMA
1 <L>POSTUMIUS
1 <L>PO~
1 <L>PRAEDIBUSVE
1 <L>PRAESENTES
2 <L>PRAESENTI
1 <L>PRETOD
1 <L>PRE~
3 <L>PRIMA
1 <L>PRIMAE
1 <L>PRIMIGENEA
1 <L>PRIMO
1 <L>PRISCILLA
1 <L>PRISCO
1 <L>PROCULEIUS
1 <L>PROCULO
1 <L>PROCULUS
2 <L>PROENI
1 <L>PTRONI
1 <L>PTRONIA
1 <L>PUBLILIUS
1 <L>PULFENNIA
2 <L>PULFENNIUS
1 <L>PUMPUA
1 <L>PUPIA
2 <L>PUPILLUS
1 <L>PURNEI
1 <L>PURNI
1 <L>PURPURARIUS
34 <L>Q
1 <L>QUAE
1 <L>QUAESTIO
1 <L>QUAI
2 <L>QUARTA
1 <L>QUARTILLA
3 <L>QUEI
1 <L>QUOD
1 <L>QUODQUE
2 <L>QUOIUS
1 <L>QUOIVE
1 <L>QUOLUNDAM
1 <L>QUOQUE

Frequency-Ordered Index

7102 <P>·
4564 <P>:
335 ΘANA
275 <L>F
269 LARΘI
267 <L>L
256 AΘ
250 LΘ
249 MI
249 VEL
247 AR
246 LA
232 LARΘ
222 VL
219 AU
201 <L>C
171 ARNΘ
157 L
141 ΘANIA
134 A
108 CLAN
107 AULE
96 FASTI
96 <L>A
95 ARNΘAL
90 LS
88 ΘA
87 LARΘAL

84 V
78 <P>!
77 LARΘIA
72 CAINEI
70 CAE
69 LAUTNI
66 TITI
63 TITE
62 VE
62 VELIA
60 PUIA
60 VIPI
59 RIL
59 VELUŚ
54 LARIS
52 TITIAL
50 CAINAL
50 ŚEC
48 CAI
47 LARISAL
44 SE
42 ETNAM
40 VETI
38 HASTI
38 RAMΘA
37 <L>NATUS
37 <S>
36 AVILS

36 VIPINAL
35 HASTIA
34 TUTNAL
34 <L>Q
33 ΘUI
33 LATINI
32 VELUS
31 AULEŚ
31 LART
31 S
31 §
30 ECA
30 PETRUI
30 VETE
30 <L>SEX
28 LARΘIAL
27 VELSI
27 Ś
26 CAIAL
26 LAR
25 PETRUNI
25 TETINA
24 LARCE
24 LATINIAL
24 MARCNI
24 ŚEX
23 ANE
23 ARNTNI

23 AV
23 TITIA
23 ŚUΘI
22 Θ
22 SEIANTI
22 VIPINEI
22 <L>P
21 ARNΘALISA
21 LUPU
21 RAFI
21 TITEŚ
21 VACL
21 VEILIA
20 AN
20 ARNT
20 A~
20 C
20 ENAŚ
20 LR
20 PETRUAL
20 TUL
20 VIPIŚ
20 <L>VEL
19 AVIL
19 CA
19 CAIA
19 HERINI
19 LAΘI

19 TUTNEI
19 VI
18 ARNΘIAL
18 ARNZA
18 MINI
18 SEC
18 SECU
18 SEΘRE
18 TLESNA
17 MLAX
17 PETRU
17 PUMPU
17 TUTNA
17 VELΘUR
17 <L>M
16 ARΘ
16 CEICNA
16 FA
16 IN
16 LARΘALISA
16 SUΘI
16 TEI
16 TETI
16 TURCE
16 śUΘINA
16 ~A
15 ANCARI
15 LARZA
15 LAUTN
15 LAUTNIΘA
15 MA
15 MARCNAL
15 R
15 TINś
15 VINUM
15 ~E
15 <L>ARN
14 ACIL
14 ACSIś
14 ANEI
14 ΘANXVIL
14 HA
14 MAMARCES
14 MARCNEI
14 RAMΘAS
14 SENTI
14 TLESNEI
14 VELΘURUS
14 VELIMNAś
14 VIPIA
14 XIś
14 ~L
14 <L>AR
13 AΘNU
13 AFLE
13 ANAINAL
13 CAEś
13 CASNI
13 CVENLE
13 ETERA
13 HELI
13 HERINIAL
13 NUNΘEN
13 PULFNA
13 PURNI
13 REMZNA
13 VENELUS
13 VIPIAL
12 CAFATE
12 CEPEN
12 CESU
12 CICU
12 CISUM
12 CUMERE
12 C~
12 HELIAL
12 PEΘNAL
12 PUMPUI
12 RAXΘ
12 SEIANTE
12 TI
12 TULE
12 TUTNASA
12 VELU
12 V~
12 ~S
12 <L>NAT
11 ACSI
11 AFUNA
11 AMCE
11 ANAINEI
11 ANANI
11 ANI
11 ARANΘIA
11 EI
11 ETERI
11 FASTIA
11 HELE
11 HERINE
11 LX
11 L~
11 NUNΘENΘ
11 PEΘNA
11 PRESNTE
11 PULFNAL
11 SEIANTIAL
11 SEX
11 T
11 TETINAL
11 TETINASA
11 TLESNAL
11 UMRANA
11 URINATE
11 VETU
11 <L>LARTIA
11 <L>PAPIRIUS
11 <N>10
10 ARN
10 AUL
10 AULES
10 AVILś
10 AVLE
10 CAFATI
10 CAINI
10 CELI
10 ΘI
10 FLER
10 FLEREś
10 FRAUCNI
10 IPA
10 LARCI
10 LARISA
10 LARTI
10 LECNE
10 LEΘE
10 LEΘIAL
10 PUMPUAL
10 PUMPUś
10 PUTE
10 REMZNAL
10 SENTINATI
10 SVALCE
10 TULAR
10 VACIL
10 VELUSA
10 VE~
10 ~A~
10 <L>ARRIA
10 <L>H
10 <L>LA
10 <L>TITIUS
9 AME
9 ANEINAL
9 ARNTNAL
9 CI
9 CILΘL
9 CLETRAM
9 CUMNI
9 CVELNE
9 ΘAN
9 E
9 EΘRSE
9 IX
9 LAR~
9 LAUTNITA
9 MARCE
9 P
9 PETINATE
9 PUIAC
9 PULFNEI
9 PURNAL
9 PURNEI
9 SEΘRA
9 SENTINATE
9 SUΘ
9 TINśI
9 TREPU
9 TRIN
9 VELI
9 VELIZA
9 VELXAS
9 VETIAL
9 VUISI
9 śEΘRA
9 śPURERI
9 ~Θ
9 <L>GNATUS
9 <L>SENTIA
9 <L>T
9 <L>THANIA
9 <L>TITIA
8 ALFNAL

8 ANEINEI
8 ANEś
8 ARA
8 ARΘAL
8 ATAINEI
8 AXUNI
8 CILΘś
8 CIRE
8 CUMERESA
8 CUMERUNIA
8 ΘANSI
8 ΘANXVILUS
8 ΘU
8 ΘURMNA
8 F
8 FAśEI
8 FLERE
8 I
8 LARCNA
8 LARCNAL
8 LEΘI
8 MEΘLUMERIC
8 N
8 NI
8 PAPA
8 PEΘNEI
8 PUMPUS
8 SURNA
8 TARNAS
8 TETINEI
8 TIURIM
8 TURZA
8 UMRANASA
8 VARNA
8 VARNAL
8 VELUAL
8 VESI
8 VETUI
8 ZILAΘ
8 śACNICLERI
8 śALVI
8 ~AL
8 ~I
8 ~ś
8 <L>HASTIA
8 <L>S
7 ACILU
7 AFUNEI
7 AISNA
7 ALFNI
7 ALPAN
7 ANEINI
7 ANIA
7 APICE
7 ATAINAL
7 ATI
7 AVLES
7 CALE
7 CANA
7 CLANTI
7 CVER
7 ECN
7 EΘ
7 ESXAΘCE
7 FULU
7 HANUNIA
7 ILUCU
7 LARTIA
7 LATNI
7 LAU
7 MARCNISA
7 M~
7 PATISLANE
7 PLAUTE
7 PLAUTIAL
7 PUPLI
7 RAFIS
7 RAUFE
7 RAVNΘU
7 REMZNEI
7 RIΘNAI
7 SEPIESA
7 TETA
7 UNIAL
7 URINATIAL
7 VAR
7 VELΘINA
7 VELUśA
7 VELXE
7 VENETE
7 VERCNA
7 VERCNAś
7 VETIś
7 VISCE
7 VUISINEI
7 ZAL
7 śALINEI
7 ~I~
7 ~NEI
7 ~R
7 ~U~
7 <L>CAECINA
7 <L>E
7 <L>SENTIUS
7 <L>TANIA
7 <L>VARIA
7 <L>VETTIUS
7 <L>§
6 ALEΘNAS
6 ARTNI
6 ATIAL
6 AULNI
6 AXU
6 CAFATIAL
6 CAIś
6 CAPZNAś
6 CARNAL
6 CASPREś
6 CESTNA
6 CRESPE
6 CUPSNA
6 Cś
6 ΘANS
6 ΘESAN
6 Θ~
6 ENAC
6 FULNI
6 HELESA
6 I~
6 LARΘ~
6 LARI
6 LAUCANE
6 LEΘAMSUL
6 LEΘARI
6 LEVE
6 LUPUCE
6 MARCNAś
6 MURINA
6 MUTNA
6 NAC
6 PAPASA
6 PEIΘI
6 PETVI
6 PU
6 PUMPUNI
6 PUPLUNA
6 RAFIś
6 REPINEC
6 SENTINATES
6 STEPRNI
6 TINIA
6 TREPI
6 TURPLI
6 TUTES
6 UN
6 URINATI
6 VARNEI
6 VECU
6 VELAΘRI
6 VELIAś
6 VELSIAL
6 VELUI
6 VELśU
6 VEL~
6 VENZA
6 VESIś
6 VETEś
6 VLESI
6 VUISINAL
6 ZEC
6 ZERI
6 śEΘRES
6 śIN
6 śRENXVE
6 ~AS
6 ~IA
6 ~U
6 <L>ALFIA
6 <L>ANNOS
6 <L>ET
6 <L>LAR
6 <L>NATA
6 <L>RUFUS
6 <L>UXOR
6 <N>30
6 <N>60
6 <P>⁝
5 AFUNAś
5 ALFA
5 ALFI
5 ALFNISA
5 ANEIś

5 APA
5 APIA
5 ARNTI
5 ARNTNISA
5 AR~
5 ATNEI
5 AULESA
5 CAIE
5 CAL
5 CALISNAL
5 CALISNEI
5 CALISNI
5 CANZNA
5 CAPI
5 CAPNAL
5 CASPRIAL
5 CA~
5 CEIA
5 CEICNEI
5 CELUCN
5 CESTNAś
5 CESUSA
5 CEXA
5 CIALXUś
5 CICUNIA
5 CIZ
5 CLANTIAL
5 CRAPśTI
5 CUMNISA
5 CUTNAL
5 ΘUNEM
5 EIN
5 EISNA
5 ESLEM
5 ESVIśC
5 FELMUIAL
5 FLAVE
5 FLERES
5 HAPRE
5 HERINA
5 HERME
5 HERMIAL
5 HERMNEI
5 HESCANAS
5 HETUM
5 HIA
5 IA
5 IśVEI
5 LAΘAL
5 LARCIAL
5 LARCNEI
5 LARΘA
5 LATIΘE
5 LATINISA
5 LAVTNI
5 LAZIVEIANES
5 LEINE
5 LU
5 M
5 MARCNA
5 MARICANE
5 MASU
5 MA~
5 MULUVANICE
5 MURINEI
5 NEΘUNSL
5 NUNΘERI
5 N~
5 PA
5 PERIS
5 PERPRI
5 PESNEI
5 PETRNI
5 PETRUNIś
5 PETRUś
5 PUL
5 PULFNASA
5 PURNISA
5 P~
5 RA
5 RAUFI
5 RIL~
5 SΘ
5 SECUI
5 SEΘREś
5 TA
5 TANA
5 TESIM
5 TINS
5 TINSCVIL
5 TITIE
5 TLAPU
5 TLESNASA
5 TUMU
5 TURUCE
5 UCUMZNAL
5 UPELSI
5 UPELSIś
5 URINATESA
5 VΘ
5 VELΘURNA
5 VELSISA
5 VELXA
5 VELXATINI
5 VELXESA
5 VELś
5 VENATE
5 VETUSAL
5 VILIASA
5 VIPINA
5 VIPINE
5 XIM
5 ZIXU
5 śACNICśTREś
5 śPURAL
5 ~CE
5 ~EI
5 ~E~
5 ~L~
5 ~N
5 ~N~
5 <L>ARRI
5 <L>D
5 <L>GAVIA
5 <L>GAVIUS
5 <L>GELLIUS
5 <L>LART
5 <L>LARTHIA
5 <L>PETRONIUS
5 <L>THANNIA
5 <N>20
5 <N>21
5 <N>25
5 <N>29
5 <N>3
5 <N>63
4 ACARIA
4 ACASRI
4 ALE
4 ALFIAL
4 ALFNEI
4 ALPIU
4 ALΦAZEI
4 AMA
4 ANAINI
4 ANC
4 ANCARIA
4 ANEINIA
4 ANES
4 ANIESA
4 APAS
4 APER
4 APIRASE
4 APLUNI
4 APURΘE
4 ARNΘA
4 ARNTNEI
4 AULIAS
4 AULIAś
4 AULNAL
4 AVILES
4 AVILEś
4 AXSI
4 CACNI
4 CACNIś
4 CAΘA
4 CAES
4 CAFATEś
4 CAINE
4 CAPSNA
4 CARNA
4 CASPU
4 CE
4 CEICNAL
4 CELE
4 CEREN
4 CESTNASA
4 CICUSA
4 CLA
4 CNEVE
4 CR
4 CREICE
4 CREICESA
4 CULTANEI
4 CUPSNASA
4 CURIAL
4 CUS
4 ΘANAS
4 ΘANICU
4 ΘANSISA
4 ΘANSUR
4 ΘAPICUN

4 ΘELAZU
4 ΘEZINE
4 ΘN
4 ΘURMNAŚ
4 EIM
4 EISER
4 EN
4 ESTREI
4 EŚI
4 FARΘAN
4 FARΘNAXE
4 FELCES
4 FETIU
4 FIRIN
4 FRAUNI
4 FREMRNAL
4 HAΘRΘI
4 HANUSA
4 HARPITE
4 HERINAŚ
4 HERINISA
4 HERINIŚ
4 HEXZ
4 HINΘU
4 HULU
4 H~
4 ICNI
4 KLAN
4 LAΘIAL
4 LAMΦE
4 LARCES
4 LARCNAṢA
4 LARΘIALISA
4 LARΘIIA
4 LARΘI~
4 LARΘU
4 LARISALISA
4 LARSTIAL
4 LATI
4 LATIΘIAL
4 LAUT
4 LAUTI
4 LΘ~
4 LECNESA
4 LEΘIA
4 LEIXUNIA
4 LEUNEI
4 LI
4 LUCI
4 LUESNAŚ
4 LUSCESA
4 MAMARCE
4 MEINEI
4 MENE
4 METELIAL
4 MUΘ
4 MULU
4 MURINAL
4 NA
4 NAPER
4 NEŚL
4 NUMSINAL
4 NUNIAL
4 PALPE
4 PAR
4 PEΘERENI
4 PESNASA
4 PETRUSA
4 PE~
4 PRECU
4 PRENΘRAL
4 PRESNTI
4 PRESNTIAL
4 PUMPUSA
4 PUPLINA
4 PUPLINAL
4 RAΘUMSNAL
4 RAUFIA
4 REPINΘIC
4 REZU
4 RUFI
4 SACNIŚA
4 SAΘNA
4 SAL
4 SATNA
4 SATNAL
4 SCIRE
4 SCIRIA
4 SEΘRESA
4 SEΘRNEI
4 SEΘRNI
4 SPURINEI
4 SUPNI
4 SURE
4 SVEC
4 TANTLE
4 TARXI
4 TENΘAS
4 TEQUNAS
4 TETNEI
4 TETNIES
4 TEZAN
4 TINUSI
4 TINŚCVIL
4 TISCUSNEI
4 TITEAL
4 TITEI
4 TITES
4 TITLNEI
4 TITUI
4 TREPUNIA
4 TREPUSA
4 TU
4 TURA
4 TUŚNU
4 T~
4 UCRISLANE
4 ULΘE
4 UMRANAL
4 UOLTAI
4 VEIANI
4 VEIZA
4 VELA
4 VELCZNEI
4 VELTI
4 VELUSNA
4 VELUSUM
4 VELUŚLA
4 VELXAI
4 VELXREI
4 VENEL
4 VERU
4 VESCUNIA
4 VETESA
4 VETIE
4 VETUAL
4 VISCESA
4 VX
4 XURNAL
4 Z
4 ZUCI
4 ZUXU
4 ŚALINAL
4 ŚALISA
4 ŚCANIN
4 ŚEΘRE
4 ŚEMNA
4 ŚERTURI
4 ŚERTURIAL
4 ŚERTURU
4 ŚEUŚ
4 ŚUPLU
4 §§§§
4 ~ES
4 ~NA
4 ~NAL
4 ~US
4 ~V~
4 <L>ANNIA
4 <L>ANNORUM
4 <L>A~
4 <L>CAUIO
4 <L>FILIUS
4 <L>GRANIUS
4 <L>HA
4 <L>N
4 <L>PETILLIUS
4 <L>PISENTI
4 <L>POM
4 <L>POMPONIUS
4 <L>SATELLIA
4 <L>SCRIBONIUS
4 <L>SECUNDA
4 <L>SPEDO
4 <L>TREBONI
4 <L>V
4 <L>VIR
4 <L>VIX
4 <L>VOLUMNI
4 <L>~A
4 <N>26
4 <N>43
4 <N>70
4 <N>75
3 ACILUSA
3 ACLNIŚ
3 ACLXN
3 ACNANASA
3 ACRIŚ
3 AΘL
3 AFLES
3 AFUNAL

3 AH
3 AHSI
3 AISERAś
3 AIVAS
3 AL
3 AMΘNIAL
3 AMRIΘIAL
3 ANESA
3 ANIE
3 ANINAL
3 ANIS
3 APENAS
3 APRΘE
3 APRIES
3 APUNIAL
3 ARAś
3 ARCE
3 ARISAL
3 ARMNE
3 ARMNI
3 ARNΘ~
3 ARTINIAL
3 ATE
3 ATINA
3 ATINATIAL
3 ATNAL
3 ATRś
3 AT~
3 AUFLEś
3 AULśTNI
3 AU~
3 AVEIś
3 AVELES
3 AVLEś
3 CACEIś
3 CAΘNIS
3 CAFATES
3 CAIAś
3 CAINIś
3 CALISUS
3 CALLIA
3 CAMNAS
3 CAPERI
3 CAPNA
3 CAPRINAL
3 CAPZNAL
3 CARCU
3 CARNASA
3 CASPRI
3 CAULE
3 CAUśLINISA
3 CEARΘIś
3 CEISI
3 CELIA
3 CELMNEI
3 CEMNAC
3 CENCUAL
3 CETISNAS
3 CEśU
3 CIREś
3 CLANIU
3 CLEN
3 CLENAR
3 CLENśI
3 CN
3 CNEUNA
3 CNEVIAL
3 CNL
3 CRAPILU
3 CREPNI
3 CRESPIA
3 CUCLNIES
3 CULTANA
3 CUMNIA
3 CUPSLNA
3 CUPSLNEI
3 CUPSNEI
3 CURE
3 CURUNAS
3 CUSINEI
3 CVEΘNAL
3 CVINTI
3 ΘANIAś
3 ΘANSINAS
3 ΘAPNA
3 ΘEZERI
3 ΘEZI
3 ΘEZINCE
3 ΘUCU
3 ΘUN
3 ΘUNI
3 EPLE
3 ERCE
3 ESERA
3 ETRU
3 E~
3 FARU
3 FAST
3 FAśE
3 FAśEIC
3 FEΘIUś
3 FRAUNAL
3 FRENTINATE
3 FULNEI
3 FULUNA
3 F~
3 HAΘEC
3 HALśNE
3 HAMΦNA
3 HE
3 HECI
3 HEΘARIA
3 HEIMNI
3 HER
3 HERMU
3 HERNESA
3 HETRN
3 HEXśΘ
3 HILAR
3 HILARΘUNA
3 HINΘIAL
3 HUΘ
3 HUΘS
3 HU~
3 ILUCVE
3 INPA
3 LAΘ
3 LARCANA
3 LARCESA
3 LARΘALIśLA
3 LARΘEAL
3 LARΘURUś
3 LARISALIśLA
3 LARNI
3 LARUś
3 LATINIALISA
3 LAUCANIA
3 LAUCINAL
3 LAUCINEI
3 LAVTUN
3 LA~
3 LECETISAL
3 LECIN
3 LECNEI
3 LEΘARIA
3 LEΘEś
3 LEINIES
3 LEIXU
3 LEUNAL
3 LINE
3 LT
3 LUTNIΘA
3 MALE
3 MAN
3 MAR
3 MARCES
3 MARCIAL
3 MARUNUX
3 MARXNAś
3 MATAM
3 MAX
3 MAXS
3 MELUTA
3 MINATE
3 MINE
3 MULVANICE
3 MUTU
3 MUVALXLS
3 NARIA
3 NE
3 NEΘUNśL
3 NERI
3 NESL
3 NUFRZNAś
3 NURZIU
3 NUZRNI
3 PALAZUS
3 PANTNA
3 PAPASLA
3 PAPNI
3 PARTUNUS
3 PATNEI
3 PE
3 PEIΘIAL
3 PERCUMSNAL
3 PESNA
3 PETRNAL
3 PETRUS
3 PETUI
3 PI
3 PIUTE
3 PI~

3 PLANCURE
3 PLAUTEś
3 PRUMAθNAL
3 PUCSINAL
3 PULENAS
3 PUMP
3 PUMPNEI
3 PUMPUNIAL
3 PUP
3 PUPUś
3 PUSCA
3 PUTS
3 RANAZUIAL
3 RAPA
3 RAPALNISA
3 RAPLNI
3 RAUFIś
3 RAVNθUS
3 RAX
3 REMNI
3 REMZNASA
3 REZUś
3 RUTIA
3 RUVA
3 RUZE
3 R~
3 SACNI
3 SAθNEI
3 SATIES
3 SAUTURINI
3 SEθRAś
3 SEθRIA
3 SEθRNAL
3 SEIATIAL
3 SELCIA
3 SEMθNI
3 SENTIAL
3 SENTINATEś
3 SENTINATIAL
3 SEPTLE
3 SERTUR
3 SERTURUS
3 SESCTNA
3 SETRE
3 SETUMI
3 SE~
3 SNUTE
3 SNUTEś
3 SPLATURIA
3 SPURINAL
3 STATLANES
3 SURTEś
3 SUTI
3 S~
3 TAMERA
3 TARTIRIA
3 TE
3 TEC
3 TEIś
3 TETALś
3 TETINAś
3 TIN
3 TITA
3 TITANIA
3 TITI~
3 TIUZA
3 TIΦILE
3 TLAPUNI
3 TLESNALISA
3 TR
3 TREPINAL
3 TRINUM
3 TRUIALS
3 TUθIU
3 TUI
3 TULA
3 TUL~
3 TUR
3 TUSNUTNIE
3 TUTNAś
3 U
3 UHTAVE
3 UHTAVIAL
3 ULTIMNIAL
3 UMRANEI
3 UNATNEI
3 UNE
3 UNI
3 UVILANA
3 UśELES
3 VACLTNAM
3 VARI
3 VARNAś
3 VEANEś
3 VEIZI
3 VEIZIAL
3 VELCIAL
3 VELθINAś
3 VELθURNAL
3 VELθURNAś
3 VELθ~
3 VELELIAS
3 VELICU
3 VELSA
3 VELX
3 VELXATINAL
3 VELXEś
3 VENUNIA
3 VERATRU
3 VERCNEI
3 VERSNI
3 VERUś
3 VESCNAL
3 VESCU
3 VESCUSA
3 VESIAL
3 VETANAL
3 VETIA
3 VETNAL
3 VETNALISA
3 VETNEI
3 VETUS
3 VETUś
3 VILIANIA
3 VILINAL
3 VIPE
3 VIPENAS
3 VIPINANAS
3 VIPLIA
3 VUISIAL
3 VUISINI
3 XERITNAL
3 XIMθM
3 ZAθRUMIś
3 ZAθRUMS
3 ZARFNEθ
3 ZARVE
3 ZI
3 ZILC
3 ZIVAI
3 ZIVAS
3 ZIXNEI
3 ZIXUXE
3 ZUXNAL
3 śA
3 śALI
3 śALIE
3 śALVIAL
3 śALVIS
3 śANTI
3 śAUCNI
3 śERTURNAL
3 śIC
3 śINU
3 śRENCVE
3 śUθIθ
3 śUθITI
3 śUPLUNIAś
3 ś~
3 ~θ~
3 ~IS
3 ~LA
3 ~NI
3 ~RIL
3 ~S~
3 ~T~
3 ~VA
3 <L>ACONIA
3 <L>AN
3 <L>ANNI
3 <L>ANNIUS
3 <L>ARRIUS
3 <L>CA
3 <L>CAE
3 <L>CAUIA
3 <L>COELIA
3 <L>CUPAT
3 <L>EX
3 <L>FLORA
3 <L>GAVI
3 <L>GNA
3 <L>HISPANUS
3 <L>HOSPITA
3 <L>I
3 <L>LARTHI
3 <L>MARCI
3 <L>MARCIA
3 <L>O
3 <L>PLOTIUS
3 <L>POPLIA
3 <L>PRIMA
3 <L>QUEI

3 <L>SALVIA
3 <L>SATURNINUS
3 <L>SENTI
3 <L>TANA
3 <L>TERTIA
3 <L>TITI
3 <L>TREBONIUS
3 <L>U
3 <L>UECINEO
3 <L>VELIZA
3 <L>VETTI
3 <L>VETTIA
3 <L>VIBIUS
3 <L>VIXIT
3 <L>§§
3 <N>11
3 <N>12
3 <N>15
3 <N>23
3 <N>34
3 <N>4
3 <N>40
3 <N>42
3 <N>45
3 <N>50
3 <N>52
3 <N>65
2 AC
2 ACALE
2 ACARI
2 ACAS
2 ACILΘ
2 ACLINE
2 ACLNAL
2 ACLNEI
2 ACNATRUALC
2 AΘ~
2 AE
2 AF
2 AFLI
2 AFRCE
2 AFRS
2 AHSIAL
2 AIECURE
2 AIS
2 AISER
2 AISERAS
2 AISVALE
2 AIś
2 ALCE
2 ALF
2 ALFNIS
2 ALFNIś
2 ALNIAL
2 ALPNU
2 ALU
2 ALUNI
2 ALXU
2 ALXUSNAL
2 ALśINAS
2 AMΘNI
2 AMΘNIA
2 AMNEI
2 AMNI
2 AMΦARE
2 ANAINA
2 ANANC
2 ANCARIAL
2 ANCARIś
2 ANCARNI
2 ANCARUAL
2 ANΘUAL
2 ANIAL
2 ANIAX
2 ANIEś
2 ANINAI
2 ANINIEś
2 ANIU
2 ANIUSA
2 ANIś
2 ANTAINEI
2 ANXARU
2 ANΦARE
2 AN~
2 AP
2 APEINAL
2 API
2 APIASA
2 APICEś
2 APINAL
2 APNAS
2 APNIś
2 APRΘNAI
2 APRTE
2 APUNAS
2 APUNI
2 APURΘIAL
2 ARAΘ
2 ARAΘIA
2 ARΘA
2 ARITIMI
2 ARMNES
2 ARMUNIA
2 ARNΘALIśLA
2 ARNΘEAL
2 ARNΘIA
2 ARNTIAś
2 ARNTILES
2 ARNTLE
2 ARNTU
2 ARNZIU
2 ARRI
2 ARTNEI
2 ARUNΘIA
2 ARUNTLE
2 ARUSERI
2 ARUTO
2 ARZA
2 ARZNAL
2 ARZNI
2 AS
2 ASATE
2 ASI
2 AT
2 ATAINI
2 ATEI
2 ATEINEI
2 ATIES
2 ATINAL
2 ATINATEś
2 AUCLINA
2 AULA
2 AULEśI
2 AULIA
2 AULIAL
2 AULIU
2 AUL~
2 AVE
2 AVEI
2 AVEINI
2 AVI
2 AVILE
2 AVIZ
2 AXUAL
2 AXUNIE
2 AZ
2 AΦES
2 CACEINAL
2 CACNEI
2 CAΘAS
2 CAEA
2 CAESA
2 CAE~
2 CAIALISA
2 CAICNAS
2 CAIIAL
2 CAINA
2 CAINI~
2 CALI
2 CALIA
2 CALIE
2 CALISNA
2 CALISNAś
2 CALSUSA
2 CALUNAL
2 CALUNEI
2 CAL~
2 CAMARINEI
2 CANΘUSA
2 CANZNASA
2 CAPE
2 CAPERC
2 CAPIU
2 CAPNEI
2 CAPRA
2 CARAΘSLE
2 CARCUNIA
2 CARNAś
2 CARNEI
2 CARPE
2 CARPNATIAL
2 CASΘIALΘ
2 CASNE
2 CASNIA
2 CASPRES
2 CAU
2 CAUPIS
2 CAUPNE
2 CAUśLINEI
2 CAVEΘ
2 CAVINEI
2 CECUNIA

2 CEΘURNAS
2 CEHEN
2 CEICNAS
2 CEICNA~
2 CEISES
2 CEISINIES
2 CEISIś
2 CEMUNIA
2 CENCNA
2 CENCU
2 CENCUI
2 CERINE
2 CERISTLIAL
2 CESASIN
2 CESINA
2 CEXANERI
2 CEXASE
2 CEZRTLIAL
2 CEś
2 CE~
2 CICUś
2 CIEM
2 CILΘ
2 CINCUAL
2 CIPEN
2 CIPIRU
2 CIPIRUNIA
2 CIRI
2 CIS
2 CITZ
2 CL
2 CLANTE
2 CLANTISA
2 CLAUCE
2 CLAUCESA
2 CLEL
2 CLEUSTE
2 CLEUSTI
2 CLEVANΘ
2 CLT
2 CLUCΘRAś
2 CNAEVE
2 CNARIAL
2 CNEPNI
2 CNEVI
2 CNTICNΘ
2 CNTNAM
2 CREICES
2 CR~
2 CUCLNIAL
2 CUIśLA
2 CUMERUNIAś
2 CUMNIAś
2 CUMNIś
2 CUPE
2 CUR
2 CURVE
2 CUSIΘEś
2 CUSINE
2 CUSU
2 CUTUś
2 CUśE
2 CVENLEś
2 CVINTIA
2 ΘACLΘI
2 ΘACTARA
2 ΘAFNA
2 ΘANA~
2 ΘANSINAL
2 ΘANSINEI
2 ΘANX
2 ΘANXVILUSC
2 ΘANXVILUś
2 ΘAURA
2 ΘAURX
2 ΘAXΘIV
2 ΘA~
2 ΘEΘUREś
2 ΘEPRI
2 ΘEPRINEI
2 ΘESTIA
2 ΘEUSNUA
2 ΘII
2 ΘIL
2 ΘIMITLE
2 ΘI~
2 ΘLAINEI
2 ΘRESU
2 ΘUCERNA
2 ΘUCERNAś
2 ΘUFLΘAS
2 ΘUMSA
2 ΘUNT
2 ΘURICE
2 ΘURICIAL
2 ΘURMNAL
2 ΘUTA
2 ΘVEΘLI
2 ΘVF
2 ECLΘI
2 ECNATNA
2 ECNATNEI
2 EIΘ
2 EIS
2 EIT
2 EIZENES
2 EL
2 EL~
2 ENESCI
2 ES
2 ESVITN
2 ES~
2 ETERTIC
2 EVANTRA
2 EZNA
2 EZPUS
2 EZUNEI
2 EśIC
2 FACA
2 FACUI
2 FALTU
2 FANIRI
2 FANU
2 FARSI
2 FARUś
2 FASΘI
2 FASI
2 FASTNTRU
2 FASTNTRUSA
2 FATUNI
2 FE
2 FEΘIU
2 FELCINATIAL
2 FELMU
2 FLENZNA
2 FRAUCNAL
2 FRAVNEI
2 FREIA
2 FREMRNEI
2 FUFLUNA
2 FUL
2 FULUNAL
2 FULUś
2 FURACE
2 FUTNAL
2 HALTUNEI
2 HALX
2 HALśNESA
2 HAMΦEΘEś
2 HAMΦEś
2 HAMΦNAL
2 HANΘIN
2 HASΘI
2 HASTNTRU
2 HATEC
2 HAVRENIES
2 HECE
2 HELS
2 HELUSNAL
2 HELVEREAL
2 HEN
2 HERACE
2 HERACIAL
2 HERCLE
2 HERINEś
2 HERMESA
2 HERMEś
2 HERMI
2 HESCNAS
2 HILARE
2 HIS
2 HIVUS
2 HUΘIś
2 HULNIś
2 HULXENAS
2 HUPNINA
2 HURSI
2 HUSINA
2 HUSLNE
2 HUSTNAL
2 HUTIESA
2 HVULUVES
2 IC
2 IΘAL
2 INC
2 ITUN
2 IU
2 IUI
2 IXNAC
2 KAIKNAś
2 KARKANAS
2 KA~

2 KI
2 LACΘ
2 LAΘA
2 LAΘITIAL
2 LAΘL
2 LAL
2 LANIS
2 LANΦE
2 LARCIś
2 LARΘALś
2 LARΘIALC
2 LARΘIALIśLA
2 LARΘIAS
2 LARΘIAś
2 LARΘIA~
2 LARΘL
2 LARΘRU
2 LARECES
2 LAREZUL
2 LARICES
2 LARISE
2 LARISTNEI
2 LARN
2 LARNAL
2 LARSTE
2 LARSTI
2 LARZL
2 LARZNAL
2 LATINIES
2 LATITEś
2 LATN
2 LAUCANESA
2 LAURSTI
2 LAURSTIAL
2 LAUTERI
2 LAUTNA
2 LAUTNTA
2 LAUXME
2 LAXU
2 LΘI
2 LE
2 LECATES
2 LECETIS
2 LECSTINEI
2 LECSTINI
2 LEΘANEI
2 LEΘN
2 LENA
2 LEPRNAL
2 LES
2 LETARIA
2 LETIAL
2 LEUSA
2 LEVEI
2 LE~
2 LIMURCESTA
2 LRIS
2 LTΘ
2 LULESA
2 LUNCEś
2 LUNCI
2 LUNCIAL
2 LURSΘ
2 LUT
2 LUVISU
2 MAC
2 MACRE
2 MANΘVATESA
2 MANI
2 MANIA
2 MARCI
2 MARCIAś
2 MARISL
2 MARSI
2 MARU
2 MARUNUXVA
2 MASLNEI
2 MATAN
2 MATAUSNEI
2 MATAUSNI
2 ME
2 MEΘLUM
2 MEINA
2 MELCI
2 MELE
2 MELERI
2 MELUTNAL
2 MENA
2 MENAXE
2 MENZNAL
2 METELIś
2 MINATI
2 MINIA
2 MINIPI
2 MLAKAS
2 MUCUM
2 MUERA
2 MULA
2 MULUNE
2 MULURIZILE
2 MULVUNUKE
2 MURINASA
2 MUSCLENA
2 MUTANA
2 MUTENI
2 MUTIA
2 MUTIAś
2 MUTIE
2 MUTINCE
2 MUTNIAΘI
2 MUTUSA
2 NACERIAL
2 NACNA
2 NACUM
2 NAPAR
2 NASTES
2 NATIS
2 NAULISAL
2 NAVERIAL
2 NAVESIAL
2 NAVLIS
2 NAX
2 NAXVE
2 NC
2 NEFIś
2 NEI
2 NU
2 NUIś
2 NUI~
2 NUM
2 NUMNAś
2 NUMSI
2 NUMSIS
2 NUNΘENE
2 NURZIUNIA
2 NUS
2 NUZLXNE
2 PACINAL
2 PAISLETI
2 PANZA
2 PAPAΘNA
2 PAPANIAś
2 PAPASLISA
2 PARXIS
2 PATACS
2 PATLNI
2 PATRUNI
2 PATU
2 PA~
2 PECIANIA
2 PEΘNE
2 PEIΘESA
2 PEIΘNA
2 PENΘNA
2 PERISALISA
2 PERNA
2 PERNEI
2 PETAS
2 PETINATEś
2 PETINATI
2 PETINATIAL
2 PETIś
2 PETRUA
2 PETRUNIS
2 PETSNAL
2 PETSNEI
2 PETVIAL
2 PEXE
2 PIΦES
2 PIUTEś
2 PIUTI
2 PLASCNEI
2 PLAUSA
2 PLAUTI
2 PLAUTRIAś
2 PLEURA
2 PLUTE
2 PR
2 PRECUś
2 PRENΘREI
2 PRESNTESA
2 PREXU
2 PRUCIU
2 PRUXUM
2 PUCE
2 PUIL
2 PULTACE
2 PULUFNAL
2 PUMPNAL
2 PUMPNASA
2 PUMPUNISA
2 PUNPU

2 PUPUAL
2 PURΘ
2 PURE
2 PURIIAS
2 PURUΘN
2 PURUNI
2 PUSTA
2 PUTIZA
2 PśL
2 RAΘUMSNAS
2 RAFE
2 RAMAΘAS
2 RAMΘESC
2 RANAZU
2 RAPALIAL
2 RAPLIAL
2 RATUM
2 RAUFESA
2 RAUNΘU
2 RAVN
2 RAśNEś
2 RA~
2 REICNA
2 REICNAL
2 REICNEI
2 REMNE
2 REMSNA
2 RENΘN
2 RESCIUNIA
2 RESNASA
2 RESTUMNAL
2 RINUś
2 RITE
2 RI~
2 RUTANIA
2 RUVF
2 SA
2 SACNIU
2 SANTIC
2 SANśL
2 SATIAL
2 SATNAś
2 SAUTURINEś
2 SAUTURINIAL
2 SAVCNES
2 SAXU
2 SA~
2 SCANSNA
2 SCEFI
2 SCEUA
2 SCEVA
2 SEANTI
2 SEATE
2 SECUNE
2 SECUNIA
2 SECUś
2 SEI
2 SEIANT~
2 SEIATE
2 SEIATI
2 SEIES
2 SEITIΘI
2 SELVA
2 SELVANSL
2 SEN
2 SENATE
2 SENTIS
2 SEPIE
2 SEPRE
2 SEPRSNEI
2 SERIL
2 SESCATNA
2 SESCTNEI
2 SETHRE
2 SETMANAL
2 SETRI
2 SETRIA
2 SETUMNEI
2 SLAIΘEś
2 SNENAZIULAS
2 SPASPUSA
2 SPURAL
2 SPURANA
2 SPUREśTREś
2 SPURI
2 SPURIES
2 SPURINAś
2 STALANES
2 STATINEI
2 SU
2 SUΘIL
2 SUΘINA
2 SUΘRINA
2 SUΘUNAL
2 SURNAś
2 SUS
2 SUTANAś
2 SVEITUS
2 SVELERIC
2 SVEM
2 SVENIA
2 SVENIAś
2 TALCE
2 TANASAR
2 TANTLEś
2 TARC
2 TARNAI
2 TARXISA
2 TA~
2 TEN~
2 TESNE
2 TESNś
2 TETASA
2 TETIAL
2 TETNA
2 TEVARAΘ
2 TINΘURI
2 TISCUSNAL
2 TISCUSNI
2 TISCUSNISA
2 TITIALISA
2 TITIAS
2 TITLNI
2 TITUIś
2 TIUS
2 TIUSA
2 TLESNAś
2 TLUSC
2 TN
2 TNE
2 TRAU
2 TRAVAIUSER
2 TRAZLUAL
2 TRAZLUNIAL
2 TRAZLUś
2 TREPUNIAś
2 TRETNA
2 TRILEś
2 TRISNAL
2 TRUΘ
2 TUΘINEś
2 TULUMNEś
2 TUNA
2 TURAN
2 TURICE
2 TURNS
2 TURU
2 TUSNUS
2 TUTE
2 TUTN
2 TUTNI
2 TX
2 UCRSA
2 UEL
2 UELTUR
2 UHTAVES
2 UI
2 UICINA
2 ULΘIAL
2 ULTIMNE
2 UMRANAś
2 UMRIA
2 UNAI
2 UNAS
2 UNATA
2 UNATASA
2 UNUM
2 UNXVA
2 UPRECIANO
2 URIΘNEI
2 URINATEś
2 URX
2 USA
2 USI
2 UTAUNAL
2 UTAUNEI
2 UTIESA
2 UTINCE
2 UVIE
2 UXUMZNA
2 VA
2 VANΘ
2 VARINEI
2 VARNAS
2 VARNIES
2 VATINI
2 VATINIAL
2 VAXR
2 VEACIAL
2 VECUI
2 VEΘI
2 VEILIAś

2 VELANI
2 VELANIAL
2 VELARAL
2 VELARNIES
2 VELCIALU
2 VELCIE
2 VELCZNAL
2 VELθA
2 VELθINAθURAŚ
2 VELθURI
2 VELθURIAŚ
2 VELθURNAS
2 VELθURS
2 VELθURU
2 VELθURUI
2 VELθURUŚLA
2 VELθURŚ
2 VELE
2 VELEIAL
2 VELIθNEI
2 VELIEA
2 VELIESA
2 VELIMNA
2 VELIMNEI
2 VELI~
2 VELNA
2 VELNAL
2 VELNθI
2 VELNθIAL
2 VELNEI
2 VELNI
2 VELNIA
2 VELS
2 VELSIA
2 VELSINAL
2 VELSIS
2 VELSIŚ
2 VELSU
2 VELTSNAŚ
2 VELUA
2 VELUS~
2 VELVAESA
2 VELXEINI
2 VELXI
2 VELXITI
2 VELZNAL
2 VELŚUSA
2 VENATNAL
2 VENθNEI
2 VENELUŚ
2 VENU
2 VENZILE
2 VENZILEŚ
2 VENZLEŚ
2 VEPU
2 VERATRUNIA
2 VERCN~
2 VERUNIA
2 VESACNISA
2 VESCUŚ
2 VESTRNALISA
2 VET
2 VETALU
2 VETANEI
2 VETIEŚ
2 VETINAL
2 VETINEI
2 VEZI
2 VICEIS
2 VINAL
2 VINEI
2 VIPINALISA
2 VIPI~
2 VI~
2 VLUS
2 VRAθ
2 VT
2 VUISIA
2 X
2 XA
2 XERITNEI
2 XIMθ
2 XURU
2 XURXLES
2 ZERAPIU
2 ZERIŚ
2 ZICU
2 ZIL
2 ZILCI
2 ZILI
2 ZILX
2 ZIVAŚ
2 ZIXNAL
2 ZIXNE
2 ZUSLE
2 ZUSLEVA
2 ZUSLEVE
2 ZUXUS
2 ZUŚLEVE
2 ZUŚLEVEŚ
2 Z~
2 ŚACNICLA
2 ŚACNICSTREŚ
2 ŚAθAŚ
2 ŚALVIŚ
2 ŚAS
2 ŚCUNA
2 ŚE
2 ŚEθREŚA
2 ŚENIS
2 ŚERTU
2 ŚETIRUNEC
2 ŚEUC
2 ŚINUSA
2 ŚMINθINAL
2 ŚNUTUΦ
2 ŚP
2 ŚPUREŚTREŚ
2 ŚPUREŚTREŚC
2 ŚUCIC
2 ŚUθIENAS
2 ΦERSU
2 ΦESUS
2 ~AI
2 ~ANI
2 ~ARNθAL
2 ~C
2 ~CEICNA
2 ~CE~
2 ~CI
2 ~CLAN
2 ~CNI
2 ~C~
2 ~θI
2 ~EZ~
2 ~F
2 ~HERINI
2 ~IAŚ
2 ~INE
2 ~ISA
2 ~LAUTNI
2 ~LI
2 ~M~
2 ~NA~
2 ~RθI
2 ~RI
2 ~SNEI
2 ~TA
2 ~TI~
2 ~UI
2 ~UI~
2 ~UM
2 ~UNA
2 ~URI
2 ~Ś~
2 ~Ś
2 ~ŚŚ
2 <L>ACARCELINIO
2 <L>ACILIUS
2 <L>ACO
2 <L>ACONIUS
2 <L>AGATINIA
2 <L>ALEXANDER
2 <L>ALFI
2 <L>ANCHARIA
2 <L>ANICIA
2 <L>ANN
2 <L>ANNO
2 <L>ANNOR
2 <L>ARINIUS
2 <L>ARNTHAL
2 <L>AROS
2 <L>AUFIDI
2 <L>AULE
2 <L>AURELIUS
2 <L>B
2 <L>CAESIA
2 <L>CAITHO
2 <L>CALPURNIA
2 <L>CAPITO
2 <L>CASIA
2 <L>CASPO
2 <L>CASSIA
2 <L>CASSIUS
2 <L>CE
2 <L>CE~
2 <L>CN
2 <L>CNAEUS
2 <L>CNAT
2 <L>CNATUS
2 <L>CO
2 <L>CONSIDIUS

2 <L>CORNELIA
2 <L>CR
2 <L>CRASSUS
2 <L>CRISPINIA
2 <L>C~
2 <L>DE
2 <L>EA
2 <L>FABER
2 <L>FABI
2 <L>FIL
2 <L>FILI
2 <L>GALLA
2 <L>GN
2 <L>GNATA
2 <L>GRANIA
2 <L>HAERINA
2 <L>HAERINNA
2 <L>HARISPEX
2 <L>HE
2 <L>HERCLITE
2 <L>HERENNIA
2 <L>HIC
2 <L>IASO
2 <L>IUCNUS
2 <L>LAELIUS
2 <L>LARTIS
2 <L>LAUTNI
2 <L>LAUTNIDA
2 <L>LECTU
2 <L>LUSIA
2 <L>MA
2 <L>MARCIUS
2 <L>MARINA
2 <L>MAXOMO
2 <L>MEDICUS
2 <L>MURRENIA
2 <L>M~
2 <L>NA
2 <L>NATU
2 <L>NERONI
2 <L>OTANIS
2 <L>OUFILIO
2 <L>PANSA
2 <L>PAPIRI
2 <L>PAVO
2 <L>PEDROS
2 <L>PERGOMSNA
2 <L>PERNA
2 <L>PETRONI
2 <L>PHILEMATIU
2 <L>PHISIUS
2 <L>PHOEBO
2 <L>PONTIA
2 <L>PRAESENTI
2 <L>PROENI
2 <L>PULFENNIUS
2 <L>PUPILLUS
2 <L>QUARTA
2 <L>QUOIUS
2 <L>RAUFIA
2 <L>REGULA
2 <L>RUFI
2 <L>RUFIS
2 <L>SABINIUS
2 <L>SADNAL
2 <L>SATURNIN
2 <L>SELIA
2 <L>SENTIO
2 <L>SERTORIUS
2 <L>SETHRNEI
2 <L>SEXTI
2 <L>SEXTIA
2 <L>SOCCONIUS
2 <L>SRABLIO
2 <L>ST
2 <L>STA
2 <L>SUDERNIA
2 <L>TA
2 <L>TANUSA
2 <L>THANA
2 <L>TI
2 <L>TITIAE
2 <L>TITO
2 <L>TLABONI
2 <L>TRO
2 <L>TUTILIUS
2 <L>UECILIO
2 <L>UTEI
2 <L>VALERIA
2 <L>VARIUS
2 <L>VEIENTO
2 <L>VELIA
2 <L>VELOS
2 <L>VELXSNA
2 <L>VENSIUS
2 <L>VESCONIA
2 <L>VESSIA
2 <L>VIBIA
2 <L>VIBINNAL
2 <L>VITRA
2 <L>VOLUMNIUS
2 <L>~E
2 <L>~T
2 <L>~U
2 <L>~US
2 <N>100
2 <N>2
2 <N>20~
2 <N>22
2 <N>28
2 <N>31
2 <N>36
2 <N>38
2 <N>40~
2 <N>48
2 <N>50~
2 <N>53
2 <N>55
2 <N>58
2 <N>6
2 <N>66
2 <N>72
2 <N>80
2 <N>84

Reverse-Ordered Index

A	134
CA	19
FACA	2
CRACA	1
SACA	1
ECA	30
AUECA	1
ICA	1
TEISNICA	1
CATICA	1
VELCA	1
LARCA	1
ΘANCESCA	1
AVILESCA	1
LAIVISCA	1
HAMΦISCA	1
LUVCANIESSCA	1
PUSCA	3
ΘUCA	1
ŚUCA	1
ΘA	88
CAΘA	4
VITECAΘA	1
LAΘA	2
RAMAΘA	1
TAΘA	1
MEUAΘA	1
CANEΘA	1
NIΘA	1
LAUTNIΘA	15
LUTNIΘA	3
ARIΘA	1
CANIRAXAΘCESNIELΘA	1
VELΘA	2
RAMΘA	38
HINΘA	1
ARNΘA	4
LAUTNΘA	1
ARΘA	2
LARΘA	5
RAMUΘA	1
LIEPLAŚΘA	1
~ΘA	1
CAEA	2
TIITAEA	1
RIΘCEA	1
VELEΘEA	1
AIEA	1
VELIEA	2
ΘIRIEA	1
VELEA	1
ARLENEA	1
VELNEA	1
SATNEA	1
HALISTREA	1
LEVEA	1
SVEA	1
ZEA	1
~EA	1
FA	16
ALFA	5
ELFA	1
URFA	1
TFA	1
CRAUFA	1
HA	14
THA	1
IA	5
CAIA	19
ANΘAIA	1
LARΘAIA	1
ANΘIAIA	1
VINEIAIA	1
KAMAIA	1
LARCANAIA	1
MENAIA	1
HIRMINAIA	1
KANSINAIA	1
ŚARŚINAIA	1
SUCISNAIA	1
~NAIA	1
~TAQAIA	1
CIA	1
MACIA	1
HECIA	1
PECIA	1
VECIA	1
CREICIA	1
~REICIA	1
SVEICIA	1
~EICIA	1
SULPICIA	1
~URICIA	1
SELCIA	3
VELCIA	1
LARCIA	1
MARCIA	1
FALSCIA	1
~CIA	1
LAΘIA	1
ARAΘIA	2
LEΘIA	4
CAIALEΘIA	1
VELEΘIA	1
PEΘIA	1
~STARNIΘIA	1
AMRIΘIA	1
PURAΘEVNALΘIA	1
RANΘIA	1
ARANΘIA	11
ARRANΘIA	1
HINΘIA	1

VINACNA	1	ANAINA	2	AUPULSUTINA	1	VELΘURNA	5
ECNA	1	CINA	1	PUINA	1	SURNA	8
CECNA	1	CRACINA	1	VINA	1	śERTURNA	1
~IΘIREFLECNA	1	UICINA	2	ZIXINA	1	RASNA	1
VESTRECNA	1	VELΘINA	7	REUXZINA	1	TLESNA	18
CEICNA	16	SUΘINA	2	ALśINA	1	NESNA	1
~CEICNA	2	ZUΘINA	1	CELśINA	1	PESNA	3
REICNA	2	śUΘINA	16	MESNAMERTANśINA	1	RESNA	1
CENCNA	2	CEINA	1	KUIKNA	1	AISNA	7
CARCNA	1	CACEINA	1	PERKNA	1	EISNA	5
LARCNA	8	MEINA	2	HALNA	1	VEISNA	1
MARCNA	5	SEINA	1	MEΘLNA	1	CALISNA	2
~MARCNA	1	TAFINA	1	VELNA	2	SALISNA	1
~ARCNA	1	HEFINA	1	OLNA	1	REMSNA	2
ΘERCNA	1	HANHINA	1	HAPLNA	1	PERCUMSNA	1
VERCNA	7	UCLINA	1	CUPSLNA	3	RATUMSNA	1
LEMRCNA	1	AUCLINA	2	AULNA	1	SCANSNA	2
PUCNA	1	VELINA	1	FULNA	1	SANSNA	1
HIśUCNA	1	PUPLINA	4	CEVLNA	1	CAPSNA	4
~CNA	1	ANINA	1	śEMNA	4	CUPSNA	6
CIAΘNA	1	MANINA	1	~śEMNA	1	CARSNA	1
PAPAΘNA	2	ACNINA	1	RECIMNA	1	PETSNA	1
SAΘNA	4	HUPNINA	2	VELIMNA	2	CUSNA	1
PEΘNA	11	VIPINA	5	ΘURMNA	8	UCUSNA	1
VEΘNA	1	ΦARINA	1	TURMNA	1	CALUSNA	1
PEIΘNA	2	SUΘRINA	2	CREISMNA	1	VELUSNA	4
VELIΘNA	1	HERINA	5	RESTUMNA	1	MLUSNA	1
PENΘNA	2	NERINA	1	CAPNA	3	RUZSNA	1
HARΘNA	1	HEIRINA	1	ΘAPNA	3	TNA	1
SUΘNA	1	CAPRINA	1	CARPNA	1	SESCATNA	2
~ΘNA	1	ΘEPRINA	1	CUPNA	1	NKATNA	1
CENA	1	MURINA	6	CARNA	4	ECNATNA	2
~CENA	1	~MURINA	1	LARNA	1	SATNA	4
CUSPERIENA	1	PRASINA	1	PARNA	1	SESCTNA	3
LENA	2	CESINA	2	TARNA	1	PETNA	1
MALENA	1	VUISINA	1	VARNA	8	TRETNA	2
MUSCLENA	2	TELSINA	1	VEΘRNA	1	TETNA	2
MENA	2	NUMSINA	1	ΘUCERNA	2	ITNA	1
NENA	1	TAPSINA	1	LAΘERNA	1	ULTNA	1
HAPENA	1	HUSINA	2	HERNA	1	PANTNA	3
CURSPENA	1	ULUSINA	1	PERNA	2	PUNTNA	1
ATENA	1	VUSINA	1	VERNA	1	CESTNA	6
TETENA	1	~SINA	1	FREMRNA	1	~ESTNA	1
FAśENA	1	ATINA	3	HAPRNA	1	LAUTNA	2
ΘAFNA	2	VATINA	1	STEPRNA	1	FUTNA	1
PULFNA	13	PETINA	1	CUPRNA	1	MUTNA	6
VELUFNA	1	TETINA	25	PETRNA	1	TUTNA	17
CAINA	2	ARTINA	1	MACSTRNA	1	śUTNA	1

FRAUNA	1
ARCUNA	1
KARCUNA	1
SCUNA	1
ESCUNA	1
PRUCUNA	1
śCUNA	2
PENΘUNA	1
HILARΘUNA	3
MUΘUNA	1
CNEUNA	3
AFUNA	11
LIUNA	1
FUFLUNA	2
PUPLUNA	6
FULUNA	3
NUSMUNA	1
NUSUMUNA	1
PUNA	1
CUPUNA	1
~ASIRΘAUNARUNA	1
UMRUNA	1
CAPRUNA	1
MULSUNA	1
TUNA	2
SESUCTUNA	1
TETUNA	1
ITUNA	1
VITUNA	1
~UNA	2
CNEVNA	1
ΘAHVNA	1
CULIXNA	1
XULIXNA	1
VELXNA	1
MARXNA	1
ZUXNA	1
EZNA	2
PUIZNA	1
REMZNA	13
UCUMZNA	1
UXUMZNA	2
CANZNA	5
FLENZNA	2
MENZNA	1
CAUZNA	1
VELCśNA	1
PEśNA	1
ΘUNśNA	1
HAMΦNA	3
~NA	4
PA	5
APA	5
PAPA	8
RAPA	3
~ARNASAPA	1
IPA	10
~IPA	1
~AMPA	1
INPA	3
HASPA	1
~PA	1
RA	5
ARA	8
SCARA	1
HARA	1
~ALIKEAPUMINIKARA	1
PUPARA	1
ΘACTARA	2
VELXARA	1
CRA	1
ΘRA	1
CAΘRA	1
MAΘRA	1
SEΘRA	9
śEΘRA	9
§śEΘRA	1
MERA	1
TAMERA	3
ESERA	3
ETERA	13
MUERA	2
VELXERA	1
AFRA	1
MLAXΘANRA	1
CAPRA	2
ARRA	1
TRA	1
CLEPATRA	1
ΘACTRA	1
ETRA	1
TRETRA	1
SETRA	1
HILXVETRA	1
ERANTRA	1
EVANTRA	2
CAśNTRA	1
ΘAURA	2
VEΘURA	1
ANEIΘURA	1
VELΘURIΘURA	1
VELΘURA	1
PLEURA	2
MURA	1
PUPURA	1
TURA	4
ΘACUTURA	1
~URA	1
VELXRA	1
~ΘASXRA	1
VEZRA	1
SA	2
~NΘASA	1
VILIASA	5
TREPUNIASA	1
CUMERUNIASA	1
VETUNIASA	1
AXUNIASA	1
~NIASA	1
APIASA	2
MATIASA	1
CVINTIASA	1
SEVIASA	1
HERINALASA	1
ΘANASA	1
VELIΘANASA	1
MANASA	1
ACNANASA	3
UMRANASA	8
CULTANASA	1
CUTANASA	1
REMZANASA	1
LARCNASA	4
PEΘNASA	1
SEΘNASA	1
PULFNASA	5
LAVCINASA	1
~MINASA	1
MANINASA	1
ΘEPRINASA	1
MURINASA	2
TETINASA	11
VẸTINASA	1
RAΘUMNASA	1
PUMPNASA	2
CARNASA	3
VARNASA	1
SEΘRNASA	1
ΘUCERNASA	1
~PRNASA	1
TLESNASA	5
PESNASA	4
RESNASA	2
RAΘUMSNASA	1
PESUMSNASA	1
CUPSNASA	4
TETNASA	1
CESTNASA	4
TUTNASA	12
AFUNASA	1
TVNASA	1
REMZNASA	3
CANZNASA	2
PAPASA	6
CILPASA	1
HURASA	1
VELXRASA	1
UNATASA	2
TETASA	2
~UTASA	1
SCEUASA	1
VELXASA	1
RECSA	1
TECSA	1
~ΘAUKUΘAΘSA	1
VPRΘSA	1
CAESA	2
VELVAESA	2
PUNACESA	1
HURACESA	1
CREICESA	4
CREIICESA	1
APICESA	1
PRICESA	1
ALCESA	1
LARCESA	3
PRCESA	1
CURCESA	1
PURCESA	1
UISCESA	1
VISCESA	4
LUSCESA	4

ARCE	3
~ΘESΘUFARCE	1
LARCE	24
MARCE	9
MAMARCE	4
~ARCE	1
FLERΘRCE	1
ERCE	3
MAMERCE	1
AFRCE	2
LUCAIRCE	1
TRCE	1
CURCE	1
TURCE	16
~TURCE	1
SCE	1
ACASCE	1
RASCE	1
VISCE	7
ERSCE	1
LUSCE	1
LTCE	1
CULTCE	1
CLAUCE	2
ATIUCE	1
ELUCE	1
ZILAXNUCE	1
PUCE	2
LUPUCE	6
MARUCE	1
TURUCE	5
TUCE	1
~PATEVCE	1
LUVCE	1
ZILAXCE	1
ΘUśCE	1
REUśCE	1
~CE	5
PIANIAΘE	1
PANIAΘE	1
ALUMNAΘE	1
PERPRAΘE	1
~AΘE	1
LEΘE	10
PEIΘE	1
LATIΘE	5
HUSTIΘE	1
VELΘE	1
ULΘE	4
ΘUNXULΘE	1
CANΘE	1
PENΘE	1
SMINΘE	1
PRESNΘE	1
ARVNΘE	1
APIRΘE	1
APRΘE	3
APURΘE	4
IESΘE	1
ΘUΘE	1
FE	2
AFE	1
RAFE	2
~RAFE	1
RAUFE	7
RUFE	1
HE	3
RAUHE	1
CAIE	5
ASKLAIE	1
HOLAIE	1
RAMLIśIAIΘIPURENAIE	1
ZINAIE	1
VHLAKUNAIE	1
VELXAIE	1
TRUTVECIE	1
VELCIE	2
AMCIE	1
IUCIE	1
CENECUHEΘIE	1
VEΘIE	1
~HINΘIE	1
MEIE	1
ANEIE	1
~EIMRUVMIANEIE	1
FREIE	1
APUNIIE	1
TETIIE	1
HVUIUΘUTUMLERśIIE	1
ΘANIRśIIE	1
~IIE	1
CALIE	2
śALIE	3
KLUMIE	1
ANIE	3
LAUCINIE	1
MINIE	1
LAUCTINIE	1
IśIMINΘIIPITINIE	1
MULUEMKNIE	1
~ALNIE	1
ANNIE	1
TUSNUTNIE	3
RUNIE	1
PETRUNIE	1
AXUNIE	2
AZNIE	1
~PAPIE	1
SEPIE	2
HUPIE	1
SUPIE	1
ANCARIE	1
VELARIE	1
MARIE	1
UMRIE	1
ΘEPRIE	1
SPURIE	1
SERTURIE	1
ASIE	1
KAISIE	1
CISIE	1
VERSIE	1
CRUSIE	1
~UXSIE	1
ALATIE	1
STATIE	1
TETIE	1
VETIE	4
TITIE	5
~TITIE	1
CLANTIE	1
HUTIE	1
MUTIE	2
~UIE	1
~ARSVIE	1
UVIE	2
RENXIE	1
SCUXIE	1
RUIMELKARΘAZIE	1
AIUZIE	1
MURINAśIE	1
CUSNAśIE	1
LUNAśIE	1
TINAKE	1
~AKE	1
UVANEKE	1
MULUEVNEKE	1
URΘANIKE	1
MULUVANIKE	1
MULENIKE	1
~UXSIEMULENIKE	1
XSIMEULEPIKE	1
TURUNKE	1
ΦOKE	1
TURKE	1
VISKE	1
USINUKE	1
MULVUNUKE	2
MULUVUNUKE	1
~UKE	1
LE	2
ALE	4
CALE	7
ACALE	2
ARAΘIALE	1
LARΘIALE	1
ΦOKIASIALE	1
MALE	3
CVENALE	1
MARALE	1
UZARALE	1
SALE	1
ATALE	1
VALE	1
APRINΘVALE	1
AISVALE	2
~ALE	1
HERCLE	2
LEUCLE	1
ΘIVCLE	1
LAUTNEśCLE	1
CELE	4
ΘELE	1
HELE	11
MELE	2
NUCRTELE	1
VELE	2
AVELE	1
AFLE	13
AUFLE	1
FUFLE	1
CAILE	1

STAILE	1
TRIILE	1
MANILE	1
SIENILE	1
TRILE	1
ITRILE	1
RUTILE	1
VILE	1
AVILE	2
MULIRIZILE	1
MULURIZILE	2
VENZILE	2
ARNZILE	1
LARZILE	1
PERZILE	1
TIΦILE	3
CVENLE	13
RAPLE	1
~RAPLE	1
EPLE	3
SEPLE	1
CEZARLE	1
FASLE	1
CARAΘSLE	2
ALFNALISLE	1
MULSLE	1
SULSLE	1
MUNSLE	1
CRUNSLE	1
CAVSUSLE	1
ZUSLE	2
TLE	1
ITLE	1
ΘIMITLE	2
ŚACNITLE	1
TITLE	1
TANTLE	4
RNTLE	1
ARNTLE	2
ARUNTLE	2
SEPTLE	3
CEZARTLE	1
CEZRTLE	1
HUSTLE	1
PUTLE	1
AULE	107
CAULE	3
MACVILULULE	1
TULE	12
AVLE	10
~AVLE	1
LARΘIALISVLE	1
AXLE	1
CEMARZLERACZLE	1
ΘEZLE	1
FUŚLE	1
ZUŚLE	1
UΦLE	1
ME	2
AME	9
EMFEPAME	1
NACEME	1
IXEME	1
NAIME	1
TIME	1
HERME	5
ARSME	1
STRUME	1
SETUME	1
LAUXME	2
NE	3
ANE	23
LACANE	1
PLAICANE	1
MARICANE	5
LAUCANE	6
~VEANE	1
VEIANE	1
ŚIIANE	1
VELANE	1
UTILANE	1
UCRISLANE	4
PATISLANE	7
CAPANE	1
ATRANE	1
SANE	1
ΘESANE	1
REMATANE	1
CAPUVANE	1
CEXANE	1
TAΦANE	1
TIΦANE	1
~ANE	1
LECNE	10
~LECNE	1
VECNE	1
ΘNE	1
PEΘNE	2
VELΘNE	1
AMΘNE	1
SEMΘNE	1
PURΘNE	1
ENE	1
NUNΘENE	2
HENE	1
MENE	4
NENE	1
CERENE	1
HERENE	1
ŚATENE	1
FIRINVENE	1
ŚENE	1
ALFNE	1
ALUFNE	1
AINE	1
CAINE	4
ANAINE	1
ATAINE	1
XAINE	1
CINE	1
FICINE	1
LAUCINE	1
~AΘINE	1
LEINE	5
LINE	3
ŚALINE	1
ACLINE	2
VELINE	1
PUPLINE	1
MINE	3
RENINE	1
TENINE	1
CAPINE	1
REPINE	1
VIPINE	5
CAMARINE	1
CERINE	2
FERINE	1
HERINE	11
RUMITRINE	1
SAUTURINE	1
ASTESINE	1
VUISINE	1
CUSINE	2
SUSINE	1
CAPATINE	1
TETINE	1
PLITINE	1
CAUŚTINE	1
TEUINE	1
PUINE	1
ΘEZINE	4
CAUŚINE	1
~INE	2
MEΘLNE	1
CVELNE	9
HUSLNE	2
REMNE	2
FREMNE	1
VELIMNE	1
ULTIMNE	2
ARMNE	3
PRIUMNE	1
ANNE	1
CAUPNE	2
STEPRNE	1
ŚERΘURNE	1
CASNE	2
TESNE	2
LUESNE	1
HALSNE	1
ZAΘRUMSNE	1
PESUMSNE	1
STATSNE	1
TISCUSNE	1
TNE	2
VENATNE	1
LAETNE	1
~NAMUTNE	1
UNE	3
AUNE	1
SECUNE	2
ŚCUNE	1
HILARΘUNE	1
PREUNE	1
SIUNE	1
ACILUNE	1
MULUNE	2
NUNE	1
TURUNE	1
TUNE	1
SCUVUNE	1

ZIXNE	2
ZATLXNE	1
NUZLXNE	2
ZUXNE	1
VELCZNE	1
RAśNE	1
HALśNE	3
HANUΦNE	1
~NE	1
PE	3
CAPE	2
KAPE	1
IPE	1
NIPE	1
VIPE	3
PALPE	4
CARPE	2
SCARPE	1
SEVERPE	1
CRESPE	6
CUPE	2
RE	1
CARE	1
SCARE	1
HILARE	2
SVULARE	1
AMΦARE	2
ANΦARE	2
~ARE	1
MACRE	2
PACRE	1
AΘRE	1
CAΘRE	1
SEΘRE	18
śEΘRE	4
VELΘRE	1
FERE	1
FLERE	8
CUMERE	12
PUTERE	1
HRE	1
SETHRE	2
CIRE	8
SCIRE	4
APIRE	1
CAVIRE	1
AMRE	1
HAPRE	5
SEPRE	2
STEPRE	1
ΘAIPRE	1
ΘUPRE	1
ZUPRE	1
HUZRNATRE	1
SETRE	3
LICANTRE	1
§USTRE	1
MUTRE	1
AURE	1
ΘAURE	1
TAURE	1
CURE	3
AIECURE	2
PLANCURE	3
ΘURE	1
HAFURE	1
PURE	2
CAIPURE	1
SURE	4
TURE	1
SATURE	1
~RE	1
SE	44
HASE	1
LANIASE	1
LENIASE	1
KLENASE	1
APIRASE	4
CEXASE	2
ECSE	1
CESE	1
ORTECESE	1
ΘESE	1
ARESE	1
CEISE	1
~CEISE	1
CENISE	1
LARISE	2
NAUISE	1
KARSE	1
EΘRSE	9
ΦERSE	1
CETSE	1
ΘNTSE	1
SCUVSE	1
NEXSE	1
~SE	1
TE	3
ATE	3
SEATE	2
CAFATE	12
SEIATE	2
śIATE	1
ECNATE	1
SENATE	2
VENATE	5
MINATE	3
URINATE	11
TINATE	1
PETINATE	9
FRENTINATE	3
SENTINATE	9
~SENTINATE	1
SENT§INATE	1
SAUXNATE	1
TULATETULASURATE	1
ASATE	2
CANZATE	1
~ATE	1
TRECTE	1
ZILCTE	1
ΘUCTE	1
HUΘTE	1
ETE	1
VENETE	7
TETE	1
VETE	30
HAMΦETE	1
CITE	1
VELΘITE	1
LARΘITE	1
FERCLITE	1
HERCLITE	1
HARPITE	4
RITE	2
TITE	63
SHENIMEMTITE	1
MIAMEśTITE	1
~TITE	1
VELXITE	1
~NICLTE	1
URMTE	1
SEIANTE	12
CLANTE	2
SENTE	1
CUINTE	1
CVINTE	1
PESNTE	1
PRESNTE	11
~PRESNTE	1
PREISNTE	1
PRSNTE	1
ΘENUNTE	1
~NTE	1
APRTE	2
IUCURTE	1
APURTE	1
SURTE	1
~RTE	1
TARCSTE	1
LARSTE	2
URSTE	1
UΘUSTE	1
CLEUSTE	2
~STE	1
PLAUTE	7
PIUTE	3
CLUTE	1
PLUTE	2
MUTE	1
SNUTE	3
PUTE	10
TUTE	2
~TE	1
LAUIśCTERΘUE	1
CRIUEPEUE	1
śERΦUE	1
VE	62
AVE	2
UΘAVE	1
MALAVE	1
FLAVE	5
RAVE	1
UHTAVE	3
ACVE	1
śANCVE	1
śRENCVE	3
ILUCVE	3
CNAEVE	2
LEVE	6
ZUSLEVE	2
ZUśLEVE	2

CNEVE	4
CNAIVE	1
ACALVE	1
TENVE	1
~ZILAXNVE	1
ZARVE	3
ŚARVE	1
CURVE	2
MASVE	1
CESVE	1
ETVE	1
SUTVE	1
NAXVE	2
ŚRENXVE	6
FLERXVE	1
AXE	1
ILAXE	1
FARΘNAXE	4
~FARΘNAXE	1
MENAXE	2
CEXE	1
PEXE	2
VELXE	7
ZIXUXE	3
ZE	1
VIZE	1
RUZE	3
HALXZE	1
ŚE	2
ŚE	2
FAŚE	3
LEŚE	1
FIŚE	1
~IŚE	1
VENILIMEPIEPARŚE	1
CUŚE	2
NUŚE	1
FANUŚE	1
HAREUTUŚE	1
ΘAXŚE	1
LAΦE	1
L§LAΦE	1
~LAΦE	1
HAMΦE	1
LAMΦE	4
LANΦE	2
SISΦE	1
~§§E	1
~E	15
F	8
AF	2
CAF	1
SEF	1
TEF	1
CESIF	1
TIF	1
ALF	2
RF	1
AUF	1
ΘVF	2
RUVF	2
~F	2
H	1
AH	3
~ŚΘUKTIH	1
LTH	1
I	8
AI	1
CAI	48
~CAI	1
CAIAI	1
PAPΘIAI	1
TARTIRIIAI	1
~LAΘIUMIAI	1
RAIUCEXINIAI	1
~NIAI	1
QAPIŚARANASTIAI	1
~VIAI	1
~VIAI	1
LAΘUNIKAI	1
LAI	1
TITΘLAI	1
VIAMILAI	1
TUSILAI	1
AOMAI	1
PAPANAI	1
VEICNAI	1
HERCNAI	1
HUZCNAI	1
VEΘNAI	1
RIΘNAI	7
~RIΘNAI	1
APRΘNAI	2
CAINAI	1
ANAINAI	1
TAMINAI	1
ANINAI	2
NERINAI	1
ΘEFRINAI	1
TATINAI	1
ALŚINAI	1
FULNAI	1
CAMNAI	1
URSMNAI	1
ZERONAI	1
ΘAPNAI	1
ΦERSIPNAI	1
SUPNAI	1
TARNAI	2
NUZARNAI	1
ΘRESNAI	1
ZILTNAI	1
ZERTNAI	1
TUTNAI	1
UNAI	2
APLUNAI	1
PETRUNAI	1
VIŚNAI	1
FULINUŚNAI	1
~NAI	1
ARAI	1
~PRAI	1
MURAI	1
UOLTAI	4
HEVTAI	1
ZUSLEVAI	1
ZIVAIEVAI	1
ZIVAI	3
VELXAI	4
PANZAI	1
TURZAI	1
~AI	2
CI	9
FACI	1
MACI	1
PACI	1
VACI	1
HECI	3
PETECI	1
CREICI	1
IUNICI	1
ΘURICI	1
MELCI	2
ZILCI	2
LUNCI	2
LARCI	10
~LARCI	1
MARCI	2
RURCI	1
ENESCI	2
FNESCI	1
VISCI	1
HELSCI	1
RUSCI	1
TEUCI	1
LUCI	4
LARΘLUCI	1
ZUCI	4
ŚUCI	1
ENEŚCI	1
~CI	2
ΘI	10
PANIAΘI	1
MUTNIAΘI	2
LAΘI	19
IIULAΘI	1
VLAΘI	1
PAPAΘI	1
ZILTCΘI	1
FEΘI	1
~ALIEΘI	1
LEΘI	8
~LEΘI	1
ŚPELANEΘI	1
RENEΘI	1
RENEΘI	
HUPNINEΘI	1
AITNETEΘI	1
VEΘI	2
HAMΦEΘI	1
IΘI	1
MARZAINTEHAMAIΘI	1
SNUZAINTEHAMAIΘI	1
EIΘI	1
PEIΘI	6
STARNIΘI	1
CLAPIΘI	1
AMRIΘI	1
CUSIΘI	1
~SIΘI	1
TIΘI	1
LATIΘI	1
SEITIΘI	2
ΘUTUIΘI	1
LΘI	2
UNIALΘI	1

TARXNALΘI	1
CLΘI	1
ΘACLΘI	2
ECLΘI	2
VELCLΘI	1
~LCLΘI	1
ŚPELΘI	1
ΘUFLΘI	1
CAMΘI	1
ETRINΘI	1
VELNΘI	2
ARNΘI	1
AARΘI	1
LARΘI	269
TARΘI	1
HAΘRΘI	4
AMRΘI	1
ŚURΘI	1
TUŚURΘI	1
~RΘI	2
FASΘI	2
HASΘI	2
CLUΘI	1
SUΘI	16
TUΘI	1
ŚUΘI	23
VASŚUΘI	1
LAVΘI	1
ŚΘI	1
TUŚΘI	1
~ΘI	2
EI	11
LAEI	1
CEI	1
EPNICEI	1
MARCEI	1
LUSCEI	1
AΘEI	1
ΘESAΘEI	1
ŚIXAIEI	1
NUNΘCUCIIEI	1
VTAZIEI	1
HELEI	1
ZUSLEI	1
ARNTLEI	1
AXLEI	1
CAMEI	1
VEMEI	1
CLANTMEI	1
~MEI	1
NEI	2
ANEI	14
CANEI	1
VESACANEI	1
LEΘANEI	2
VELIΘANEI	1
SUΘANEI	1
NAFANEI	1
EINANEI	1
UMRANEI	3
CURANEI	1
VELTSANEI	1
ETANEI	1
VETANEI	2
CULTANEI	4
HUSTANEI	1
VELXANEI	1
REMZANEI	1
CACNEI	2
PACNEI	1
CRACNEI	1
VESACNEI	1
LECNEI	3
CEICNEI	5
REICNEI	2
APICNEI	1
CENCNEI	1
CARCNEI	1
LARCNEI	5
MARCNEI	14
TARCNEI	1
PERCNEI	1
VERCNEI	3
LEMRCNEI	1
PLASCNEI	2
VESCNEI	1
FRAUCNEI	1
SUCNEI	1
SAΘNEI	3
PERCEΘNEI	1
ALEΘNEI	1
VELEΘNEI	1
ŚURMEΘNEI	1
PEΘNEI	8
CUEΘNEI	1
VELIΘNEI	2
URIΘNEI	2
VELΘNEI	1
VENΘNEI	2
SUΘNEI	1
EUELAENEI	1
MARCENEI	1
VISCENEI	1
AΘENEI	1
IAUIAMENEI	1
ALFNEI	4
PULFNEI	9
RAUFNEI	1
CAINEI	72
KAINEI	1
ΘLAINEI	2
ANAINEI	11
PULPAINEI	1
PUPAINEI	1
SAINEI	1
ATAINEI	8
ANTAINEI	2
MUTAINEI	1
PACINEI	1
LAUCINEI	3
VELΘINEI	1
TRENΘINEI	1
CEINEI	1
CACEINEI	1
MEINEI	4
ANEINEI	8
PEINEI	1
APEINEI	1
SEINEI	1
ATEINEI	2
ŚALINEI	7
ACLINEI	1
AUCLINEI	1
ULINEI	1
CAUŚLINEI	2
ŚININEI	1
PINEI	1
VIPINEI	22
CANPINEI	1
VUPINEI	1
ARINEI	1
AΘARINEI	1
CAMARINEI	2
VARINEI	2
UCIRINEI	1
ΘEPRINEI	2
SUTRINEI	1
MURINEI	5
SPURINEI	4
SINEI	1
VILASINEI	1
VESINEI	1
CEISINEI	1
VUISINEI	7
TREMSINEI	1
ΘANSINEI	2
TANSINEI	1
HERSINEI	1
AUSINEI	1
CUSINEI	3
ΘUSINEI	1
SUSINEI	1
VUSINEI	1
TINEI	1
ATINEI	1
STATINEI	2
TETINEI	8
VETINEI	2
CIANTINEI	1
CLANTINEI	1
SENTINEI	1
LECSTINEI	2
AULŚTINEI	1
NUINEI	1
PUINEI	1
ICAPUINEI	1
VINEI	2
CAVINEI	2
ŚALVINEI	1
PVINEI	1
CUVINEI	1
VELXINEI	1
ALŚINEI	1
PALNEI	1
ACLNEI	2
ELNEI	1
UELNEI	1
VELNEI	2
KILNEI	1
MILNEI	1
EIMLNEI	1
MASLNEI	2

LANFI	1
RFI	1
URFI	1
RAUFI	5
ΘUFI	1
RUFI	4
AII	1
ΘII	2
TUŚURΘII	1
MII	1
KI	2
ΘAFAALKI	1
FRATEMERKI	1
LI	4
CALI	2
TICALI	1
AUNEUPTALI	1
ANISTALI	1
ŚALI	3
ΘVEΘLI	2
CELI	10
EELI	1
HELI	13
LELI	1
TELI	1
METELI	1
VELI	9
AFLI	2
UFLI	1
TRILI	1
HUSILI	1
CAVILI	1
ZILI	2
LARILEZILI	1
RAPLI	1
VIPLI	1
TURPLI	6
PUPLI	7
USLI	1
PUSLI	1
~SLI	1
VITLI	1
CERISTLI	1
AULI	1
PULI	1
ATVLI	1
~LI	2
MI	249
~EIMI	1
ARITIMI	2
ULTIMI	1
VATLMI	1
SCARPMI	1
ΘERMI	1
HERMI	2
~SEΘUMI	1
RUMI	1
SETUMI	3
EŚMI	1
NI	8
ANI	11
MACANI	1
FICANI	1
MARICANI	1
LUCANI	1
AMΘANI	1
VEANI	1
MEIANI	1
VEIANI	4
TINIANI	1
LANI	1
ACLANI	1
VELANI	2
PATISLANI	1
MANI	2
ANANI	11
TINANI	1
ALPNANI	1
CAPANI	1
~ATANI	1
~STANI	1
CAPEVANI	1
~§§ANI	1
~ANI	2
CACNI	4
FRACNI	1
SACNI	3
VESACNI	1
PECNI	1
ICNI	4
LICNI	1
MARCNI	24
~MARCNI	1
VESTRCNI	1
LURCNI	1
PSCNI	1
LUSCNI	1
FRAUCNI	10
ŚAUCNI	3
SUCNI	1
FRAVCNI	1
~CNI	2
PRUMAΘNI	1
AMΘNI	2
SEMΘNI	3
ARNΘNI	1
EPRΘNI	1
ENI	1
CAPENI	1
CEPENI	1
RENI	1
CERENI	1
PEΘERENI	4
HERENI	1
MUTENI	2
VENI	1
MULVENI	1
IZENI	1
ALFNI	7
HUFNI	1
CAINI	10
ANAINI	4
PUPAINI	1
ATAINI	2
LESCINI	1
LAUCINI	1
LUCINI	1
EINI	1
ANEINI	7
AVEINI	2
VELXEINI	2
ALFINI	1
VELINI	1
ZILINI	1
CAUSLINI	1
CAUŚLINI	1
MINI	18
URSMINI	1
ANINI	1
AMNINI	1
PRUNINI	1
SAPINI	1
VIPINI	1
ULPINI	1
CARINI	1
QANRIΘERINI	1
HERINI	19
ΘANAHERINI	1
~HERINI	2
HEIRINI	1
UMRINI	1
MURINI	1
PURINI	1
SAUTURINI	3
PUCSINI	1
CALISINI	1
VUISINI	3
ΘREMSINI	1
MUMSINI	1
ATINI	1
LATINI	33
VATINI	2
VELXATINI	5
CANTINI	1
LECSTINI	2
LECSUTINI	1
TUTINI	1
PRUINI	1
KAVINI	1
LIVINI	1
PAZINI	1
ΘAŚINI	1
FANAKNI	1
ACLNI	1
VELNI	2
ZILNI	1
RAPLNI	3
MASLNI	1
PATLNI	2
TITLNI	2
AULNI	6
CULNI	1
FULNI	6
TITULNI	1
AVULNI	1
UXULNI	1
AMNI	2
HEMNI	1
REMNI	3
SEMNI	1
ZEMNI	1
HEIMNI	3

ULTIMNI	1
ARMNI	3
ΘURMNI	1
CUMNI	9
LAXUMNI	1
LUXUMNI	1
ANNI	1
CUINNI	1
~NNI	1
CAPNI	1
PAPNI	3
CNEPNI	2
CREPNI	3
HUPNI	1
SUPNI	4
ANCARNI	2
LARNI	3
MLAΘCEMARNI	1
SEΘRNI	4
LERNI	1
STEPRNI	6
PETRNI	5
SETRNI	1
PURNI	13
SERTURNI	1
PVRNI	1
NUZRNI	3
CASNI	13
MASNI	1
CALISNI	5
LARISNI	1
UISNI	1
LAUXMSNI	1
INSNI	1
VERSNI	3
VELTSNI	1
RUTSNI	1
MATAUSNI	2
TISCUSNI	2
CATNI	1
LATNI	7
TATNI	1
TETNI	1
VETNI	1
ΘITNI	1
TUMILTNI	1
TUMLTNI	1
SEMTNI	1
ANTNI	1
ARNTNI	23
ARTNI	6
UTNI	1
AUTNI	1
LAUTNI	69
LAULAUTNI	1
~LAUTNI	2
LUTNI	1
TUTNI	2
LAVTNI	5
AULśTNI	3
AULUśTNI	1
~TNI	1
UNI	3
FRAUNI	4
UTAUNI	1
ΘUNI	3
AΘUNI	1
LUNI	1
ALUNI	2
FELUNI	1
APLUNI	4
SUPLUNI	1
AULUNI	1
ΘULUNI	1
FULUNI	1
HULUNI	1
AMUNI	1
APUNI	2
TLAPUNI	3
TREPUNI	1
~TREPUNI	1
PUMPUNI	6
PUPUNI	1
VARUNI	1
PLAΘRUNI	1
SAMERUNI	1
PATRUNI	2
PETRUNI	25
VETRUNI	1
ΘURUNI	1
PURUNI	2
CVLSUNI	1
FATUNI	2
LATUNI	1
~ATUNI	1
VETUNI	1
LAUTUNI	1
XUNI	1
AXUNI	8
ICEUśUNI	1
AXNI	1
FRAUXNI	1
ZUXNI	1
ARZNI	2
CAśNI	1
HEśNI	1
ARUśNI	1
CRUśNI	1
N§§§§NI	1
~NI	3
TITOI	1
PI	3
API	2
CAPI	5
FAPI	1
KAPI	1
CALAPI	1
TREPI	6
SEPI	1
MIPI	1
MINIPI	2
VIPI	60
~IPI	1
MINPI	1
RPI	1
CUSPI	1
CVSPI	1
CUPI	1
PUPI	1
RI	1
ACARI	2
ANCARI	15
~CARI	1
LEΘARI	6
LARI	6
MARI	1
NARI	1
FARARI	1
ΘANURARI	1
ESARI	1
UIESARI	1
HETARI	1
VARI	3
AXARI	1
~ICEXARI	1
ACRI	1
MACRI	1
SACRI	1
PISCRI	1
LAUCRI	1
śUCRI	1
VELAΘRI	6
śELVAΘRI	1
EΘRI	1
VELΘRI	1
ΘUCERI	1
NUNΘERI	5
SACNICLERI	1
śACNICLERI	8
MELERI	2
FUśLERI	1
MANIMERI	1
HERMERI	1
MEΘLUMERI	1
NERI	3
CEXANERI	2
TINERI	1
CAPERI	3
FLERERI	1
śPURERI	9
SERI	1
ARUSERI	2
ATERI	1
ETERI	11
LAUTNETERI	1
LAUTN§ETERI	1
LAUTERI	2
HUTERI	1
ZERI	6
ΘEZERI	3
~ERI	1
ΘEFRI	1
SEFRI	1
CIRI	2
FANIRI	2
~IΘAMRI	1
AXAPRI	1
ΘEPRI	2
PERPRI	5
CASPRI	3
SUPRI	1
ARRI	2

LARSTI	2
LAURSTI	2
HAUSTI	1
LECUSTI	1
CLEUSTI	2
SALUSTI	1
TUSTI	1
CLEVSTI	1
~STI	1
LAUTI	4
PLAUTI	2
CUCUTI	1
PIUTI	2
SNUTI	1
PRUTI	1
SUTI	3
TUTI	1
TITUTI	1
MAZUTI	1
LAVTI	1
SNVTI	1
RAXTI	1
VARXTI	1
FALŚTI	1
CRAPŚTI	5
TUŚTI	1
~TI	1
UI	2
FACUI	2
SECUI	5
VECUI	2
CICUI	1
CENCUI	2
~CUI	1
ΘUI	33
~ΘUI	1
HUI	1
IUI	2
PITIUI	1
CEMTIUI	1
UCALUI	1
VELUI	6
VATLUI	1
~FULUI	1
TRAZLUI	1
~LUI	1
FELMUI	1
NUI	1
LENUI	1
CUINUI	1
CUNUI	1
LAVTUNUI	1
ETUŚNUI	1
PUI	1
PAPUI	1
PUMPUI	12
PUNPUI	1
PUPUI	1
ACARUI	1
ANCARUI	1
FARUI	1
APATRUI	1
PETRUI	30
PEITRUI	1
PTRUI	1
VELΘURUI	2
MASUI	1
RESUI	1
LUVISUI	1
HELSUI	1
CARSUI	1
HUSUI	1
TUI	3
PATUI	1
SCETUI	1
PETUI	3
RETUI	1
VETUI	8
TITUI	4
SPANTUI	1
MUTUI	1
AXUI	1
REZUI	1
HELZUI	1
VELŚUI	1
~UI	2
VI	19
AVI	2
~ΘAVI	1
ΦLAVI	1
TAVI	1
UTAVI	1
MLEVI	1
CNEVI	2
TIVI	1
XIVI	1
IARZISMALVI	1
ŚALVI	8
TARXIŚALVI	1
IARZISŚALVI	1
SERVI	1
PETVI	6
VLTVI	1
SALUVI	1
NUVI	1
PETUVI	1
ΘANXVI	1
CTZVI	1
ΦVI	1
~VI	1
~EXI	1
VELXI	2
TARXI	4
ZI	3
ZIAZI	1
MUCEZI	1
ΘEZI	3
VEZI	2
CIZI	1
VEIZI	3
LARTLIZI	1
LARTIZI	1
CANZI	1
SEIANZI	1
MUTZI	1
HOLAIVZI	1
MENAXZI	1
NURΦZI	1
FAŚI	1
CLENARAŚI	1
PRECUΘURAŚI	1
FALZAŚI	1
EŚI	4
HIRSUNAIEŚI	1
VETIEŚI	1
CALEŚI	1
AULEŚI	2
LICINEŚI	1
PETEŚI	1
TITEŚI	1
~VEIŚI	1
FELIŚI	1
VUIŚI	1
ALŚI	1
CULŚANŚI	1
CLENŚI	3
TINŚI	9
ELSŚI	1
ENICUŚI	1
~UKUŚI	1
SULUŚI	1
ŚUVLUŚI	1
PETRUŚI	1
~I	8
VELIAK	1
L	157
AL	3
PIUTAAL	1
CAL	5
AFRCAL	1
ERUCAL	1
SALTUCAL	1
AΘAL	1
LAΘAL	5
ARAΘAL	1
IΘAL	2
ΘUPLΘAL	1
ARNΘAL	95
LARNΘAL	1
~ARNΘAL	2
ARΘAL	8
LARΘAL	87
~LARΘAL	1
~RΘAL	1
~ΘAL	1
CAEAL	1
LUSCEAL	1
UMIΘEAL	1
LANΘEAL	1
ARNΘEAL	2
LARΘEAL	3
ARNTHEAL	1
PETKEAL	1
VELEAL	1
~RMEAL	1
VELΘINEAL	1
CEINEAL	1
PATINEAL	1
MELNEAL	1
LAXUMNEAL	1
CEIΘURNEAL	1
ACSNEAL	1

VELTSNEAL	1	ARUNΘIAL	1	MUSENIAL	1	MURUNIAL	1
CUTNEAL	1	LARΘIAL	28	AITENIAL	1	TUNIAL	1
ARZNEAL	1	~LARΘIAL	1	CINIAL	1	ATUNIAL	1
HELVEREAL	2	APURΘIAL	2	SEINIAL	1	VETUNIAL	1
TITEAL	4	CAUΘIAL	1	ANINIAL	1	CUTUNIAL	1
IAL	1	~ΘIAL	1	SUΘRINIAL	1	MAŚNIAL	1
CAIAL	26	VELEIAL	2	ERINIAL	1	HAMΦNIAL	1
ARCAIAL	1	SEIAL	1	HERINIAL	13	VIPIAL	13
TETIAIAL	1	TITEIAL	1	SPURINIAL	1	~VIPIAL	1
PINAIAL	1	RAFIAL	1	SAUTURINIAL	2	ANCARIAL	2
VIŚNAIAL	1	ALFIAL	4	PACSINIAL	1	CNARIAL	2
XAIAL	1	RAUFIAL	1	FATINIAL	1	SACRIAL	1
VEACIAL	2	RUFIAL	1	LATINIAL	24	NACERIAL	2
VIACIAL	1	CAIIAL	2	STATINIAL	1	LEΘERIAL	1
CRACIAL	1	~NIΘIIAL	1	VATINIAL	2	HERIAL	1
HERACIAL	2	ATIIAL	1	CASNTINIAL	1	CALERIAL	1
CREICIAL	1	TATIIAL	1	CASUNTINIAL	1	NAVERIAL	2
SUEICIAL	1	RAPALIAL	2	ARTINIAL	3	HELVERIAL	1
ΘURICIAL	2	PEZACLIAL	1	AXUNIARTINIAL	1	SEFRIAL	1
FELCIAL	1	FELIAL	1	HURTINIAL	1	CASPRIAL	5
VELCIAL	3	HELIAL	12	AUINIAL	1	~CASPRIAL	1
LUNCIAL	2	METELIAL	4	ALNIAL	2	ALSRIAL	1
LARCIAL	5	HLIAL	1	UCLNIAL	1	SATRIAL	1
MARCIAL	3	TRILIAL	1	CUCLNIAL	2	CURIAL	4
VESTRCIAL	1	RAPLIAL	2	CUMLNIAL	1	VELΘURIAL	1
FNESCIAL	1	VIPLIAL	1	FULNIAL	1	MURIAL	1
VISCIAL	1	VITLIAL	1	ULTIMNIAL	3	SERTURIAL	1
LAUCIAL	1	CEZRTLIAL	2	ARMNIAL	1	ŚERTURIAL	4
FNIŚCIAL	1	CERISTLIAL	2	PARMNIAL	1	ASIAL	1
LUMŚCIAL	1	AULIAL	2	~NUMNIAL	1	CASIAL	1
VEIAΘIAL	1	HERMIAL	5	LAXUMNIAL	1	FALASIAL	1
LAΘIAL	4	SEHTUMIAL	1	SCATRNIAL	1	VAMALASIAL	1
PERPRAΘIAL	1	ANIAL	2	PETRNIAL	1	CAPRASIAL	1
LEΘIAL	10	MARICANIAL	1	SURNIAL	1	HELVASIAL	1
VELEΘIAL	1	VIEANIAL	1	CASNIAL	1	ACSIAL	1
VENEΘIAL	1	VEANIAL	1	PACSNIAL	1	ACESIAL	1
PEIΘIAL	3	VELANIAL	2	CALISNIAL	1	HEΘESIAL	1
AMRIΘIAL	3	PATISLANIAL	1	ŚATNIAL	1	ALESIAL	1
CUSIΘIAL	1	MANIAL	1	ARTNIAL	1	UELESIAL	1
LATIΘIAL	4	CURANIAL	1	PEVTNIAL	1	VELESIAL	1
SEITIΘIAL	1	CAPEVANIAL	1	UNIAL	7	VLESIAL	1
VELΘIAL	1	MASVANIAL	1	AUNIAL	1	MESIAL	1
ULΘIAL	2	VESTRCNIAL	1	MACUNIAL	1	IEPESIAL	1
ARANΘIAL	1	VEΘNIAL	1	TRAZLUNIAL	2	HUPESIAL	1
SENΘIAL	1	AMΘNIAL	3	NUNIAL	4	VESIAL	3
HINΘIAL	3	~ΘNIAL	1	APUNIAL	3	NAVESIAL	2
VELNΘIAL	2	MENENIAL	1	PUMPUNIAL	3	AHSIAL	2
ARNΘIAL	18	RUPENIAL	1	SAMERUNIAL	1	CEISIAL	1

VUISIAL	3
VELSIAL	6
NEMSIAL	1
MARSIAL	1
REUSIAL	1
TIAL	1
ATIAL	6
SEATIAL	1
FATIAL	1
CAFATIAL	6
CAHATIAL	1
SEIATIAL	3
LATIAL	1
MEFANATIAL	1
ECNATIAL	1
MEHNATIAL	1
FELCINATIAL	2
MINATIAL	1
URINATIAL	7
VRINATIAL	1
ATINATIAL	3
PETINATIAL	2
SENTINATIAL	3
HELVINATIAL	1
HEIZUMNATIAL	1
HELZUMNATIAL	1
CARPNATIAL	2
AXRATIAL	1
SATIAL	2
VATATIAL	1
LETIAL	2
VENETIAL	1
TETIAL	2
VETIAL	9
VELCITIAL	1
LAΘITIAL	2
HARPITIAL	1
VELΘRITIAL	1
TITIAL	52
SEIANTIAL	11
CLANTIAL	5
SENTIAL	3
PRESNTIAL	4
APRUNTIAL	1
~NTIAL	1
~ARTIAL	1
PRESTIAL	1
LARISTIAL	1
LARSTIAL	4
LAURSTIAL	2
REUSTIAL	1
PLAUTIAL	7
PIUTIAL	1
PLUTIAL	1
PEVTIAL	1
FULUIAL	1
FELMUIAL	5
VENUIAL	1
PUIAL	1
PETRUIAL	1
SVEITUIAL	1
RANAZUIAL	3
AVIAL	1
CAVIAL	1
FLAVIAL	1
UHTAVIAL	3
LEVIAL	1
CNEVIAL	3
ŚALVIAL	3
PETVIAL	2
~TVIAL	1
UVIAL	1
VEZIAL	1
VEIZIAL	3
~IAL	1
LAL	2
SULAL	1
EMAL	1
LAUSUMAL	1
NAL	1
LARCANAL	1
ΘANAL	1
LEΘANAL	1
VELIΘANAL	1
ARKANAL	1
VELANAL	1
SETMANAL	2
ANANAL	1
EINANAL	1
PUMPANAL	1
UMRANAL	4
VETANAL	3
CULTANAL	1
AUNTANAL	1
CUUTANAL	1
~TANAL	1
~ANAL	1
CACNAL	1
FANACNAL	1
CRACNAL	1
FRACNAL	1
LEPRECNAL	1
VESTRECNAL	1
CEICNAL	4
REICNAL	2
APICNAL	1
SAPICNAL	1
CENCNAL	1
CARCNAL	1
LARCNAL	8
MARCNAL	15
VESCNAL	3
PUISCNAL	1
UCNAL	1
FRAUCNAL	2
PVCNAL	1
LUVCNAL	1
ΘNAL	1
CAΘNAL	1
PRUMAΘNAL	3
SAΘNAL	1
ALEΘNAL	1
VELEΘNAL	1
PEΘNAL	12
CUEΘNAL	1
CVEΘNAL	3
PEIΘNAL	1
VELΘNAL	1
VENΘNAL	1
APRΘNAL	1
AUΘNAL	1
VIPENAL	1
METENAL	1
ALFNAL	8
PULFNAL	11
PARFNAL	1
PULUFNAL	2
CAINAL	50
VECAINAL	1
~CAINAL	1
ANAINAL	13
PUPAINAL	1
SAINAL	1
ATAINAL	7
VELXAINAL	1
PACINAL	2
LAUCINAL	3
LAVCINAL	1
VELΘINAL	1
SMINΘINAL	1
ŚMINΘINAL	2
CACEINAL	2
ANEINAL	9
APEINAL	2
SEINAL	1
ŚVEINAL	1
ŚALINAL	4
ACLINAL	1
MECLINAL	1
RUFLINAL	1
CAILINAL	1
VILINAL	3
VILLINAL	1
PUPLINAL	4
ANINAL	3
CANINAL	1
MANINAL	1
APINAL	2
TREPINAL	3
~EPINAL	1
VIPINAL	36
VIVIPINAL	1
Θ§MURIA§VIPINAL	1
VPINAL	1
LARINAL	1
LETARINAL	1
VARINAL	1
VELΘRINAL	1
ΘERINAL	1
HERINAL	1
UMRINAL	1
CAPRINAL	3
ΘEPRINAL	1
MUΘURINAL	1
MURINAL	4
SPURINAL	3
~RINAL	1
VELXASINAL	1
PUCSINAL	3
~MESINAL	1
STESINAL	1
~AISINAL	1

CEISINAL 1
VUISINAL 6
ALSINAL 1
VELSINAL 2
ULSINAL 1
NUMSINAL 4
ΘANSINAL 2
SUSINAL 1
ATINAL 2
STATINAL 1
VELXATINAL 3
TETINAL 11
VETINAL 2
HARPITINAL 1
ANTINAL 1
SENTINAL 1
LECSTINAL 1
SECSTINAL 1
VINAL 2
MULEVINAL 1
NUVINAL 1
~INAL 1
~ΘSINAVELXALNAL 1
ACLNAL 2
MEΘLNAL 1
MΘLNAL 1
VELNAL 2
KILNAL 1
PLNAL 1
SEPLNAL 1
PUPLNAL 1
śUPLNAL 1
VETLNAL 1
AULNAL 4
SEPULNAL 1
AMNAL 1
CRAMNAL 1
FREMNAL 1
ZEMNAL 1
UTIMNAL 1
ARMNAL 1
ΘURMNAL 2
URSMNAL 1
SEHTMNAL 1
TECUMNAL 1
NUMNAL 1
SETUMNAL 1
RESTUMNAL 2

CAPNAL 5
TLAPNAL 1
SAPNAL 1
CENEPNAL 1
PUMPNAL 2
CAUPNAL 1
ARNAL 1
CARNAL 6
ANCARNAL 1
LARNAL 2
TARNAL 1
VARNAL 8
~ARNAL 1
SEΘRNAL 3
PERNAL 1
HAPIRNAL 1
VELRNAL 1
FREMRNAL 4
LEPRNAL 2
STEPRNAL 1
PETRNAL 3
SETRNAL 1
SCURNAL 1
VELΘURNAL 3
PURNAL 9
~PURNAL 1
śERTURNAL 3
XURNAL 4
PVRNAL 1
NAXRNAL 1
~RNAL 1
RASNAL 1
PATACSNAL 1
TLESNAL 11
LUESNAL 1
CALISNAL 5
VELISNAL 1
TRISNAL 2
CETISNAL 1
UTISNAL 1
RAΘMSNAL 1
PERCUMSNAL 3
RAΘUMSNAL 4
SCANSNAL 1
CUPSNAL 1
PETSNAL 2
VELTSNAL 1
MATAUSNAL 1

TISCUSNAL 2
HELUSNAL 2
VELUSNAL 1
NATINUSNAL 1
ALXUSNAL 2
ATNAL 3
ECNATNAL 1
VENATNAL 2
UNATNAL 1
SATNAL 4
TATNAL 1
ATATNAL 1
TEVATNAL 1
śATNAL 1
SESCTNAL 1
ALETNAL 1
PETNAL 1
TRETNAL 1
TETNAL 1
VETNAL 3
ZETNAL 1
VELITNAL 1
XERITNAL 3
CISVITNAL 1
ARNTNAL 9
AUNTNAL 1
TUCUNTNAL 1
APRTNAL 1
CESTNAL 1
SVESTNAL 1
XVESTNAL 1
~ESTNAL 1
LARISTNAL 1
LAURSTNAL 1
HUSTNAL 2
CUTNAL 5
FUTNAL 2
MELUTNAL 2
TUśNUTNAL 1
SUTNAL 1
TUTNAL 34
FRAUNAL 3
UTAUNAL 2
CUNAL 1
SECUNAL 1
~UCUNAL 1
~INΘUNAL 1
SUΘUNAL 2

LEUNAL 3
AFUNAL 3
CALUNAL 2
FULUNAL 2
AΘUNUNAL 1
APUNAL 1
PUMPUNAL 1
CURUNAL 1
XURUNAL 1
AISUNAL 1
ANTEISUNAL 1
VELśUNAL 1
FRAVNAL 1
VRAVNAL 1
CNEVNAL 1
AXNAL 1
ZIXNAL 2
ZUXNAL 3
CAZNAL 1
PAPAZNAL 1
VELCZNAL 2
EZNAL 1
FELZNAL 1
VELZNAL 2
FLZNAL 1
REMZNAL 10
UCUMZNAL 5
MENZNAL 2
CAPZNAL 3
CRAUPZNAL 1
ARZNAL 2
LARZNAL 2
NUFRZNAL 1
VELAśNAL 1
RAśNAL 1
FELśNAL 1
VELśNAL 1
~SUśNAL 1
HAMΦNAL 2
~NAL 4
VELARAL 2
śAΘRAL 1
NUMΘRAL 1
PRENΘRAL 4
PETRAL 1
VETRAL 1
CLTRAL 1
FLENTRAL 1

ΘURAL	1	ALSUAL	1	CIL	1	VISL	1
VEΘURAL	1	CALATUAL	1	ACIL	14	CULSL	1
SPURAL	2	VETUAL	4	VACIL	10	SELVANSL	2
śPURAL	5	śANTUAL	1	ΘIL	2	~ANSL	1
VELXURAL	1	MUTUAL	1	SUΘIL	2	CILENSL	1
UELXRAL	1	AXUAL	2	śUΘIL	1	NEΘUNSL	5
SAL	4	HLZUAL	1	ALFIL	1	VIPSL	1
LASAL	1	~śUAL	1	HIL	1	HUSL	1
VECSAL	1	CILΘCVAL	1	MIL	1	LUSL	1
CESAL	1	PATVAL	1	CIANIL	1	TL	1
CAZESAL	1	PUMPUVAL	1	RIL	59	VATL	1
LISAL	1	LUPUVAL	1	ACRIL	1	METL	1
CUTLISAL	1	EUAXAL	1	SERIL	2	LTL	1
NAULISAL	2	ZAL	7	KATEKRIL	1	NAMULTL	1
NAVLISAL	1	VEZAL	1	~RIL	3	UL	1
ARISAL	3	ARNZAL	1	ASIL	1	AUL	10
LARISAL	47	śAL	1	PANΘSIL	1	CAUL	1
PERISAL	1	NUFRZśAL	1	USIL	1	CUL	1
NATISAL	1	~AL	8	PUIL	2	MLESCUL	1
LECETISAL	3	CL	2	AVIL	19	HEUL	1
METUSAL	1	VACL	21	ΘANCVIL	1	FUL	2
VETUSAL	5	SCL	1	TINSCVIL	5	HUL	1
LATAL	1	AΘL	3	ΘANUCVIL	1	śIXACIIUL	1
VENATAL	1	LAΘL	2	INśCVIL	1	MUL	1
ITAL	1	MAΘL	1	TINśCVIL	4	CEMUL	1
SVEITAL	1	EΘL	1	ΘANXUVIL	1	PUL	5
LARTAL	1	CILΘL	9	ΘANAXVIL	1	SUL	1
FACUAL	1	ΘUNXULΘL	1	ΘANEXVIL	1	VISUL	1
~IPECUAL	1	ANΘL	1	ΘANXVIL	14	LEΘAMSUL	6
CENCUAL	3	ARNΘL	1	ZIL	2	FUFLUNSUL	1
CINCUAL	2	ARΘL	1	~IL	1	TUL	20
ANΘUAL	2	LARΘL	2	CANL	1	LAREZUL	2
VELCIALUAL	1	EL	2	PEPANL	1	KAΘUNIIAśUL	1
TREPALUAL	1	CEL	1	ZANL	1	VL	222
CELTALUAL	1	HEL	1	~ANL	1	CVL	1
VELUAL	8	CLEL	2	CNL	3	EVL	1
TRAZLUAL	2	~LEL	1	MARCNL	1	MEXL	1
RUCIPUAL	1	VENEL	4	ANAINL	1	ZL	1
PUMPUAL	10	NTURKESEL	1	TUTNL	1	CERURAZL	1
PUNPUAL	1	CRUSEL	1	HURAZNL	1	LARZL	2
PUPUAL	2	UEL	2	~NL	1	TUZL	1
ANCARUAL	2	VEL	249	OL	1	śELVAśL	1
FARUAL	1	ΘANAXVEL	1	EPL	1	NEśL	4
THOCERUAL	1	śVEL	1	ΦISPL	1	MARIśL	1
APATRUAL	1	~VEL	1	LASL	1	SIANśL	1
PETRUAL	20	FL	1	NESL	3	śELANśL	1
VETRUAL	1	HL	1	MARISL	2	SANśL	2
HESUAL	1	MORINAIL	1	VETISL	1	KLANINśL	1

CLEUSINŚL	1
MUANTRNŚL	1
NEΘUNŚL	3
PŚL	2
MURŚL	1
~L	14
M	5
AM	1
~ELΘAITECΘAM	1
LEΘAM	1
PUIAM	1
~PUIAM	1
LAM	1
~ANLAM	1
ΘNAM	1
VELΘINAM	1
CALATNAM	1
ETNAM	42
VACLTNAM	3
CNTNAM	2
SUNTNAM	1
PUTNAM	1
CLETRAM	9
CNTRAM	1
MATAM	3
EITAM	1
CEXAM	1
LARΘIALIŚAM	1
~AM	1
XIMΘM	3
CLANTEUCEM	1
LEŚCEM	1
PURUHEM	1
CIEM	2
~EIEM	1
PAINIEM	1
XIEM	1
ESLEM	5
ΘUNXULEM	1
RANEM	1
ΘUNEM	5
REM	1
MAREM	1
ACNESEM	1
LETEM	1
MELETEM	1
SVEM	2
CAΘNAIM	1
CIM	1
CEIΘIM	1
EIM	4
MANIM	1
TIURIM	8
TESIM	5
ATIM	1
CAITIM	1
PLUTIM	1
XIM	5
~ASILM	1
VINM	1
TOVEROMAROM	1
NAEPIRM	1
PAIVEISM	1
ACRIALSM	1
TM	1
UCNTM	1
UM	1
NACUM	2
TECUM	1
CELUCUM	1
MUCUM	2
AΘUM	1
AVΘLEΘAIUM	1
ΘUIUM	1
ARNΘIALUM	1
CLALUM	1
MEΘLUM	2
PULUM	1
MEXLUM	1
NUM	2
CAΘINUM	1
TRINUM	3
MUTINUM	1
VINUM	15
UNUM	2
PUM	1
LUPUM	1
ZAΘRUM	1
LEITRUM	1
CERURUM	1
AXRUM	1
CISUM	12
VERSUM	1
VELUSUM	4
RATUM	2
PURATUM	1
AINPURATUM	1
HETUM	5
QUTUM	1
TRUTUM	1
ΘUNXUM	1
LUXUM	1
PRUXUM	2
ŚUM	1
CEŚUM	1
IŚUM	1
~UM	2
VM	1
XM	1
MARAΨM	1
~M	1
N	8
AN	20
CAN	1
LESCAN	1
ΘAN	9
FARΘAN	4
PUIIAN	1
TINIAN	1
CLAN	108
PUMPUALCLAN	1
~CLAN	2
KLAN	4
UCRISLAN	1
PATISLAN	1
MAN	3
APAN	1
ALPAN	7
PERPRAN	1
TURAN	2
ΘESAN	6
TAN	1
MATAN	2
ETAN	1
ITAN	1
CAPUAN	1
SELVAN	1
TEZAN	4
CN	3
MACN	1
ECN	7
ŚACNICN	1
ANCN	1
CENCN	1
LARCN	1
CELUCN	5
ΘN	4
PRUŚAΘN	1
LEΘN	2
ALEΘN	1
SALΘN	1
ŚALΘN	1
RENΘN	2
PURUΘN	2
LAVΘN	1
EN	4
CEN	1
APERUCEN	1
NUNΘEN	13
ŚEUCNUNΘEN	1
HEN	2
CEHEN	2
CLEN	3
CILEN	1
ΘILEN	1
PEN	1
CEPEN	12
CIPEN	2
CEREN	4
SREN	1
SEN	2
TIMSEN	1
TEN	1
USTEN	1
VEN	1
MEHN	1
IN	16
CAIN	1
~MAIN	1
LECIN	3
HINΘΘIN	1
HANΘIN	2
NUΘIN	1
~RSUΘIN	1
EIN	5
~NEIN	1
INPEIN	1
TISEIN	1
ZIZRIIN	1
LIN	1
ŚALIN	1
ŚCANIN	4

Word	Count	Word	Count	Word	Count	Word	Count
CUR	2	CAΘAS	2	ESETUNIAS	1	HERCNAS	1
ΘUR	1	RAMAΘAS	2	VIPIAS	1	VERCNAS	1
CUCRINAΘUR	1	TEΘAS	1	HETARIAS	1	MURCNAS	1
ΘUŚAΘUR	1	AIΘAS	1	CAPRIAS	1	HESCNAS	2
CEXASIEΘUR	1	SVALΘAS	1	METRIAS	1	PAPAΘNAS	1
VIPIΘUR	1	ΘUFLΘAS	2	PLAVTRIAS	1	ALEΘNAS	6
UXTIΘUR	1	RAMΘAS	14	VELΘURIAS	1	PEΘNAS	1
VELΘUR	17	TENΘAS	4	EUPURIAS	1	APRΘNAS	1
~LΘUR	1	ZILAXNΘAS	1	SIAS	1	CUΘNAS	1
ARANΘUR	1	CAUΘAS	1	ASIAS	1	ENAS	1
ARNΘUR	1	RAMUΘAS	1	ARUSIAS	1	~VELERKACENAS	1
UΘUR	1	RAVΘAS	1	VETIAS	1	LARECENAS	1
AFUR	1	CURIEAS	1	TITIAS	2	ATECENAS	1
HUSIUR	1	AVILEAS	1	SEIANTIAS	1	~VERCENAS	1
LUR	1	RASNEAS	1	CAUTIAS	1	PRUSCENAS	1
MUR	1	LUPEAS	1	MUTIAS	1	VINUCENAS	1
PANUR	1	SUΘUEAS	1	SCEVIAS	1	ARAΘENAS	1
TUNUR	1	FAS	1	AKAS	1	PURUHENAS	1
NICIPUR	1	VELCAIAS	1	MLAKAS	2	VELΘIENAS	1
NEIPUR	1	~AIAS	1	LAS	1	ŚUΘIENAS	2
UPUR	1	STACIAS	1	VELEΘNALAS	1	ANIENAS	1
SUR	1	MARCIAS	1	RANATIELAS	1	SPURIENAS	1
ΘANSUR	4	VISCIAS	1	~ISELAS	1	ΦLAVIENAS	1
TUR	3	PEΘIAS	1	RAMAITELAS	1	AXILENAS	1
ATUR	1	LARΘIAS	2	VELAS	1	PULENAS	3
SPLATUR	1	FREIAS	1	PLAS	1	STRAMENAS	1
METUR	1	PURIIAS	2	PUPLAS	1	TUCMENAS	1
TITUR	1	CALIAS	1	SNENAZIULAS	2	HERMENAS	1
UELTUR	2	MARALIAS	1	CAMAS	1	~HERMENAS	1
SPLTUR	1	UΦALIAS	1	ARMAS	1	NUMENAS	1
SERTUR	3	VELELIAS	3	NAS	1	RITUMENAS	1
ZERTUR	1	VIPLIAS	1	HESCANAS	5	APENAS	3
NESTUR	1	AULIAS	4	ΘANAS	4	ΦAPENAS	1
HUŚUR	1	PULIAS	1	VILIANAS	1	VIPENAS	3
MAVR	1	AVLIAS	1	KARKANAS	2	KALAPRENAS	1
IXUTEVR	1	LAUCANIAS	1	AMANAS	1	PLASENAS	1
TIVR	1	ΘANIAS	1	VIPINANAS	3	PLAISENAS	1
NEPVR	1	CUISLANIAS	1	ŚATANAS	1	TARXVETENAS	1
VAXR	2	MANIAS	1	PLAVTANAS	1	ENTENAS	1
ACAZR	1	SVENIAS	1	ESVANAS	1	FERIIANEZINACENTENAS	1
~R	7	NURZINIAS	1	VELXANAS	1	LENTENAS	1
S	31	CICUNIAS	1	~ELZANAS	1	VHULUENAS	1
AS	2	VESCUNIAS	1	CECNAS	1	CAVENAS	1
CAS	1	CICIUNIAS	1	CAICNAS	2	LAIVENAS	1
ACAS	2	NURZIUNIAS	1	CEICNAS	2	VHULVENAS	1
PICAS	1	APLUNIAS	1	RCNAS	1	MULVENAS	1
MANCAS	1	SINUNIAS	1	LARCNAS	1	ZELARVENAS	1
TURMUCAS	1	HISUNIAS	1	TARCNAS	1	ZERLARVENAS	1

~CAAIES	1
NUMCLAIES	1
~AUVCIES	1
LARΘIES	1
IENEIES	1
SEIES	2
RUVFIES	1
LUVCIIES	1
VELIIES	1
ANIIES	1
IENIIES	1
~NIIES	1
ΘVEΘLIES	1
TREΘELIES	1
TVEΘELIES	1
RACVANIES	1
PACNIES	1
LECNIES	1
VESTARCNIES	1
HAVRENIES	2
LEINIES	3
VIPINIES	1
CEISINIES	2
LATINIES	2
CUCLNIES	3
SEMNIES	1
VELARNIES	2
VARNIES	2
SXAΘRNIES	1
NEVRNIES	1
TETNIES	4
APUNIES	1
CUPESCARPUNIES	1
TUNIES	1
TARXUNIES	1
SEPIES	1
ACRIES	1
ERIES	1
NAVERIES	1
ΘAMRIES	1
APRIES	3
PETRIES	1
SPURIES	2
~SRUVRIES	1
CAISIES	1
KAISIES	1
URAISIES	1
ΘANURSIES	1

LAUXUSIES	1
ATIES	2
SATIES	3
METIES	1
LARΘŚPEISETIES	1
TETIES	1
ULTIES	1
SENTIES	1
CNEVIES	1
PAXIES	1
AREUIZIES	1
VUVZIES	1
~IES	1
LES	2
AUVILESIALES	1
MARALES	1
TELICLES	1
SICLES	1
HERCLES	1
XURCLES	1
VELΘURUSCLES	1
PATRUCLES	1
CELES	1
PERECELES	1
AVELES	3
UŚELES	3
AFLES	3
ARNTILES	2
AVILES	4
UPLES	1
TITLES	1
AULES	10
PULES	1
TULES	1
AVLES	7
XURXLES	2
MES	1
SETUMES	1
LAXUMES	1
LAUXUMES	1
LAUXMES	1
~MES	1
ANES	4
LAZIVEIANES	5
MACAPIIANES	1
STALANES	2
STATLANES	3
CRANES	1

CAPEVANES	1
SECNES	1
SAVCNES	2
VIPIΘENES	1
EIZENES	2
ΘEVRUMINES	1
AVINES	1
ARMNES	2
~LPNES	1
TARNES	1
CLESNES	1
LAUTNES	1
TUNES	1
FULINUŚNES	1
VIPES	1
CAMPES	1
CUPES	1
ΘUPES	1
MAMACRES	1
FALAΘRES	1
ŚEΘRES	6
FLERES	5
~FLERES	1
CUMERES	1
CIRES	1
SCIRES	1
APIRES	1
ΘAMRES	1
CASPRES	2
SETRES	1
ŚPUREŚTRES	1
PURES	1
CUPURES	1
ESES	1
CEISES	2
SUSES	1
ATES	1
LECATES	2
CAFATES	3
PANIATES	1
KAVIATES	1
RUMATES	1
SENTINATES	6
HIPUCRATES	1
VETES	1
ΘUPITES	1
TITES	4
PRESNTES	1

SURTES	1
STES	1
NASTES	2
XESTES	1
CLEUSTES	1
PLAUTES	1
TUTES	6
EVTES	1
CEZTES	1
~TES	1
VES	1
UHTAVES	2
ΦAVES	1
MATVES	1
HVULUVES	2
VELXES	1
ANXES	1
VUIZES	1
PURZES	1
AΦES	2
~ES	4
FS	1
~IŚMEΘUMFS	1
HS	1
AIS	2
LAIS	1
HIRINIIARAIS	1
ETERAIS	1
TURZAIS	1
CIS	2
AΘIS	1
ZILAXNΘIS	1
EIS	2
VICEIS	2
SAVLASIEIS	1
NEIS	1
ATNEIS	1
CATNEIS	1
TEIS	1
TUTEIS	1
CUVEIS	1
FAŚEIS	1
RAFIS	7
HIS	2
~VARNALIS	1
ŚALIS	1
LAΘLIS	1
LARΘLIS	1

PUPUS	1
śUPUS	1
EZPUS	2
RUS	1
LARUS	1
ERUS	1
ΘUCERUS	1
VENERUS	1
APIATRUS	1
PETRUS	3
URUS	1
VEΘ'URUS	1
VELΘURUS	14
LARΘURUS	1
FANURUS	1
CATURUS	1
KALATURUS	1
VELTURUS	1
SERTURUS	3
~RUS	1
SUS	2
ΦESUS	2
CALISUS	3
LENSUS	1
HERSUS	1
ARNTSUS	1
CLEVSUS	1
VETUS	3
SVEITUS	2
HALTUS	1
PULTUS	1
SPANTUS	1
UTUS	1
CUTUS	1
MUTUS	1
SUTUS	1
~TUS	1
KRUTPUUS	1
HIVUS	2
ARVUS	1
CEALXUS	1
ZUXUS	2
PALAZUS	3
CNEZUS	1
CNZUS	1
~US	4
RVS	1
AXS	1
MAXS	3
NAXS	1
~PLSAXS	1
PUTZS	1
NEśS	1
SCUNU§S	1
~S	12
T	11
AT	2
CAFAT	1
RAESNINIXVPLAHAT	1
SIAT	1
ZILAT	1
EULAT	1
ECNAT	1
VNAT	1
ZAT	1
TRUΘT	1
MUNICLET	1
TINSET	1
VET	2
śUΘIΘIT	1
EIT	2
LVRMIT	1
LAVTNIT	1
ΘUPIT	1
TIT	1
LT	3
CLT	2
MT	1
MEΘLUMT	1
SEIANT	1
MANT	1
ARNT	20
ΘUNT	2
NEHUNT	1
TUNT	1
LART	31
śERT	1
LRT	1
CURT	1
FAST	3
FRAST	1
~NTILST	1
URST	1
FUST	1
LAUT	4
HUT	1
LUT	2
MUT	1
TUśNUT	1
TUT	1
VT	2
TRUTNVT	1
~ΘENśT	1
~T	1
U	3
AU	219
CAU	2
~FURNUTIAU	1
LAU	7
FALAU	1
PLAU	1
RAU	1
ETERAU	1
TRAU	2
RUNSAU	1
~AU	1
CU	1
PACU	1
~ERIΘUΘCU	1
~CECU	1
LECU	1
PRECU	4
SECU	18
VECU	6
CICU	12
VELICU	3
NICU	1
ΘANICU	4
STICU	1
ZICU	2
~ICU	1
CENCU	2
HATRENCU	1
CARCU	3
PRCU	1
SCU	1
VESCU	3
VELSCU	1
ΘUCU	3
HUCU	1
ILUCU	7
APUCU	1
ΦEXUCU	1
ΘU	8
STELAΘU	1
HEΘU	1
SEΘU	1
SIΘU	1
CAPLΘU	1
RANΘU	1
HINΘU	4
APRINΘU	1
RAUNΘU	2
RAVNΘU	7
LARΘU	4
~VΘU	1
~ΘU	1
LEU	1
FU	1
AFU	1
MUIFU	1
SCURFU	1
IU	2
CAIU	1
CACIU	1
PRUCIU	2
RAΘIU	1
FEΘIU	2
LEΘIU	1
UEΘIU	1
HINΘIU	1
TUΘIU	3
FIU	1
SCURFIU	1
PARLIU	1
AULIU	2
HIMIU	1
ANIU	2
CLANIU	3
~CLANIU	1
~LANIU	1
SACNIU	2
SENIU	1
MARNIU	1
CLAUNIU	1
CAPIU	2
ZARAPIU	1
ZERAPIU	2
ALPIU	4
CULPIU	1
PUMPIU	1
HERIU	1

TAΦUNIAŚ	1
APIAŚ	1
TREPIAŚ	1
VIPIAŚ	1
LEΘARIAŚ	1
ANKARIAŚ	1
MARIAŚ	1
RUFRIAŚ	1
SCIRIAŚ	1
UMRIAŚ	1
METRIAŚ	1
PLAUTRIAŚ	2
TEΘURIAŚ	1
VELΘURIAŚ	2
MURIAŚ	1
SPLATURIAŚ	1
LUXRIAŚ	1
TERASIAŚ	1
VELESIAŚ	1
VUSIAŚ	1
UITIAŚ	1
VENTIAŚ	1
ARNTIAŚ	2
TARNXNTIAŚ	1
RESTIAŚ	1
MUTIAŚ	2
RUTIAŚ	1
AXUIAŚ	1
SCEVIAŚ	1
PEXIAŚ	1
VELXIAŚ	1
~IAŚ	2
MLAKAŚ	1
LAŚ	1
FALAŚ	1
~PANALAŚ	1
CELAŚ	1
NUMAŚ	1
ΘANAŚ	1
PARΘANAŚ	1
APIANAŚ	1
ARIANAŚ	1
KURITIANAŚ	1
UMRANAŚ	2
PUCSANAŚ	1
SUTANAŚ	2
VEZANAŚ	1
LEMRECNAŚ	1
MARCNAŚ	6
VERCNAŚ	7
ESTRCNAŚ	1
VESTRCNAŚ	1
PAPAΘNAŚ	1
ALEΘNAŚ	1
PEΘNAŚ	1
VEΘNAŚ	1
ENAŚ	20
MENAŚ	1
MALAMENAŚ	1
NUMENAŚ	1
KURVENAŚ	1
PULFNAŚ	1
VELΘINAŚ	3
~KINAŚ	1
TETUMINAŚ	1
MUNINAŚ	1
SLAPINAŚ	1
LARINAŚ	1
HERINAŚ	4
SUTRINAŚ	1
MURINAŚ	1
SPURINAŚ	2
PAPSINAŚ	1
TETINAŚ	3
ARTINAŚ	1
KURTINAŚ	1
HEVINAŚ	1
KAIKNAŚ	2
MAALNAŚ	1
ŚUPELNAŚ	1
ΦELNAŚ	1
VELIMNAŚ	14
ΘURMNAŚ	4
NUMNAŚ	2
ΘANNURSIANNAŚ	1
CAPNAŚ	1
PUNPNAŚ	1
CARNAŚ	2
PARNAŚ	1
VARNAŚ	3
ΘUCERNAŚ	2
VELΘURNAŚ	3
PURNAŚ	1
SURNAŚ	2
~RNAŚ	1
VELASNAŚ	1
TLESNAŚ	2
SANESNAŚ	1
PESNAŚ	1
CUESNAŚ	1
LUESNAŚ	4
CALISNAŚ	2
CAPSNAŚ	1
CUPSNAŚ	1
VELTSNAŚ	2
PATNAŚ	1
SATNAŚ	2
ŚATNAŚ	1
HUZETNAŚ	1
PUNTNAŚ	1
CESTNAŚ	5
XVESTNAŚ	1
TUTNAŚ	3
AUNAŚ	1
CNEUNAŚ	1
AFUNAŚ	5
KARIUNAŚ	1
KUSIUNAŚ	1
REPUSIUNAŚ	1
KLUTIKUNAŚ	1
ŚINUNAŚ	1
APUNAŚ	1
MARXNAŚ	3
VELCZNAŚ	1
VELEZNAŚ	1
REMZNAŚ	1
CAPZNAŚ	6
NUFRZNAŚ	3
NUFURZNAŚ	1
VELXZNAŚ	1
VELAŚNAŚ	1
VELAVEŚNAŚ	1
CALIŚNAŚ	1
~NŚNAŚ	1
VELXŚNAŚ	1
HAΦNAŚ	1
APAŚ	1
PAPAŚ	1
ARPAŚ	1
ARAŚ	3
ΘUIARAŚ	1
VEΘSARAŚ	1
CLUCΘRAŚ	2
SEΘRAŚ	3
ΘERAŚ	1
PERAŚ	1
AISERAŚ	3
EISERAŚ	1
ETERAŚ	1
VERAŚ	1
CAPRAŚ	1
ŚECTRAŚ	1
CLUCTRAŚ	1
VELΘINAΘURAŚ	2
ANEIΘURAŚ	1
HURAŚ	1
LUSAŚ	1
TATAŚ	1
~TETAŚ	1
ΘAPINTAŚ	1
ŚTAŚ	1
VELΘUAŚ	1
LUAŚ	1
VAŚ	1
ZIVAŚ	2
~UVAŚ	1
UNEIŚAŚ	1
ŚANTIŚAŚ	1
SANŚAŚ	1
~AŚ	1
CŚ	6
TRECŚ	1
XISVLICŚ	1
AΘUMICŚ	1
VUVCNICŚ	1
PRUMAΘŚ	1
PEΘŚ	1
CILΘŚ	8
EŚ	1
CAEŚ	13
LAEŚ	1
CEŚ	2
LARECEŚ	1
CULTECEŚ	1
APICEŚ	2
VELCEŚ	1
LUNCEŚ	2
LARCEŚ	1
MARCEŚ	1
PETCEŚ	1
CLAUCEŚ	1
RUMAΘEŚ	1

LEΘEŚ	3
HAMΦEΘEŚ	2
SILAIΘEŚ	1
SLAIΘEŚ	2
CUSIΘEŚ	2
VELNΘEŚ	1
APRΘEŚ	1
AFRFEŚ	1
RAUFEŚ	1
RAVFEŚ	1
CAIEŚ	1
LEΘAIEŚ	1
AULIEŚ	1
ANIEŚ	2
SECUANIEŚ	1
ANINIEŚ	2
USINIEŚ	1
ΘARNIEŚ	1
LAVTUNIEŚ	1
AXUNIEŚ	1
ANAŚNIEŚ	1
VARIEŚ	1
LEASIEŚ	1
NUMUSIEŚ	1
LAVSIEŚ	1
VETIEŚ	2
~VETIEŚ	1
TITIEŚ	1
CUIEŚ	1
ŚALXIEŚ	1
VELXIEŚ	1
RENXIEŚ	1
CLARUXIEŚ	1
FELUSKEŚ	1
SALEŚ	1
SICLEŚ	1
KAΘLEŚ	1
VELEŚ	1
AFLEŚ	1
UFLEŚ	1
AUFLEŚ	3
TRILEŚ	2
AVILEŚ	4
VENZILEŚ	2
CVENLEŚ	2
RAPLEŚ	1
TANTLEŚ	2
ARNTLEŚ	1
MESTLEŚ	1
AUTLEŚ	1
AVTLEŚ	1
AULEŚ	31
AVLEŚ	3
VENZLEŚ	2
~LEŚ	1
MEŚ	1
HERMEŚ	2
ANEŚ	8
VEANEŚ	3
UVILANEŚ	1
UCRISLANEŚ	1
PATISLANEŚ	1
ARNZLANEŚ	1
MLNANEŚ	1
ATRANEŚ	1
ZANEŚ	1
AMΘNEŚ	1
VELΘINEŚ	1
TUΘINEŚ	2
CAMARINEŚ	1
HERINEŚ	2
SAUTURINEŚ	2
TUCUNTINEŚ	1
VELNEŚ	1
ULTIMNEŚ	1
TULUMNEŚ	2
AFUNEŚ	1
RAŚNEŚ	2
~NEŚ	1
TUPISISPEŚ	1
ΘAREŚ	1
CNAREŚ	1
ANΦAREŚ	1
ŚELVAΘREŚ	1
SEΘREŚ	5
ŚEΘREŚ	1
ΘEREŚ	1
FLEREŚ	10
CUMEREŚ	1
NUFREŚ	1
CIREŚ	3
SEIREŚ	1
TEMREŚ	1
CASPREŚ	6
SETREŚ	1
ŚACNICSTREŚ	2
LUSTREŚ	1
ŚACNICŚTREŚ	5
SPUREŚTREŚ	2
ŚPUREŚTREŚ	2
PLANCUREŚ	1
ΘEΘUREŚ	2
ATEŚ	1
CAFATEŚ	4
CLATEŚ	1
MEFANATEŚ	1
ATINANATEŚ	1
MEHNATEŚ	1
MINATEŚ	1
URINATEŚ	2
ATINATEŚ	2
PETINATEŚ	2
SENTINATEŚ	3
ŚAUXNATEŚ	1
ASATEŚ	1
MASATEŚ	1
CAΦATEŚ	1
VENETEŚ	1
VETEŚ	6
CLAITEŚ	1
TITEŚ	21
LATITEŚ	2
SPUITEŚ	1
VELXITEŚ	1
CLANTEŚ	1
APURTEŚ	1
SURTEŚ	3
PLAUTEŚ	3
~LAUTEŚ	1
CURΘUTEŚ	1
PIUTEŚ	2
SNUTEŚ	3
TUTEŚ	1
VELCUEŚ	1
ΘUEŚ	1
VEŚ	1
LEVEŚ	1
ZUŚLEVEŚ	2
CNEVEŚ	1
LEIVEŚ	1
VEIVEŚ	1
ΘUVEŚ	1
PETUVEŚ	1
SLICAXEŚ	1
ANIAXEŚ	1
VELXEŚ	3
HAMΦEŚ	2
~EŚ	1
NEFŚ	1
IŚ	1
AIŚ	2
CAIŚ	6
KAIŚ	1
ΘAPINTAIŚ	1
CESUAŚAIŚ	1
APRENŚAIŚ	1
CIŚ	1
LARCIŚ	2
LAUCIŚ	1
VELΘIŚ	1
CEARΘIŚ	3
HUΘIŚ	2
SUΘIŚ	1
CACEIŚ	3
ANEIŚ	5
SEIŚ	1
TEIŚ	3
ATEIŚ	1
~ATEIŚ	1
AVEIŚ	3
~AVEIŚ	1
TLENAXEIŚ	1
VELXEIŚ	1
FAŚEIŚ	1
RAFIŚ	6
NEFIŚ	2
RAUFIŚ	3
MUKIŚ	1
PUCLIŚ	1
AΘELIŚ	1
METELIŚ	2
VELIŚ	1
~AXELIŚ	1
PUPILIŚ	1
VIPLIŚ	1
VISULIŚ	1
ZAΘRUMIŚ	3
ANIŚ	2
ANANIŚ	1
CACNIŚ	4
MARCNIŚ	1
FRAUCNIŚ	1

ŚEMUŚAΘNIŚ	1
ALFNIŚ	2
CAINIŚ	3
~CAINIŚ	1
ANAINIŚ	1
HERINIŚ	4
ΘEPRINIŚ	1
TINIŚ	1
LATINIŚ	1
ACLNIŚ	3
FAPLNIŚ	1
RAPLNIŚ	1
MASLNIŚ	1
RUTLNIŚ	1
AULNIŚ	1
HULNIŚ	2
HEIMNIŚ	1
CUMNIŚ	2
APNIŚ	2
HUPNIŚ	1
ANCARNIŚ	1
VARNIŚ	1
ACRNIŚ	1
PETRNIŚ	1
LARΘURNIŚ	1
PURNIŚ	1
CASNIŚ	1
~CASNIŚ	1
KALISNIŚ	1
CURSNIŚ	1
RUTSNIŚ	1
TETNIŚ	1
FRAUNIŚ	1
FULUNIŚ	1
TECUMUNIŚ	1
VAHRUNIŚ	1
PETRUNIŚ	5
VULSUNIŚ	1
HALTUNIŚ	1
LAUTUNIŚ	1
ZUXNIŚ	1
ARZNIŚ	1
LAPIŚ	1
VIPIŚ	20
~XPIŚ	1
RIŚ	1
ANCARIŚ	2
LARIŚ	1
SLEPARIŚ	1
VARIŚ	1
ŚARIŚ	1
ACRIŚ	3
EΘRIŚ	1
HAMERIŚ	1
NERIŚ	1
ARUSERIŚ	1
LAUTERIŚ	1
ZERIŚ	2
ΘEFRIŚ	1
RUIFRIŚ	1
VAHRIŚ	1
LRIŚ	1
VEΘURIŚ	1
CAMURIŚ	1
ŚERTURIŚ	1
ΦURIŚ	1
ACSIŚ	14
VESIŚ	6
CEISIŚ	2
PETISIŚ	1
VUISIŚ	1
UPELSIŚ	5
VELSIŚ	2
VUSIŚ	1
TIŚ	1
LAAETIŚ	1
MUCETIŚ	1
PETIŚ	2
TETIŚ	1
VETIŚ	7
~VETIŚ	1
TITIŚ	1
SENTIŚ	1
ARNTIŚ	1
~NTIŚ	1
FASTIŚ	1
HASTIŚ	1
NANSTIŚ	1
HAUSTIŚ	1
NUIŚ	2
TREPUIŚ	1
TITUIŚ	2
SCEVIŚ	1
ŚALVIŚ	2
NETSVIŚ	1
NUVIŚ	1
XIŚ	14
ŚEXIŚ	1
TARXIŚ	1
PUPANAŚIŚ	1
CUŚIŚ	1
~IŚ	1
LARΘALŚ	2
TRILIALŚ	1
PAPALŚ	1
TETALŚ	3
HELŚ	1
VELŚ	5
~ANILŚ	1
AVILŚ	10
IMŚ	1
TURMŚ	1
CULΘANŚ	1
SIANŚ	1
CLENŚ	1
PATLINŚ	1
TINŚ	15
TESNŚ	2
ΘUNŚ	1
ARCENZIOŚ	1
SLEPARŚ	1
UCRŚ	1
FLERŚ	1
ETERŚ	1
ΘUNXERŚ	1
ΘANRŚ	1
ATRŚ	3
ΘURŚ	1
VELΘURŚ	2
TIIURŚ	1
SPLATURŚ	1
~RŚ	1
PATŚ	1
VETŚ	1
SUTŚ	1
HUSLNEŚTŚ	1
ΘAPNEŚTŚ	1
AUŚ	1
ŚARŚNAUŚ	1
~PLECUŚ	1
PRECUŚ	2
SECUŚ	2
CICUŚ	2
VESCUŚ	2
CEUŚ	1
ŚEUŚ	4
AFUŚ	1
NUVLAIUŚ	1
PERCIUŚ	1
FEΘIUŚ	3
PULIUŚ	1
NIUŚ	1
ARNTIUŚ	1
LARTIUŚ	1
USTIUŚ	1
ARNZIUŚ	1
ARZIUŚ	1
MUΘIKUŚ	1
LALUŚ	1
TULALUŚ	1
TITALUŚ	1
SEKSUALUŚ	1
VENELUŚ	2
VELUŚ	59
ΘANAKVILUŚ	1
ΘANXVILUŚ	2
ΘANUXVILUŚ	1
ZILUŚ	1
FULUŚ	2
ZULUŚ	1
TRAZLUŚ	2
NANUŚ	1
TATANUŚ	1
VENUŚ	1
RINUŚ	2
FUŚUNUŚ	1
TLAPUŚ	1
TREPUŚ	1
ŚEPUŚ	1
PUMPUŚ	10
PUPUŚ	3
ARUŚ	1
FARUŚ	2
LARUŚ	3
VERUŚ	3
ATRUŚ	1
PETRUŚ	5
ΘAURUŚ	1
VEΘURUŚ	1
VELΘURUŚ	1
LARΘURUŚ	3
ŚERTURUŚ	1